HET VREUGDESTRAND

Ellen Mattson

Het vreugdestrand

Vertaald door Clementine Luijten

2009
Uitgeverij Contact
Amsterdam/Antwerpen

De vertaalster ontving voor deze vertaling een werkbeurs van de
Stichting Fonds voor de Letteren

© 2008 Ellen Mattson
© 2009 Nederlandse vertaling Clementine Luijten
Oorspronkelijke titel *Glädjestranden*
Oorspronkelijke uitgever Albert Bonniers Förlag
Omslagontwerp Suzan Beijer
Omslagillustratie TBC / Royal Photographic Society
Typografie binnenwerk Text & Image, Almere
ISBN 978 90 254 3150 1
D/2009/0108/942
NUR 302

I

De laatste zaterdag in maart van het jaar 1822 werd het lijk van een man gevonden, aangespoeld op een landtong in de gemeente Tång in het zuiden van de provincie Bohuslän. De vondst werd gedaan door een keuterboertje met de naam Lauritz Bark, toen hij 's ochtends naar het strand ging om de schade op te nemen en te zoeken tussen wat de storm had achtergelaten. Om twee uur 's nachts was de wind komen opzetten, had het laatste restje verrot ijs gebroken, Lauritz' netten meegenomen maar diens boot gespaard, een oude stenen steiger meegevoerd en het wrak van een roeiboot hoog tussen de bomen geworpen. Lauritz kon zich niet herinneren ooit een ergere storm te hebben meegemaakt.

Het waaide nog steeds hard en het regende koud, hij rende als een haas tussen de rotsblokken, dook in elkaar voor de windvlagen, graaide in de hopen opgeworpen hout op zoek naar zijn net. Toen hij het lijk vond dacht hij eerst dat daar een dier op het zwarte bed van zeewier lag, vervolgens zag hij de zilveren knopen in de natte pels.

Hij was niet moedig, alleen arm. Nadat hij een tak wier over het gezicht van het lijk had gelegd, strekte hij drie keer zijn hand uit om de bontjas open te knopen, maar iedere keer brandde het koude zilver zijn vingers. 'Foei, foei,' riep hij en hij deinsde terug, het was echter niet de gedachte aan straf, maar de man zelf die hem angst aanjoeg.

Vanuit Orust hoorde je het gebeier van klokken, hij zocht

de luwte op tussen de bomen voor een kort gebed terwijl de wind de regen in zijn ogen sloeg en vlokken grijs schuim in het rond wierp. De man lag op zijn rug in zijn bontjas met zwarte laarzen aan, goed gekleed alsof hij zich op zijn laatste reis begaf. Zelfs als dode bezat hij meer dan Lauritz ooit zou hebben.

Die gedachte deed hem terugkeren naar het strand, de klitterige pels openknopen en zijn hand naar binnen steken waar de geldbuidel van de man opbolde onder zijn donkerblauwe lakense jas. Ook de blote handen moest hij met wier bedekken voordat hij de buidel kon openen. Tien rijksdaalders leken hem redelijk toen hij ze in zijn hand woog, tien rijksdaalders voor de koude regen, voor het net dat verloren was gegaan, voor de herinnering aan de stok met de zilveren knop. 'Foei,' spuugde hij en hij plantte zijn hakken in het zand.

Een streep vuilgeel zonlicht drong door het wolkendek, waarin Lauritz de kraaien uit het bos zag opvliegen en wegdwarrelen als assintels. Hij was bang dat iemand ze had opgeschrikt, dat er iemand aankwam. Hij herinnerde zich ineens dat hij nooit last had gehad van die stok waarover hij zoveel had horen praten. Vijf rijksdaalders, kreunde het in hem terwijl hij de munten weer in de leren buidel liet glijden, drie, twee. Hij wilde dat de golf zou komen om de man terug te nemen en hem op een andere kust te werpen, om door iemand anders te worden gevonden. Eén rijksdaalder maakte niet uit, dacht hij terwijl hij stuntelde met de buidel tegen de ijskoude borst van de man. Zijn verkleumde vingers beroerden iets, een klein doosje dat glansde toen hij het door de halsopening van het hemd tevoorschijn haalde. Het was een verguld medaillon.

Een medaillon, zoals alleen meisjes die droegen, aan een ketting om de stevige nek van deze man.

8

Met een ruk trok Lauritz de ketting kapot en hield het medaillon op, als een vraag. 'God helpe me,' fluisterde hij en hij stopte het vlug in zijn zak.

Er kwam niemand, hij was nog steeds alleen op het strand, maar nu hield hij het niet langer uit bij degene die aan zijn voeten lag, zo grijs en ruigharig. Hij baggerde door de kloof terug naar boven, en toen hij de kam had bereikt dacht hij: ik zal de armenkas om geld voor een nieuw net vragen.

Lauritz woonde in een hutje dat hij van wrakhout had gebouwd, en hij had een lapje weide- en veengrond dat twee schapen voedde. Toen hij binnen aan tafel zat, liet hij het medaillon ronddraaien aan de ketting terwijl hij aan de verdrinkingsdood dacht, erger bestond niet werd er gezegd, ook al wees niets van wat hij in zijn leven had aanschouwd erop dat een andere dood beter was. Hij somde ze op: natuurlijke dood, hongerdood, koortsdood, bevriezingsdood. In het deksel van het medaillon was een patroon van fijne ranken gegraveerd, hij wilde het nog niet openen. Een keer had hij een oude vrouw uit een moeras omhooggehaald. De moerasdood.

De wind was afgenomen en de regen fluisterde tegen het plaggendak, niemand had dat geluid ooit gehoord behalve Lauritz, voor hem was het even duidelijk als het geluid van scholen vissen onder de boot en zaad dat kiemde. Iets geels stroomde door hem heen, de gedachte aan de lente.

Hij at een paar koude aardappels en ging op weg om met de boer over het lijk en het afvoeren ervan te praten. De boer gaf hem een knecht mee en een baar van staken met zeildoek ertussen. Weer moest hij de kloof door en op het strand staan bij de grijze die gekrompen leek nu het ergste vocht was verdampt. Als een boomstam tilden ze hem op de draagbaar en gingen op pad, zwaar onder de druppende eiken. De tak wier lieten ze op zijn gezicht liggen, want geen van beiden wilde aan die blik worden herinnerd en geen van beiden zag iets beschamends in het schone wier. Ze spraken geen woord met elkaar, maar hijgden en vloekten stevig op het natte gras van vorig jaar waarover hun voeten weggleden.

Toen alles achter de rug was kregen ze in de keuken ieder twee borrels. De boer had iemand om de veldwachter gestuurd en stond op het erf, slechtgeluimd over het lijk op zijn hoeve, net nu hij van plan was zijn fruitbomen te snoeien.

Het begon al donker te worden toen Lauritz die avond thuiskwam. Hij nam de ooien bij zich in het hutje en ging aan tafel zitten met zijn zwarte handen rustend op het blad. Hij dacht aan het meisje, hoe ze zich zonder angst voorover had gebogen en iets had gefluisterd. Met zijn zwarte vingers vol kloven opende hij het medaillon en vond een donkerbruine haarlok, omwikkeld met zijdedraad.

De ooien lagen in een hoek, het dampte vochtig rondom hen toen het vuur eenmaal goed brandde. Lauritz sloot het medaillon met een klik en bedacht dat hij de schop moest slijpen. Een halve ton aardappels zou hij in de grond stoppen. Als je de eerste hommel ziet, weet je dat de juiste dag is aangebroken. Aan niemand, niemand kon iemand als hij een gouden medaillon verkopen.

Hij stond op en legde het onder in de kist, en daar bleef het liggen tot er op een dag in juni zeventien jaar later een boedelceel werd opgemaakt van voormalig soldaat Lauritz Bark, overleden in zijn drieënzeventigste levensjaar, nalatend zo goed als niets aan geen nabestaanden. Tussen het beperkte huisraad – een tafel, een uittrekbank met strozak, een kist, een houten bord en dito lepel, een porseleinen kop, een viool (onbruikbaar), twee kommen, een koperen ketel plus een mes met benen heft – vond men een medaillon van verguld tin bevattende een haarlok. De schoolmeester, die aangewezen was als boedelbeschrijver, duidde het voorwerp als een sentimenteel kleinood uit zijn jeugd.

En toch was Lauritz niet bepaald het soort man van wie je het idee had dat hij van iets droomde. De schoolmeester keek op van zijn paperassen, blikte door het kleine raam naar buiten, naar het pas aangeaarde aardappelveld en de fijne schaduw van de lijsterbes die trilde in het gras. De bijl stak in het hakblok, de steel wees naar het noorden. Hij liet het medaillon ronddraaien aan de ketting en dacht aan de ondoorgrondelijkheid van een mensenleven.

Het meisje kwam alleen. Ze stonden in de milde regen op de loopbrug naar de hooizolder en zagen het paard met vrije teugels de heuvel af komen, zagen hoe het stopte om in de berm te grazen en hoe het meisje het zijn gang liet gaan, terwijl ze haar handen onder haar oksels stak om ze te warmen. Ze heeft geen haast, dachten ze.

Daar stonden de oldermannen, de veldwachter en de boer zelf. Ze hadden haar weliswaar ontboden, maar tegelijkertijd laten weten dat het meisje net zo goed thuis kon blijven: ze wisten al met zekerheid wie de man was. Als ze wilde kon ze ook een knecht sturen, maar het meisje was erbij gebleven dat ze zelf moest komen.

Het onnatuurlijke van die wens deed hen helemaal huiveren nu ze zagen hoe klein ze was in haar baaien mantel, de sjaal achteloos om haar schouders geslagen. Haar bleke gezicht leek niet veel groter dan de palm van een hand. Ze reed op het zwarte paard van haar stiefvader en ze hadden haar liever zien komen in een wagen, gemend door haar knecht. Het was allemaal verkeerd.

Ze stampten met hun voeten en zuchtten, verontrust door iets wat ze niet konden verklaren. Het leek wel alsof het paard uitmaakte wanneer ze lang genoeg hadden gewacht, plotseling hief het zijn hoofd in hun richting en trok de teugels naar zich toe.

'Ze is niet sterk genoeg voor dat paard,' zei de boer ontstemd.

'Maar ze is nog een kind!' fluisterde de rijksveldwachter toen het meisje boog om onder de poort het erf op te rijden.

'Het paard is gewoon te groot,' zei de boer, want het meisje was achttien en normaal van postuur; toen ze haar been over de nek van het paard zwaaide en zich op de grond liet glijden, zag iedereen het. Ze maakte een zeer zachte landing in de modder en liet haar hand op de zadelknop rusten terwijl ze keek, niet naar de mannen maar naar de hemel en de grote es waar de eksters al in een oud nest tekeergingen. Toen haar mantel openviel, zagen de mannen dat ze een jurk van grijs bombazijn droeg met een patroon van kleine, zwarte blaadjes. In de kraag stak een speld met een grote zilveren kop.

Ze hadden zo kunnen blijven staan als er niet net een meid over het erf was gelopen met een emmer aan een knarsend handvat. Het meisje trok de teugels over het hoofd van het paard en leidde het dier het laatste stukje naar de mannen, die wachtten tot ze iets zou zeggen, maar ze liep hen gewoon voorbij alsof ze hen niet zag, haar ogen op de schuurdeur gericht.

'Uit de weg, Lars Olsson,' zei ze met haar meisjesstem toen de boer haar arm vastpakte.

'Heb je zo'n haast om naar binnen te gaan? Het is geen fraai gezicht.'

'Houd het paard vast,' zei ze.

'Houd het paard vast,' riep de boer tegen het keuterboertje dat het lijk die ochtend had gevonden en in de tussentijd met de hopstaken bezig was geweest en nu de keuken uitkwam waar hij een warme maaltijd had gekregen. De boer zelf zwaaide de schuurdeur open, want die was nu eenmaal van hem, en pas nadat hij zelf naar binnen was gestapt mocht het meisje volgen.

Ze bleef op de drempel staan en knipperde met haar ogen in het halfduister. Toen de boer zag hoe haar hand onhandig aan haar sjaal friemelde, voelde hij voor het eerst iets zachters dan zijn eigen onbehagen. Hij pakte de lantaarn van de haak en hield hem omhoog zodat ze in de hoek kon kijken waar de man lag, zijn hoofd op een peluw van sparrentakken. Hij had verwacht dat die aanblik afdoende was, maar ze pakte de lantaarn van hem over, liep er vlug heen en liet zich op haar knieën naast de baar vallen.

De vijf mannen in de deuropening wisten niet wat ze zagen. Achter hen stond Lauritz met de teugels in zijn hand toe te kijken, hij begreep het ook niet, maar wel dat het meisje moediger was dan hijzelf. Ze boog zich over de dode en zei iets terwijl ze over de pels streek en haar vingers in de ruige vacht boorde als bij een levend beest. De rijksveldwachter fluisterde dat ze dapper was, maar door het hoofd van de boer schoot de gedachte dat een zo onverschrokken benadering eerder op een koude inborst duidde. Het volgende moment hoorden ze iets wat op een snik leek, hij veranderde meteen van mening, maar het meisje was al opgestaan en had haar onnatuurlijk bleke gezicht in hun richting gedraaid.

'Het is mijn stiefvader,' zei ze. 'Die bontjas heb ik zelf voor hem genaaid.'

'Dan weten we het nu zeker,' zei de oudste van de oldermannen.

'Ga naar binnen om je te warmen,' zei de boer toen hij de lantaarn pakte en de ijskoude hand van het meisje aanraakte, maar ze glimlachte en zei: 'Ik heb het warm.' Vervolgens liep ze weg zonder hem te bedanken, langs de mannen op de loopbrug zonder iemand aan te kijken, en nam haar paard.

De boer schoof de schuurdeur dicht en bedacht dat hij

de rijksveldwachter iets moest aanbieden, dat de fruitbomen gesnoeid moesten worden, dat de storm volledig leek
te zijn overgetrokken, dat er nog een halve herendienst te
halen viel bij de keuterboer die het paard vasthield terwijl
het meisje opsteeg en die vervolgens met de pet in zijn hand
met zijn voeten stond te schuifelen alsof hij iets van haar
wilde. Het meisje keek op hem neer en wachtte, dat maakte een vreemde indruk daar ze zojuist nog zo'n haast had
om te vertrekken.

'De hopstaken!' brulde de boer met een stem die de duiven van het stoppelveld deed opvliegen.

Toen trok ze de teugels naar zich toe en reed weg.

Terug in de tijd, acht jaar terug, het meisje staat op de trap en luistert naar de wind die in de kieren fluit, hoei klinkt het terwijl hij langs haar heen waait, hij fluit als een vleermuis en zij houdt van dat geluid, sommige avonden troost het haar zoals anderen getroost worden door een speeldoosje of een brandende kaars. De wind zet zijn grote mond tegen het huis, nu blaast hij, hoor je hoe het klinkt, als een aardewerken fluitje, als een grassprietje; dat zei haar vader altijd, en ze zag meteen de ronde wangen van de wind voor zich en de hand van de wind die het huis in zijn greep nam en het bijna optilde. Nu is het de hand van haar vader die het huis optilt en zijn mond die blaast, hoei, daarom is ze nooit bang. Neem de kaars maar mee, Mari!

Het meisje draagt nieuwe rijglaarsjes en heeft strak gekamd haar, in haar ene hand houdt ze een psalmboek, in de andere een tak van de laat bloeiende kamperfoelie, dat is haar eigen bedenksel, maar als de deur beneden open waait door de tocht en ze stemmen hoort, laat ze de bloem vallen.

Om haar heen fluit het huis van de wind, in de wanden kraakt oktober, het meisje gaat twee traptreden naar beneden en een naar boven, twee naar beneden en drie naar boven, op die manier komt ze er nooit, ze vliegt in de hand die sommige nachten groot genoeg is om niet alleen het huis vast te houden maar ook de tuin, het eikenbosje, het strand en zoveel van de zee als ze door haar raam kan zien.

Door de kier van de deur hoort ze een stem zeggen: 'Zet de lamp neer.'

Ze laat haar vingers over de leuning heen en weer glijden tot er warmte uit het hout komt.

Ze heeft zijn laarzen bij de deur gezien, modderig tot halverwege de schacht; hij heeft niet eens het benul de aarde van het kerkhof af te schrapen voordat hij naar huis komt, zo zeiden ze toen ze, langzaam, om niet op te vallen, van de keuken naar het schuurtje liep waar haar klompen stonden, want ze wilde alleen naar buiten om de bloem te pakken die ze had laten vallen. Maar hij had wel zelf het graf gedolven, niemand mocht hem helpen, zelfs de jongen niet, dat was toch vreemd, dat moest iets betekenen, haha-ha, wilde hij soms zeker weten dat het diep genoeg was, zwijg nu en hak het vlees, maar kan het diep genoeg zijn? Voor hem?

Het meisje doet twee passen naar beneden en een naar boven. Wat is er zwarter nog dan rook? En wat is er vlugger dan een spook? Waarheen leidt de weg die het breedst is? En waar ligt de mens op zijn lelijkst?

Jij leert het meisje zulke liedjes!

Ze hoort en ziet alles, weet alles wat er in huis gebeurt, er is niets wat ze niet begrijpt, geen toonval, geen gebaar, geen blik, geen lach, alles weet ze te duiden, ze is tien jaar en volleerd. Ze zingt zachtjes terwijl ze gaat zitten, de wind is ervandoor gegaan, nu is ze helemaal alleen, helemaal alleen met de geur van sparrentakken en lamplicht in de deurkier. In het westen heeft de zon haar gestoelte, en daar liggen de dode zijn voeten.

Maar wat, denkt ze terwijl ze het psalmboek weglegt, wat is er witter nog dan een zwaan? En roept nog luider dan een kraan?

Gerammel in de keuken, gehak op het erf, ze weet dat

het de grote koperen vorm is die wordt omgekeerd en de knecht die de laatste sparren klieft. Mari loopt door de hal in haar natte schort, wegwezen jij, sist ze en ze schopt tegen de voet van het meisje die onder de trapleuning uitsteekt, o wind, kom terug! Ze zal nooit meer in de keuken om water gaan vragen, lieve Mari, geef me de scheplepel, nooit meer. Haar hele hoofd doet pijn van de strakke vlecht, de stevige vingers die knepen en trokken, je wilt er toch niet uitzien als een trol?

Nooit meer, denkt ze en ze roetsjt naar de laatste traptrede. Nooit meer, nooit meer, ze weet zelf niet wat het betekent, maar ze klopt drie keer op de wand, draait de ring tegen de zon in en telt de dakbalken tot ze iets naar zich toe ziet komen vliegen, groot als een schot geweerhagel en pikzwart, het schiet bij haar naar binnen. De zonde is zwarter nog dan rook, en de gedachte vlugger dan een spook. Naar de hel voert de weg die het breedst is, en daar ook ligt de mens op zijn lelijkst.

Zing iets anders, kleine meid.

Ze staat op en duwt de deur open.

Binnen in de wit beklede kamer schijnt de lamp op de kist waarin haar moeder ligt met het kind naast zich als een kleine bleke paddenstoel. De ramen zijn afgeschermd met lakens, een guirlande van vossenbessentakjes verbergt de spijkers. De stoelen staan in een rij tegen de wand, slechts een is er naar voren getrokken en daarop zit moeders broer, oom Arvid, met zijn dunne benen rond de stoelpoten geklemd. Zijn hoofd is gebogen maar het meisje weet dat hij naar haar kijkt en wat hij op dat moment denkt: dat ze te klein is.

Ze zegt tegen zichzelf dat ze moet groeien.

Achter hem staat haar stiefvader, hij legt net zijn hand op Arvids schouder en het meisje vindt die er zwart uitzien, alsof de grafaarde nog onder zijn nagels zit. Hij groeit uit de gehakte sparrentakken als een boom, werpt zijn lange schaduw in haar richting, als hij in de regen zijn arm uitstrekt kan zij eronder schuilen zodat ze droog blijft. Hij is als een diepe, donkere grot: als zij daar eens naar binnen gaat? Maar dat mag ze niet, ze moet blijven waar ze is, het goud glanst in zijn oorlel, maar zij moet naar iets anders kijken: naar het kistdeksel dat staat opgesteld tegen de wand met een groene rand langs de ophoging en naar de sparrentakken die de vloer bedekken, ze kijkt neer op haar rijglaarsjes, ze zijn glanzend en mooi. Ik moet groot worden, constateert ze en ze ontdekt ineens dat haar beide handen leeg zijn. Wippend op de drempel kijkt ze zoekend om zich heen naar de bloem.

Ze hoort haar stiefvader glimlachen. Zijn tanden blinken wanneer hij zegt: 'Kom binnen en neem afscheid van je moeder, Tora.'

Het was stil op het erf, niemand verroerde zich, het enige wat je hoorde was het gehijg van de mannen die de dodenbaar optilden en over hun schouders heen en weer schoven tot ze grip hadden en zich konden oprichten, alle vier wazig door hun eigen witte ademhaling, want 's nachts was de eerste vorst gekomen en de modderpoelen voor de poort vertoonden randen van ijs die knisterden toen ze de kist naar buiten droegen onder de boog van sparrentakken door. Zodra de kist vaart kreeg, formeerde de volgstoet zich en stroomde de heuvel af naar de weg, waar nog een gevlochten poort stond. Frank had geen genoegen genomen met de gebruikelijke takken.

De ochtendnevel hing nog boven de velden, maar toen ze de weg opdraaiden, brak de zon door en de stralen begonnen te schitteren en te zweven in het licht. Onder de essen dreven de blaadjes als plasjes boter. Een kat hield de wacht bij het holletje van een woelmuis, een eenzame zwarte punt van ijver met trillende snorharen in het witte graslandschap, maar niemand in de stoet keek die kant op, hun wereld was smaller: een bevroren weg en de ruggen voor je en helemaal vooraan de kist en bij dat alles de gedachte aan de vergankelijkheid, de vergankelijkheid.

Na een poosje ontstonden er zachtjes gesprekken, ze gingen over de kamer waar ze bijeen waren gekomen en het ontbijt dat ze aangeboden hadden gekregen, en ze gingen over die welbekende paden tot ze ontdekten dat ze toch over de vergankelijkheid spraken, hoe onvermijdelijk die was: de vorst die komt en het frisse groene blaadje schroeit dat donker wordt en in elkaar krult, de wind die komt en koorts, steken, pijnscheuten met zich meevoert.

Maar hier ging het om iets heel anders, het kind had verkeerd gelegen; ja, dat kon wel zo zijn, maar de zwakte was al veel eerder begonnen.

Iedereen was het erover eens, het was al veel eerder begonnen. Ze vouwden hun handen om hem te bezweren, de zwakte die zo verraderlijk komt opzetten en glimlachend naast je plaatsneemt.

Het was anderhalf uur gaans naar de kerk, op de helft begonnen ze om zich heen te kijken, want het was een mooie dag met rozenbottels die glansden in de omheiningen, een heldere hemel, een grote zon die nog een beetje bleek was maar warm genoeg om de vorst voor zich uit te jagen. Dan verscheen de kist weer in het blikveld, pikzwart, hij werd de heuvel opgedragen en hield bovenaan stil omdat de dragers moesten wisselen, allemaal behalve Frank die de hele weg wilde dragen; toen bedachten ze dat het vreemd was dat Arvid, de broer van de overledene, niet droeg, maar hij was zeker niet sterk genoeg. Nee, zei iemand, het is vanwege het meisje, zodat ze niet alleen hoeft te lopen.

Nu zagen ze haar, hoe ze ernaast stond te wachten, haar kleine gestalte omringd door grofgebouwde kerels in stijve zwarte kleren die hun hoofddeksel afnamen om het zweet van hun voorhoofd te wissen. Ze hield de hand van haar oom vast en stampte in een halfontdooide plas. Ze is te klein, dachten ze, veel te klein.

Op dat punt deinsde de gedachte terug, want ze herinnerden zich allemaal hun eigen kleinheid. Precies op het moment dat de oom, zelf amper meer dan een jongen, wees en zij haar zakdoek tevoorschijn haalde om wat vuil weg te poetsen dat op de zoom van haar jurk was gespat, kwam de herinnering in hen boven en ze werden zelf net zo klein, ze zagen de wereld met kleine ogen, onbegrijpelijk, ondraaglijk, een weg waarover je naar plaatsen werd geleid die je niet zelf mocht uitkiezen, om redenen die je niet begreep.

In het beste geval dus, als er iemand was die je bij de hand kon nemen en leiden. Ze dachten er liever niet aan hoe eenzaam ze nu was.

De jongen had een rood behuild gezicht. Hij liet zich op zijn knieën vallen om haar te helpen poetsen: dat troostte hen enigszins. Ze hadden trouwens zelf kinderen, kinderen die nog kleiner waren. De stoet kwam weer in beweging, een beetje traag totdat de nieuwe dragers het ritme hadden gevonden, maar toen kwam er vaart in de voeten en de gedachten vlogen weg. Het was zo'n prachtige dag. Ze liepen door grote kringen van licht onder de eiken, donker goudkleurig oktoberlicht.

Toen de klokluider vanaf de Klockberg het gevolg zag aankomen, begon hij te luiden. De kleine klok met zijn omwikkelde klepel sloeg dof als een trommel terwijl de kist werd binnengedragen door de poort van het kerkhof en over het pad, waar de voeten in een dik bladerdek verdwenen. Ritselend als een bos trok de lijkstoet onder de kale bomen voorbij. De dominee wachtte bij het graf dat met zo'n kracht was gegraven dat de koster de vorige avond de hopen aarde bij elkaar had moeten schrapen en de omringende stenen schoonvegen. Een briesje rukte nog meer door de door vorst aangetaste blaadjes van de esdoorns terwijl de kist werd neergelaten en er drie scheppen aarde op werden gegooid. 'Laat ons bidden,' zei de dominee en hij veegde heimelijk zijn handen af aan zijn mantel terwijl de menigte voor hem het hoofd boog. Hun gemurmel veranderde het gebed in een klaaglijk misbaar.

Hij sloeg het boek dicht en meteen pakte de weduwnaar de spade en begon zo hard te scheppen dat de kluiten daar beneden in het rond vlogen terwijl het luiden voor de dode opnieuw werd ingezet. Het meisje zat op haar hurken bij het graf en duwde met haar handen de aarde erin. Iemand gaf de huilende jongeling een schop waarmee hij een beetje in de grond prikte voordat hij hem doorgaf aan de volgende man, die met volle kracht, ja, met plezier bijna, spitte. Algauw werd er vanaf beide kanten aarde op de kist gestort, de dominee liep naar het kerkportaal om zich te warmen en zag door het venster hoe ze hun spaden aan het gras afveegden en tegen een boom zetten voordat ze de grond op het graf gelijkmaakten door deze aan te stampen. Dit gebruik had hem nooit aangestaan.

Geen gevoel voor de inhoud van de handeling, slechts werk dat moest worden uitgevoerd. Toen het gereed was verliet de weduwnaar het graf en verdween door de zonnige laan, de rest van het gezelschap volgde gehaast. Ze hadden vast en zeker trek.

Alleen het meisje en de jongen bleven nog even bij het graf. Als het niet zo onvoorstelbaar was geweest, zou hij hebben gezworen dat ze daar met iets zaten te spelen.

Arvid keek naar de voorwerpen die ze op de grafheuvel had gelegd. 'Nee,' zei hij, 'dat hoeft niet.' Hij pakte de zilveren schaar en het doosje met de schelpen op het deksel, veegde de aarde eraf en gaf ze aan haar.

'Maar waarom niet?' vroeg ze en ze liet de dingen terugglijden in haar rokzak. 'Moet je dan niet iets achterlaten?'

'Wie heeft dat gezegd?' vroeg hij terwijl hij opstond.

'Dat dacht ik,' zei Tora.

Onder in de zak van haar rok lag het gouden medaillon dat haar vader haar had gegeven, dat had ze het liefst zelf willen houden en daarom had ze het tot het laatst bewaard. Beschaamd hield ze het op in haar handpalm, maar hij schudde zijn hoofd. 'Je moeder heeft niets meer nodig.'

Hij pakte haar bij de hand en ze begonnen te rennen, gele bladeren opschoppend in de laan en schuin overstekend naar de oosthoek waar zij wilde blijven staan om naar de oude ijzeren kruizen te kijken, waarvan de bladvormige hangers bewogen en tingelden in de wind. Waar de muur was ingestort zat een gat, vandaar leidde er een pad naar de beek en de molen die niet in werking was met zijn donkere gapende schoepen. Ze gooiden stokken in het water en verschrikten een eend die kwakend wegvloog. Toen ze in het bos kwamen, gingen hun gedachten naar de gasten thuis die vast al aan tafel waren gegaan.

'Ik wou dat ik je kon dragen,' zei Arvid.

'Ik ben niet moe.'

'Natuurlijk ben je moe. Dat ben ik trouwens zelf ook.'

'Konden we de paarden van Lars uit Näs maar lenen...' zei Tora en ze wees naar de wei waar de hengst aan de staart- wortel van een kleine bruine merrie stond te knagen.

'Kwam de molenaar maar voorbij zodat we konden mee- rijden met zijn wagen...'

'Was het maar winter dan hadden we de slee bij ons...'

Hij brak een stok voor haar af en ze leunde erop en deed alsof ze een pelgrim was, op weg naar het heilige land. Even later was ze een oud vrouwtje met een grote takkenbos op haar rug die met krakende stem vroeg: 'Heb je soms een stukje brood voor een arme vrouw?'

'Geen kruimel.'

'Die gierigheid zal je berouwen, herder, want nu ben je drie wensen misgelopen.'

'Sapperloot, dat ik niet zag dat je een staart onder je rok hebt!'

'Slechts één keer vindt men de weg in de tuin van de bos- nimf, daarna zal men tevergeefs zoeken.'

Ze bleven staan om te luisteren naar een klagend geluid in het bos, maar het was slechts een dode pijnboom die stond te kraken.

'Ik heb gehoord dat haar huis van glas is,' zei Arvid toen ze verder liepen. 'Maar de tafel is van steen en daar liggen haar pijlen en boog op, en eronder liggen de wolven te wachten tot de jacht gaat beginnen.'

'Dat met die wolven heb ik nog nooit gehoord,' zei To- ra en ze gooide de stok in de greppel. De voorwerpen in haar rokzak sloegen hinderlijk tegen haar been onder het lopen.

'Een hond dan?' probeerde hij.

'Misschien,' zei ze en ze haalde haar schouders op.

Toen ze bijna thuis waren, bedacht ze zich en zei dat het

dan een hond moest zijn zo groot als een beer en met rode ogen.

Mari stond op het erf op de uitkijk, maar ze verstopten
zich achter een paar struiken tot ze weer in huis was verdwenen en liepen toen naar het eikenweitje aan de voorkant van het huis. Ekornetång was anders gelegen dan de
andere hoeven, gericht naar de zeearm. Dat was vanwege
de boten. Tussen de bomen glansden de spanten van een
kleine sloep waar men zes weken geleden aan was begonnen, maar het werk was haastig in de steek gelaten, zo haastig dat de jas die op een zonnige dag was uitgetrokken nog
steeds aan de voorsteven hing te wapperen. Toen Arvid dat
zag, streek hij met zijn mouw over zijn ogen. Tora liep verder het eikenweitje in, ging onder de oudste boom staan en
legde haar hand op de schors die grijs en gebarsten was.

'Ben jij dan helemaal niet verdrietig?' vroeg hij.

'Jawel,' zei ze en ze drukte haar vingers in de barsten.

'Want tja, ik weet niet hoe het nu zal gaan, dat weet ik
echt niet.'

Met kleine pasjes bewoog ze rond de boom tot hij tussen haar en Arvid in stond. 'Ik beloof dat ik voor je zal zorgen,' zei ze, in de boomstam. Ze drukte haar oor tegen de
stam en luisterde naar het water dat met dorstig geslurp
werd opgezogen en naar het boomsap dat stroomde. Als ze
haar hoofd een beetje verplaatste, zag ze dat Arvid midden
in het gedruppel van een door de zon beschenen tak was
gaan zitten zonder het in de gaten te hebben.

Mari was weer naar buiten gekomen, nu stond ze aan de
voorkant van het huis te roepen: 'Ik zie je heus wel ook al
heb je je verstopt. Je stiefvader wil dat je binnenkomt.'

'Dat is een leugen,' riep Tora en ze stapte ineens het zonlicht in waar Mari haar kon zien.

'Het kan zijn dat het hem niet kan schelen, maar je moet

nu komen, want ik wil niet dat je bord de hele dag in de keuken staat.'

'Ga maar, anders wordt ze boos,' zei Arvid, maar Tora keerde zich naar de zee. Nooit meer, dacht ze toen de boze voetstappen dichterbij kwamen.

'Kom nu, kind,' zei Mari en ze greep haar bij de kraag en duwde haar voor zich uit naar het woonhuis, waarvan een raam openstond zodat je het geluid van het middagmaal kon horen.

Tora keek naar het oude huis dat altijd het hare was geweest en waar ze net zo makkelijk was in- en uitgelopen als de kat. Er was altijd iemand geweest die binnen op haar wachtte, maar nu zat het er vol mensen die ze niet kende. Waar moet ik wonen, dacht ze. Moet ik naar een andere kamer verhuizen, mag ik mijn spullen meenemen, welke dingen zijn van mij, is dit mijn huis, mag ik hier wonen? Woon ik hier?

Wie zal er nu samen met mij lezen?

Het huis zag er vreemd uit, heel anders dan toen zij er woonde met haar moeder en haar vader, die altijd over de grijze balken streek en zei dat ze mooi waren zo. Binnen riep een vreemde stem, riep om bier.

'We hebben een hele ton mout genomen, dat moet voldoende zijn,' zei Mari en ze trok Tora mee om de hoek van het huis, het voorportaal in, waar het meisje op de drempel bleef staan om de dikke lucht van kool, zweet en kamfer uit de begrafeniskleren op te snuiven. Ze draaide haar hoofd weg en sloeg met haar hand, alsof ze alles beval te verdwijnen.

'Je hoeft niet naar binnen te gaan,' zei Mari, 'je kunt ook bij mij in de keuken blijven. Maar kijk uit dat je niet met je armen en benen zwaait, want alle tafels staan vol. Je mag in de hoek zitten om te eten.'

De jongste meid rende langs met twee overlopende kannen. Mari opende de keukendeur en schoof Tora voor zich uit de warmte van het vuur in, dat hoog brandde onder de pan met rijstebrij. 'Ze heeft weer vergeten om te roeren!' Haar zolen klepperden boos op de haardstenen. Tora verhuisde het blauwe krukje naar het raam, veegde een stuk van de beslagen ruit schoon en keek naar het erf dat gespikkeld was van sparrentakken die de knecht had achtergelaten en die alle stampende voeten hadden meegesleept. Ze wachtte tot Arvid zou komen.

Achter haar klonk het geschraap van de ijzeren pot die over de ijzeren kookplaat werd getrokken en het gerinkel van kopjes die de jongste meid op een blad stapelde. Mari kwam met een bord dat Tora op haar schoot moest houden. Ze prikte met haar mes in het koude vlees. 'En je doet flink wat suiker over de pap voordat je die naar binnen brengt,' riep Mari tegen de meid die net het koffieblik had geopend, dat merkte je aan de geur; kletterend gleden de bonen in de molen en het gonsde toen de zwengel werd rondgedraaid. Het was warm in de keuken, maar van de vensterruit kwam een beetje koelte, Tora draaide zich ernaartoe, kroop in elkaar en liet het stil worden in haar hoekje. Met een vlugge beweging stopte ze een stuk vlees in haar mond terwijl ze naar buiten bleef kijken.

Het glansde wonderlijk rood, alsof de zon bezig was onder te gaan. Arvid liep langzaam door het rode schijnsel over de deel en hoorde niet dat ze op de ruit tikte. Ze klopte en wenkte dat hij binnen moest komen, maar hij hoorde het niet, ze klopte harder maar hij liep gewoon door. Ze probeerde het raam open te krijgen, maar het klemde, toen kwam ze overeind waardoor haar bord op de grond viel en ze probeerde het met het mes los te wrikken terwijl ze hem riep, ze sloeg met haar hand op het glas, want hij moest haar zien, maar hij liep met zijn ogen naar de grond en dacht aan iets anders, toen hield ze op te bestaan. Het kon haar niet schelen dat Mari haar door elkaar schudde vanwege het gemorste eten. Terwijl haar hoofd heen en weer slingerde staarde ze naar het lege vierkant tussen de stal en de schuur waarin hij was verdwenen.

Een stem schreeuwde in haar oor: 'Straks trap je op het vlees!' Iemand hurkte en schoof het eten op het bord; zij zelf.

'Ze bedoelde het niet verkeerd,' zei de jongste meid lijzig.

'En jij brengt de pap binnen voordat die koud wordt.'

Tora ging weer op de kruk zitten. Is dit mijn plaats? Is de kruk van mij?

'Ga maar naar boven, naar je kamer,' zei Mari. 'Probeer een beetje te naaien, het is beter als je uit de weg bent, je ziet dat ik geen tijd heb. En hier beneden wordt het straks zo rumoerig.'

'Maar niemand heeft dat hemdje toch meer nodig?'

'Doe wat ik zeg.'

Door de open deuren hoorde Tora haar stiefvader zingen:

'Vrolijk blij genoegen
voor jongens die daar ploegen
door de boze baren der zoute oceaan.'

Vervolgens zag ze hem op een spijlenstoel door de kamer galopperen.

Er brandt iets, dacht ze. Het is de oude schuur, nee, het is het bos, het hele bos heeft vlam gevat, nu brandt het af, en dan de stal en het huis en tot slot de boten, alles, daarom is het zo rood.

Maar het was de nevel die weer was komen opzetten en die het licht deed veranderen.

Ze liep de trap op, bij iedere pas sloeg haar rokzak harder tegen haar been en de geluiden uit de kamer werden luider tot het klonk alsof ze een ton in het rond rolden, een ton vol glas, schoenen en messen. Toen ze de deur achter zich had dichtgedaan, zette ze het doosje op de ladenkast en legde het medaillon erin, maar de schaar nam ze mee naar de vensterbank, waar haar naaiwerk lag.

Het uitzicht vanuit haar kamer was het mooiste van het huis, zij zag heel de grote brede zeestraat naar Orust, iedereen die aan kwam varen en allerlei soorten weer, ook die niemand anders opmerkte. Vandaag was het water rustig, maar met een wonderlijk roodgloeiende schittering in de zonnebaan, als van kleine visjes. Ze ging zitten met het hemdje op haar schoot en keek naar buiten, vervolgens hield ze het omhoog en bestudeerde het lege armsgat. De stof was smoezelig van haar vingers, drie maanden was ze al bezig, waar ze zich had geprikt zaten kleine bloedvlekjes.

We wassen het, Tora, dan zul je zien hoe mooi het wordt.

Ze trommelde met haar hakken tegen de stoelpoten terwijl ze naaide. 'Ach, ach, ach, wat heeft mevrouw toch een flinke dochter,' pruttelde ze. De draad gleed soepel door de stof en klitte helemaal niet, ze wiegde met haar hoofd van bewondering: 'Kijk toch eens wat een regelmatige steekjes! Ja, en wat zit ze netjes en wat is ze aardig, je zal maar zo'n dochter hebben, ze moet binnenkort zeker naar school, nee hoor, ze gaat met haar vader naar Oost-Indië om zijden sjaals te kopen, maar wat erg voor mevrouw, o praat me er niet van, ik zal iedere dag wenen.'

Ze beet op haar tanden en probeerde de stof niet te laten rimpelen.

Algauw kwam de nieuwsgierige stem terug en hield het hoofd schuin: 'Wat naait ge, mijn kind?'

'Een hemd.'

'Voor wie zal het zijn?'

'Voerman klein.'

'En wanneer is het af?'

'Als raven wit worden.'

'En wanneer gebeurt dat?'

'Als graniet gaat vloeien.'

'En van wie zijt gij?'

'Ik weet het niet.'

Haar rug begon pijn te doen, ze legde het hemdje weg en ging op haar knieën op de stoel zitten met haar ellebogen op de vensterbank en keek naar buiten. Een wolk met rode hoeven galoppeerde langs de hemel, ze volgde hem met haar vinger tot hij verdween. Na een poosje begon ze zichzelf kleine Tora te noemen: 'Blijf daar nu niet zitten zodat je koud wordt, kleine Tora, het tocht bij het raam. Kleine Tora, ga je vest aantrekken en knoop het goed dicht in je hals.'

'Dadelijk, moeder.'

In de eetkamer rolde de grote ton heen en weer tussen de wanden, heen en weer tot hij ergens tegenaan botste en openbarstte; een vloed van witte pap stroomde eruit en de gasten pakten hun lepels en gingen zitten eten, maar de betoverde ton bleef overkoken tot de eetkamer vol pap was en de ramen open vlogen en ze wegdreven en verdronken in de golven.

Dan zou ze op de trap voor het huis gaan staan en ze uitwuiven, vaarwel vaarwel, bedankt voor jullie komst.

Er ritselde iets bij de deur, maar het waren de muizen die voorbij renden op hun snelle voetjes, ze opende de deur en luisterde door de kier, hoe ze naar elkaar riepen terwijl ze renden. Er kwam een koude trek van de zolder. Ze stak haar handen in de mouwen van haar vest en dacht: nu komt er gauw iemand om me te halen. Kleine Tora, je hebt toch zeker wel honger? Helemaal niet, zou ze zeggen.

Terwijl ze wachtte liep ze rond en keek of alles was zoals het hoorde, dat het doosje recht op het kleedje stond met het medaillon goed ingepakt en dat de naald in de stof was gestoken en dat haar schoenen naast elkaar achter het gordijn stonden. Het zijn mijn schoenen, het is mijn kamer. De kist in de hoek zei haar naam met witte sierletters: T.P.D. Bij de spiegel bleef ze staan en sprak vriendelijk: 'Oei, wat lijk je op vader, kleine Tora, precies dezelfde ogen,' maar ze kon niet zien of het waar was, het was te donker geworden in de kamer.

Ze ging op de rand van het bed zitten en wreef de glanzende neuzen van haar nieuwe rijglaarzen tegen elkaar. Ik weet niet hoe je de mouw erin moet zetten, dacht ze bezorgd. Kun je dat aan iemand vragen?

Wie is toch de voerman klein die daar zo dapper stapt?

Ze ging op haar zij liggen en sliep een poosje, werd er wakker van dat alles in huis kapot ging en in stukken en scherven door de tuin vloog, prisma's van de lamp en spuwend vuur uit de haard, maar toen ze naar het raam rende om naar buiten te kijken was het rustig en stil, met het licht van de eetkamer in grote bevende ruiten op het gras.

Het is nacht, dacht ze. Ik ben alleen.

Ze hoorde hoe de gasten zich over de weg verwijderden, hun stemmen weerkaatsten in het ravijn van de beek. De grote zwarte sleutel werd omgedraaid. Ze kroop met haar kleren aan in bed en bleef doodstil liggen in het licht dat ineens de kamer binnenviel met een scherp geluid waardoor het dek van haar af vloog. Klossend in haar nieuwe rijglaarzen rende ze naar het raam en zag de nevel als zilver baardmos aan alle takken hangen en in rookpluimen boven de zee vliegen. De zon scheen. Vandaag zou ze mee aan tafel zitten en iedereen zou zeggen: wat leuk om Tora te zien. We vroegen ons net af waar Tora zat.

Er zat nog een beetje water in de lampetkan, daar waste ze zich mee en ze probeerde het haar in haar nek glad te strijken dat in haar slaap uit de vlecht was losgeraakt, daarna liep ze met normale passen de trap af, haar onverschrokken passen, zoals ze iedere ochtend in heel haar lange leven naar beneden was gegaan zonder bang te zijn voor iets in het bijzonder. Het was de tweede dag van het begrafenismaal, de jongste meid veegde de kamer en draaide zich met een slaperig gezicht in haar richting toen ze de deur op een kier opende. In de keuken zaten de knechten aan het ontbijt. Tora pakte een lepel uit de la, leunde tegen de tafel en wachtte, 'neem toch,' zei de oudste, toen stak ze de lepel in de papschaal. Op de deel stond haar stiefvader met een vreemde man te praten.

'Doet hij zaken vandaag?' vroeg de ene knecht terwijl hij zijn lepel aan de mouw van zijn hemd afveegde.

'Wis en waarachtig,' zei de andere, 'over de botenbouw. 't Moet met de kerst klaar zijn.'

'Dan zal hij toch zelf de handen uit de mouwen moeten steken.'

Smiespelend liepen ze naar het schuurtje waar ze stommelden met hun klompen.

Tora schraapte de rand van de schaal schoon en keek of ze de tinnen beker zag die altijd op de plank boven het fornuis stond, maar hij was weg. Ze dronk uit de scheplepel. 'Waar is mijn tinnen bekertje?' vroeg ze streng en ze dreigde met haar vinger, 'voor de dag ermee, anders haal ik de veldwachter!' Toen Mari binnenkwam, zat ze op het krukje voor het raam op de beslagen ruit te tekenen, bootjes met zeilen.

'Dan mag je straks het raam wassen,' zei Mari, 'want ik

heb tegen je gezegd dat er vette vingers achterblijven.'

Tora veegde de bootjes en golven meteen weg met de mouw van haar vest, ze ademde op het glas en poetste nog een keer: 'Zo!'

'Zo is het goed, kleine poetsmeid van me.'

Op de deel lachten de mannen luidruchtig en sloegen elkaar op de armen. Tora trok haar kruk een stukje opzij en keek naar ze, verborgen achter het raamkozijn. Ze stonden te zwaaien als grote bomen, achterovergebogen van de lach, dampend van warmte, wijdbeens op en neer wippend in hun hoge laarzen, met rode gezichten glanzend als vette haring, vrolijke ogen en witte opengesperde monden die proestten in de ochtendlucht. Ze spogen tabakssap uit en schopten bevroren kleikluiten weg zodat het zong in de wand van de stal. Nu kwamen ze samen naar binnen, ze hoorde het gestamp in het voorportaal en de stemmen die zich bulderend door het huis verplaatsten en de kastdeur die knarste en het geklok toen de Spaanse brandewijn uit het vaatje stroomde. Ze zijn zo groot, dacht ze terwijl ze haar voorhoofd tegen de wand liet rusten.

'Zeg, kleine keukenmeid, wil je me helpen de schaal af te wassen?'

Ze stak haar handen in de teil en deed alsof ze een klein meisje was dat het leuk vond, toen schoot haar iets te binnen: 'Waar is mijn beker? Ga die alsjeblieft onmiddellijk halen!'

'Ik weet niet waar je beker is.'

'Niemand mag hem gebruiken behalve ik, hij is van mij, van mij!'

Ze rende weg en liet de deur achter zich openstaan, zwaaide met haar natte handen door de lucht en riep 'van mij, hij is van mij' zodat de jonge ossen in de wei verschrikt wegsprongen. Op het erf gleed ze uit over een bevroren plas en viel een gat in haar kousen. En ik kan niet stoppen, dacht ze en ze depte met spuug.

Het deed pijn toen ze opstond, ze probeerde een beetje te hinken maar vergat het meteen en rende de hele weg naar de zee waar de bootromp stond, zat met haar vingers in de hoop spaanders, schopte tegen de stutten en vloekte tegen de sloep die Balder zou gaan heten, dat had ze gehoord, 'de duivel hale je, Balder!' 'Vervloekt zijn jullie,' schreeuwde ze tegen de stutten die onverstoord bleven staan, toen liep ze noordwaarts de heuvel op terwijl ze de hei met een stok geselde.

Ze was van plan zo ver te lopen dat ze verdween. Verstopt onder een spar zou ze wachten tot ze haar kwamen zoeken en ze dan meelokken het verdwaalgras in waar ze allemaal verloren zouden gaan, het hele bos echoënd van kreten als ze het veen in werden gezogen en over de rand van de afgrond vielen en aan scherpe eikentakken werden gespietst. Hun hoofden zouden breken als schelpen als ze erop trapte. Zittend op de omheining hield ze de zoom van haar jurk onder haar kin geklemd en onderzocht haar geschaafde knieën.

In het bos achter haar begon het roodborstje te zingen, zoals water uit een kleine bron opborrelt en wegstroomt over dun, fijn gras. Toen vergat ze haar kapotte kousen en rende tussen de bomen met de zonneschijn die in grote sprongen voor haar uit hupte, ze had niet zover gelopen als ze had gedacht en was nog steeds op eigen grond, dit is mijn grond, en toen ze boven op de heuvel stilhield, zag ze dat de eerste gasten zich al op het erf begonnen te verzamelen.

Ze rende verder en vond een boterbloem, een eekhoorn, een omgevallen boom die kortgeleden omgewaaid moest zijn want hij liep uit. Schrijlings op de stam zong ze van de

ruiters op Stenehed, daarna was ze ineens een vogel die boven de boomtoppen cirkelde en ver onder zich een meisje
zag, klein als een muis tussen al die eenzame bosbessen-
struiken. Ze schoot pijlsnel onder een wortel om zich te
verstoppen en kroop tussen de jeneverbesstruiken tot ze zag
dat het licht werd en ze de geur van de rook uit de schoorsteen van Ekornetång gewaarwerd. De zon scheen op het
zachte, oude plaggendak. Als ze het niet zo koud had gehad, was ze nooit teruggegaan, ze zou hazelnoten eten en
moeraswater drinken en slapen in de leegstaande schuur.
Toen ze van de heuvel naar beneden roetsjte, herinnerde
ze zich de tinnen beker en dat ze nooit meer de keuken kon
binnengaan om om iets te vragen.

Ze vulde haar zakken met zure winterappels en klom de
hooizolder op, waar de oudste knecht haar een paar uur later vond toen hij een armvol hooi voor een kreupel paard
kwam steken. Dat kwam goed uit, zei hij, want hij had net
iemand nodig om het hoofd van Grållen vast te houden.
De knecht gebruikte geen mes om de appels te delen, hij
zette gewoon zijn duimen erin zodat ze openbraken en zij
het paard met de stukken kon lokken terwijl hij het been
optilde om de hoef uit te krabben. Toen hij weg was sloeg
ze haar armen om de paardenrug en luisterde naar het kalme gekauw dat zich voortplantte tot gerommel in de grote warme paardenbuik. Zo kon je slapen, staand als een
paard, ze sliepen samen tot het melktijd was en zij de keuken kon binnenglippen zonder dat iemand het zag.

Haar beker stond op de plank te blinken, maar het kon
haar nu niet meer schelen. Toen ze in haar kamer was, hoorde ze voetstappen op de trap en ze deed haar deur open,
het was Arvid, maar hij liep langs haar heen en draaide de
sleutel van zijn kamer om in het slot. 'Nu niet, Tora,' riep
hij toen ze op de deur bonsde omdat ze naar binnen wilde.

Ze rolde zich als een bal op onder haar dek en droomde van de voerman klein, oogjes heeft hij allerliefst en vingertjes zo zacht, als leeuwerikvleugels klein. Het witte hemdje danste door de kamer terwijl de tweede avond van het begrafenismaal het huis met geluiden vulde die niet door haar gestikte deken heen drongen.

De derde dag was grijs en bewolkt. Ze werd wakker in het donker en liep op de tast de trap af in een steeds dikkere lucht van reuzel en gemorst bier, ze had honger en liep onderzoekend van de ene kamer naar de andere; de keuken waar slechts het haardvuur de restanten van de warme maaltijd verlichtte, de woonkamer waar de grote tafel zweefde in de ochtendschemering met het morsige kleed schuin over het blad alsof iemand het had vastgegrepen en eraan had getrokken. Het vloerkleed was op een hoop geschopt en bij het raam lag een omgevallen stoel.

Op de leren bank in het kantoortje lag Frank naast de brandende lamp te slapen. Ze stopte een stuk brood in haar mond en kauwde erop terwijl ze hem leunend tegen de deurpost opnam en taxeerde: zijn gezicht is bezweet, hij blaast belletjes als hij snurkt, zijn hemd is vies, hij heeft haar op zijn handen, hij is lelijk.

Ze sloop de verboden kamer binnen en boog zich over het bureau met zijn papieren die niemand mocht aanraken en raakte ze aan, verplaatste ze een beetje en vouwde de hoeken om, drukte de pen tegen de tafel zodat de punt afbrak, bevochtigde haar vinger met spuug en tekende op alle boekruggen in de boekenkast, strooide zand uit de zandkoker, pakte alles vast waar ze niet aan mocht komen. Hij lag als een beer in zijn kussen te grommen terwijl zij hem met haar onzichtbare schrift merkte: jij zal worden gebroken, verdreven, verspild.

Ineens gleed zijn hand van zijn borst en viel over de rand

van de bank. Met een zucht draaide hij zijn hoofd naar haar en opende zijn ogen, zonder te zien, maar zij zag hem, en iets in hem dat grijs en glanzend oplichtte voordat zijn oogleden weer dichtvielen. Het joeg haar angst aan, het oog dat glinsterde en de zachte binnenkant van die hand die werd geopend.

Ze liep vlug de kamer uit, terug naar de keuken om meer brood te halen, maar toen ze voetstappen in het schuurtje hoorde maakte ze dat ze wegkwam, rende de trap op, naar de zolder, waar ze zich achter het oude weefgetouw verstopte en deed alsof ze speelde – nu komen ze, nu pakken ze me! Maar het was slechts de buitendeur die dichtsloeg.

Ze ging op een kist bij het raam zitten en dacht aan Frank die sliep en aan de snelle glinstering van zijn droom toen die met zijn staart sloeg en onder water dook. De zee was grijs als gesmolten tin, maar de vis was van zilver. Ze telde de dode vliegen die op de vensterbank lagen: zoveel jaar zullen ze me hier gevangen houden.

Op de derde dag kregen de gasten speksoep, pekelvlees, gekookte lam met wortelen, makreel met kruisbessensaus, kwark met kaneel, compote. Dan koffie met koffiebrood en gekonfijt fruit, vervolgens rum, arak en Spaanse brandewijn. Op de laatste dag mocht men niet bezuinigen. De dode werd geëerd met veel gezang en als het begon te schemeren speelde men 'Troost de weduwnaar' en 'Waar is de ring' terwijl de oudere mannen ergens in een hoekje zaten te kaarten.

De jongen, die buiten stond, zag de vensters stralen van vreugde en wist dat het de derdedagsvreugde was over het feit de doden zo ver als mogelijk te hebben gevolgd en dat ze ze nu moesten laten gaan. Het laatste stukje moesten ze alleen afleggen. Hun gezichten moesten ze afwenden. Als de jager riep en de paren door de kamer renden, glipten er danspassen het gespring in, zo groot was de vreugde te mogen bestaan.

Hij schudde zich uit als een hond in beestenweer en bedacht dat hij niet zo gemakkelijk zou vergeten. Iemand moest zich de doden herinneren, anders zou hun eenzaamheid al te groot worden. De week voor haar overlijden had zijn zuster hem nieuwe laarzen beloofd de volgende keer dat de schoenmaker langs zou komen, en nu zou hij zich altijd herinneren dat het laatste wat ze deed was om hem denken. Hij zou zelf zijn oude laarzen lappen en zich herinneren dat hij er niet eens om had hoeven vragen: zij had zelf gezien dat de naden begonnen los te laten.

Binnen zongen ze een soldatenlied en sloegen hun hakken als geweerkolven tegen de grond, maar dat deerde hem niet. Zijn zuster was bleek als een oesterschelp toen ze zich omdraaide bij de poort. Zo zag hij het: een poort en aan de andere zijde het laatste stukje van de weg dat ze alleen moest afleggen en waar ze het kind zelf moest dragen. Telkens als ze bij de poort kwam draaide ze zich om en bleef staan, maar doordat hij haar blik ontmoette weerhield hij haar. Hij zou zich moeten afwenden.

Ze zat op de bank met het meisje naast zich en hielp haar de draad door de naald te steken, ze fluisterden met elkaar. Met de naald geheven naar de lamp zei zijn zuster met haar trage stem dat ze gezien had dat de naden begonnen los te laten. Je hebt nieuwe laarzen nodig, Arvid. Het vocht drong naar binnen nu hij hier in het gras stond, er school welbehagen in dat gevoel: zelfs zijn voeten kregen hulp om zich te herinneren. Ze stond bij de poort en draaide zich om, maar ditmaal keek hij weg en begon naar het huis te lopen terwijl iemand schreeuwde en weende over zijn wreedheid. Dat was hijzelf die geleund tegen de hoek van het huis stond te huilen.

Alles rook naar aarde, de motregen, de wand waartegen hij leunde, de jasmouw waarmee hij zijn gezicht afveegde, zijn hand rook naar aarde, het smaakte naar aarde in zijn mond. Op de zwarte, pas gedolven aarde legde het meisje haar bezweringen tegen eenzaamheid: een borduurschaar en een poppendoosje van papier-maché.

Het was al na middernacht, maar de gasten bleven. Hij liep drie keer om het huis alsof hij het in ketenen wilde slaan voordat hij naar binnen durfde te gaan. Hij had zijn zuster ook graag iets willen meegeven om haar gezelschap te houden, haar hond, haar paard, het hele bloembed met pioenrozen, een appelboom, een zonsondergang, maar hij had enkel wat aarde geworpen. Er was geen troost in aarde. Ik beloof dat ik voor je zal zorgen, fluisterde het uit de boom. Voordat hij zijn derde rondgang had voltooid, rende hij weg en verstopte zich in het opkamertje boven de voorraadkelder, waar hij een paar uur later, door een raam gespikkeld van de vliegen, het slaperige begrafenisgevolg onder de erepoorten van gevlochten sparrentakken door zag waggelen en hun lantaarns zag verdwijnen in het donker.

Het was bijna ochtend, maar hij bleef zitten terwijl de regen overdreef en de duisternis begon te verbleken, het vuur in de keuken werd aangestoken, de deuren werden opengeslagen. Kouwelijke gedaantes liepen gapend over het erf. Hij herinnerde zich ineens dat het dagen geleden was dat hij Tora had gezien. Toen het helemaal licht was geworden ging hij naar binnen om haar te zoeken en hij vond een vuil kind dat met een stuk koord op de zoldervloer zat te spelen.

Sommige dagen liep Tora als een hondje van de ene kamer naar de andere, duwde de deuren open en zocht. In de zitkamer, maar daar was niemand, in de eetkamer, maar daar was niemand, in de keuken, maar daar wilden ze haar niet hebben, in de zitkamer, voor het geval er iemand was gekomen terwijl zij buiten was, maar er was niemand. Ze bleef voor het raam staan om te zien hoe de sloep Balder groeide in zijn wieg terwijl de eiken eerst bruin werden en vervolgens hun blaadjes lieten vallen.

Vreemde kerels stonden op het strand te hakken en te schaven en zongen met vreemde stemmen. Rond etenstijd zaten donkere werkstemmen luidruchtig in de keuken te praten. Tora spelde haar ABC-boek en liet de haan zilvergeld onder haar kussen leggen als ze haar les had geleerd. Het waren tegenwoordig vooral zure winterappels, soms een steen of een veer die ze uit het bos had meegenomen. Met het boek onder haar arm duwde ze de deuren open en probeerde zittend op een stoel voor het raam of op een krukje ergens in een hoekje de les op te dreunen. Ze wist niet hoe ze het moest noemen wat ze niet kon vinden. Vroeger was het overal aanwezig geweest.

De eerste sneeuw kwam op een nacht in november, ze bleef 's morgens in bed liggen en zag het licht de kamer vullen als een zomermorgen, dezelfde schoongewassen hemel, maar het was koud en de bijlslagen in de baai klonken scherp als de hamerslagen van de smid. Ze rinkelden. Ze vlogen over het water, botsten tegen de hoge donkere flank van het eiland Orust en kwamen met vliegende vaart haar winterkamer binnen, als wintermuziek. Ze stond op en zag dat er een ijsvaren op de binnenkant van het vensterglas groeide.

Nu was de aarde zo hard en verdicht dat niets er kon leven. De winter spreidde zich als een muur voor haar uit, hij liet niets anders door dan ijsgeluiden.

Maar haar moeder had tegen haar gesproken met geluiden van blaadjes en veren, gefluisterde begroetingen die voor haar neerdaalden op het pad. Als de winter lang aanhield zou ze die taal wel eens kunnen vergeten.

Ze doopte haar vingertoppen in de ijskoude waskom en wreef over haar wangen voordat ze naar beneden ging en de deuren opende en in de kamers op zoek ging tot ze in de zitkamer een hoekje vond voor haar boek en haar naaiwerk en waar ze de boterham kon wegleggen voor het geval ze buiten iets hoorde en naar het raam moest rennen om te zien wat het was. Ze legde een kussen op het krukje en begon aan het hoekje te denken als aan haar plaats. Als ze 's ochtends wakker werd deelde ze haar dag in: ik ga beneden op mijn plaats zitten. Als iemand iets van me wil, weten ze waar ze me kunnen vinden.

Ze was een meisje geweest dat paardjereed op haar vaders schouders en hem sloeg met een zweepje als hij niet hard genoeg liep. Ze schopte met haar hielen tegen zijn borstkas en hij lachte, versnelde zijn galop, steigerde woest hinnikend op het erf tot hij ten slotte op een sukkeldrafje naar de perenboom liep en zo ging staan dat zij kon plukken. Ze voerde het paard een peer maar hield het meeste voor zichzelf, daar deed ze goed aan zei hij en hij lachte om het zweepje waarmee ze hem aanspoorde. Het meisje stuurde resoluut met twee handen vol haarlokken terwijl ze met

42

haar iele vogelstem zong over de ruiters op Stenehed. Ze was vier jaar oud.

Hij mocht alleen uitzeilen als hij een geschenk meebracht, en bij langere zeereizen minstens twee. Hij lachte om haar aanspraken en kocht een zakje zuurtjes in Göteborg en een groene blikken tol in Sint Petersburg, een jasje met fluwelen kraag in Bristol, een doosje met schelpen op het deksel, een zilveren lepel. Als het winter was en hij thuis moest blijven, zat hij bij de kachel harktanden, schoftjukken en zeisbomen te snijden, maar als ze het vroeg sneed hij meteen een bootje en naaide een zeil van een oude zakdoek, vervolgens naaide hij een dek van aardbeikleurige zijde en borduurde in het midden haar naam omringd door ankers en sterren. Ze sliep er een paar jaar onder. Toen hij een hele zomer wegbleef, gaf hij haar een gouden medaillon.

Ze was eraan gewend dat hij wegvoer en altijd terugkwam, de grote schepen beladen met hout en graan werden veilig heen en weer geblazen tussen de havens tot zij ze weer binnenhaalde. Als hij thuiskwam stak ze vlug haar hand in zijn grote koude jaszak, vooral omdat het van haar werd verwacht, want in werkelijkheid gaf ze weinig om de geschenken, ze gaf alleen om zijn stem en zijn lach en zijn vingers die getint door het vuur iets sneden tijdens de herfstavonden voordat de lamp werd opgestoken.

Haar moeder hield haar adem in bij een zijden sjaal met lange franjes die uit papier werd gewikkeld, maar zelf stopte ze het medaillon in haar rokzak en keek leunend tegen zijn knie toe hoe het mes speelde met het hout.

Nu blijf je?

Nu blijf ik.

De wind vulde zijn wangen met lucht en blies, maar hij kon niet bij hen komen. De golven wierpen het wrakhout hoog op tussen de bomen, maar het kon hen niet raken. Haar vader zat aan haar bed tot ze onder het rode dek in slaap viel en droomde dat ze in een gouden koets reed, getrokken door katten; ze hief haar zweepje en liet het knallen in de lucht en de katten renden. Als Mari de bierpap binnenbracht gooide ze in een overmoedig gebaar de kop op de grond, dat bliefde ze niet! Hij lachte en vroeg of ze melk en brood wilde brengen.

Ze wordt volstrekt ontoombaar!

Dat is goed, niemand zal haar beteugelen.

Op een vorstdag liepen ze naar het eikenweitje met donkere voren waar de dieren hadden gewroet naar eikels, hij wees op de bomen en zei: die zijn van de koning. Hij bezit alle eiken in Bohuslän.

Allemaal? vroeg ze, toen zette hij haar onder de grootste en oudste eik en zei dat die alleen van haar was. Daar kon zelfs de koning niets aan veranderen. Hij mocht iedere eik in Bohuslän omhakken voor zijn schepen, behalve deze. Ze was vijf jaar oud en geloofde hem.

Toen hij zei dat hij zou blijven, geloofde ze het ook, maar voor hem kon het ijs niet snel genoeg breken, de wind kon de baaien niet snel genoeg schoon blazen, hij reed honderd karrenvrachten mest naar buiten en leerde Arvid bonen zaaien, maar wachtte slechts op de kleine houtschuit die hem de eerste etappe zou meenemen.

Ze stonden op de steiger toen hij wegvoer en zwaaiden hem uit. Nu gaan we naar huis om koffie te drinken, zei haar moeder, en toen schikte ze zich in de stilte.

Het was alsof je in een schaduw van gebladerte zat. Haar moeder ritselde met de stof en fluisterde tegen de steken, het welpje snoof aan het kleed, Arvid sloeg het blad om van een drukwerk over droogmaking, de vliegen botsten tegen de ruit, de naald prikte en de draad was stug en ruw. Tora sluimerde met haar wang tegen een jurkpunt die naar lavendel rook.

Mari kwam binnen met de koffie, toen klonk er lawaai in het voorportaal, hij was volstrekt onverwachts gekomen, midden in de zomer, want hij had ineens zin om een beetje te maaien met de zeis, alle weitjes, hij had de boel al geïnspecteerd, zulk mooi dik gras had hij nog nooit gezien. Maar het regent immers, het heeft twee weken geregend, welnee, onzin, de zon schijnt; en de zon deed wat hij wilde, ze scheen. Tora liep achter hem met haar hark. Boven aan de steel had hij een hondenkop gesneden.

Mijn kleine harkstertje!

En de geur van gras, als vreugde.

Ze liep tussen hen heen en weer, en raakte eraan gewend.

Bij het raam staan wachten. In bed liggen luisteren naar de wind: als een aardewerken fluitje, als een grasspriet. In de steeds koudere ochtenden naar de steiger lopen en in zuidelijke richting de zeestraat af kijken die er glinsterend en open bij ligt.

Een winter van wol, het spinnewiel dat ronddraaide en haar zwijgende moeder die trapte en twijnde, trapte en twijnde, en Tora die kaardde en de vette geur van wol, als verdriet. Haar vingers glad van de wol, ze veegde keer op keer over haar jurk, maar de geur bleef, ze legde de kaarde op haar schoot en trok de wol mooi uit elkaar, kaardde fijntjes, legde de lonten in de mand, veegde keer op keer over haar jurk, ging naar bed met de geur, ten slotte begon ze hem lekker te vinden. Ze ging in het schapenhok bij de gele ogen en kauwende kaken liggen en vroeg om vergeving, dat ik jullie van de zomer met de zweep heb opgejaagd, om vergeving. Alles wat zacht was en gemakkelijk bang te maken moest ze om vergeving vragen. Het verdriet maakte haar eenzaam. Toen ze zo lang had gewacht dat ze

45

niet meer kon, ging ze naar buiten en sloeg met een stok tegen de rots die er toch geen last van had.

Hij is 's winters toch altijd thuis?

Niet deze winter.

Wanneer komt hij dan?

In het voorjaar misschien.

Toen het voorjaar werd liep ze het blauwe pad af naar de steiger terwijl de sneeuw aan weerskanten smolt tot alleen het pad nog over was, haar blauwe voetstappen van ijs. Ze stond op de steiger en zag de sneeuw liggen op de donkere schaduwzijde van Orust: voordat die weg is komt hij.

De schuur was vol lammetjes, ze zogen op haar vingers met harde monden en iedere dag moest ze ze allemaal in een speciale volgorde aaien. Ze was gegroeid in de winter en had een ander gezicht gekregen. Arvid zaaide zijn bonen. Op de dag van de Maria-Boodschap wilde hij de kraanvogeldans met haar doen, zij zei nee, nee, nee, ze wilde op haar vader wachten, nee, nee, ja, ze was pas zes jaar oud en begon te lachen toen hij haar optilde en ronddraaide. Toen werd ze boos: maar komt hij dan nooit! Ze zeiden, mjaaa... In de zomer misschien. Of in de herfst.

Zo verdween haar vader, niet onmiddellijk maar stukje bij beetje, draaide langzaam weg tot ze alleen nog zijn rug zag, verbleekte tot ze de tel kwijtraakte en begon te vergeten: hoeveel winters was hij bij me, hoeveel zomers? Maar zijn handen zag ze duidelijk, hoe ze het mes vasthielden en lange gele spaanders sneden die zich krulden in het schijnsel van het vuur.

Ze kon zich niets anders voorstellen dan dat hij nu ergens anders op dezelfde manier zat te snijden.

Dat jaar lag haar moeder vaak stil te huilen achter het bedgordijn. Tora kroop dan meestal bij haar in bed om haar gezelschap te houden. Ze trok de bedgordijnen dicht zodat het helemaal donker om hen heen was en zong van ridder Finn Komfusenfej, en zit u hier vrou Hicka, vrou Bricka, vrou Dordi, vrou Britta!

Vervolgens rende ze het eikenweitje in en schreeuwde tegen de kraaien.

In het nieuwe jaar kwam er een man die Erland Frank heette om de zorg voor de boerderij op zich te nemen totdat Arvid oud genoeg was om het over te nemen. Arvid moest ophouden met spelen en de hele dag twee passen achter hem aan lopen om akkers en hooilanden te inspecteren en de moerassige velden die moesten worden drooggemaakt en afgebrand zodat er rogge kon worden verbouwd. Achter de sneeuwbesstruiken danste Tora de kraanvogeldans alleen. Ze huilde niet meer als de lammeren verdwenen.

Zwijgend zat ze bij haar zwijgende moeder terwijl de tafel heen en weer ging onder de grote eetbewegingen van de vreemde man, maar zodra ze alleen was praatte ze, vertelde verhaaltjes, riep zichzelf zodat haar naam weerkaatste in de bergkloven, rende langs de waterkant en gooide steentjes en riep groeten die helemaal naar Orust vlogen. Ze kwam thuis met takjes in haar haar en lag stil op haar moeders schoot terwijl haar kalme handen plukten en streelden.

Op de trouwdag kreeg ze een zilveren speld van haar stiefvader, die ze vervolgens iedere zondag droeg als ze naar de kerk reden. Soms kon het nog gebeuren dat Arvid dwars over het gangpad grimassen naar haar trok als de preek te lang duurde, en één keer moesten ze op weg naar huis zo lachen dat Frank hem bij de kraag pakte en van de wagen op straat gooide. Die avond klommen ze de hooizolder op zoals ze vroeger ook altijd deden, en om hem te troosten zei Tora wat ze nooit had willen zeggen omdat

47

potgemaakt mocht worden: hij komt misschien terug?

Maar Arvid zei dat hij nooit meer terug zou komen.

Dat kan hij niet weten, dacht ze toen ze in bed lag. Er zijn winden die de hele aarde over waaien en er zijn duizenden havens en schepen, er zijn zoveel manieren om thuis te komen. Ze legde het gouden medaillon onder haar kussen en droomde van een goudmannetje dat zich over het huis boog en probeerde door haar venster te kijken, maar toen ze het opende zweefde er buiten alleen een klein wolkje dat de weg naar Stenehed vroeg.

's Ochtends was Arvid verdwenen, maar ze was gewend geraakt aan verdwijningen. Het was best mogelijk dat alles uiteindelijk zou verdwijnen, als zeedamp. Ze ging het bos in en zocht de oudste ooi, die ophield met grazen en haar met het blad van een paardenbloem in haar mondhoek aankeek. Alleen de gele blik van het schaap was bestendig. Wil je niet een beetje bij me komen rusten, wolletje, probeerde ze, maar de ooi legde haar oren in haar nek en verdween dieper in het elzenhout, Tora rende erachteraan, toen stoof de hele kudde de heuvel af, ja verdwijn maar! Ze plukte bosbessen en kreeg slaag van haar stiefvader toen ze thuiskwam omdat ze onder de vlekken zat en niet had geholpen met kleden schrobben zoals haar was opgedragen. Het deed haar niets om slaag te krijgen, bovendien sloeg hij voorzichtig en alleen met zijn hand. Arvid kwam na een week thuis, hij had besloten toch niet naar zee te gaan, in ieder geval nog niet, verklaarde hij toen ze op de hooizolder zaten. Tora dacht: dat zegt hij nu, maar straks gaat hij misschien toch ineens naar zee. Ze was acht jaar, Arvid was net zeventien geworden.

Het beste moment van de dag was als Frank in zijn kantoortje zat met de deur slechts op een kier en Tora en haar moeder over het leitje gebogen zaten, hun handen op elkaar legden en schreven, grote mooie letters die langs de houten lijst slingerden en er soms overheen stapten, de tafel op, als hanen gespannen voor wagentjes waar kippen in mochten rijden, of opbolden tot schepen van boombast met papieren zeilen die de sloot uit voeren de open zee op. Haar moeder vertelde sprookjes met heel zachte stem zodat niemand het zou horen. Vervolgens pakte ze de griffel en schreef: Z voor zeil, H voor haven, V voor vriend, K voor kom gauw weerom.

Soms was Frank eerder klaar met zijn papierwerk, dan liep hij een paar rondjes om de tafel waaraan zij zaten en vroeg: moet het kind niet naar bed?

Ze kreeg een klein boekje met sprookjes, in de rug bijeengehouden met rode wol. Er stonden geen plaatjes bij, want haar moeder kon niet tekenen, maar kende wel alle letters van het alfabet. Ten slotte kon ze zo goed lezen dat ze het schrift kon ontcijferen op de gedenksteen in de muur van de kerk boven hun bank: ter herinnering aan kapitein Peder Torson, vergaan voor de Noorse kust november 1810, Op 't ware vreugdestrand, mijn lijf dat legt men neer in 't graf, maar God aanvaardt mijn geest.

Daarna keek ze nooit meer die kant op.

Tora had een kat, een stalkat die in het hooi sliep en over de paardenruggen wandelde. Ze ging altijd naar de stal om hem spekzwoerd en visafval te geven, maar ze was opgehouden met huilen als de jonge katjes verdronken moesten worden. Je kon niet huilen om alles wat verdween. De katjes verdwenen, de lammeren verdwenen, maar als het voorjaar werd zat het schapenhok weer vol met nieuwe. Ze rende net als ieder voorjaar in enkel haar vest langs de beek en duwde met een stok de blaadjes weg zodat het water vrijelijk kon stromen terwijl de welp van haar moeder een hond werd die aan de ketting zat te janken. Van alle vogels hield ze het meest van dat kleintje met roestbruine borst dat zo verstild en zachtjes zong als ze 's nachts wakker werd, en bij de bomen van de eik die zelfs niet bewoog als het hard waaide. De eik werd vijfhonderd jaar of ouder, de vogel zong een paar lichte weken, ons leven duurt zeventig jaar, hoogstens tachtig. Ze rekende in haar hoofd, een eigen vergelijking waarin alles waarvan ze hield door elkaar werd gedeeld, zijzelf was coëfficiënt, de uitkomst ondoorgrondelijk. Ze rende terug de heuvel op, maakte de hond los en trok hem mee de zitkamer in waar haar moeder lag met kussens achter haar rug en haar gezwollen benen op een krukje. Kom en steek de draad in de naald, mijn kleine naaistertje.

Het beukte beneden in de baai waar Frank bezig was een nieuw boothuis te bouwen. Hij zou de botenbouw grootscheeps aanpakken zodra Arvid oud genoeg was om zelf de zorg voor zijn boerderij op zich te nemen.

Die zomer kwam het onweer aandrijven vanaf de eilanden, dag in dag uit, en Tora en haar moeder zaten op de spijlenbank in de zitkamer en zagen hoe snel het licht van kleur veranderde, eerst donker sleepruimblauw werd, vervolgens zwavelgeel en wit. Ze gilden en grepen elkaar vast als de donder al te dichtbij kwam, Tora gilde extra hard en drukte haar gezicht in haar moeders schouder terwijl ze heimelijk keek hoe de bliksems elkaar kruisten en sissend insloegen in het water.

Haar moeder wilde niet naar de bovenverdieping waar het uitzicht beter was, ze was te zwaar. Ze wilde ook niet de tuin in als de regen was overgetrokken, ze was te moe. Ze zaten op de bank terwijl de lucht opklaarde en de geur van groen door de ramen naar binnen stroomde. Tora naaide aan een hemdje dat haar moeder van het fijnste linnen had geknipt, maar haar handen werden stijf als haardhout als ze probeerde de fijne zoompjes te naaien, glad als pannendeksels, zwaar als voorhamers, tot slot gooide ze alles dwars door de kamer, dan zweeg haar moeder. Niets hielp, de hond niet die kunstjes deed of Mari die met de koffie kwam, Tora moest op haar knieën over de vloer kruipen tot ze de naald en de vingerhoed had gevonden. Ze begreep dat ze de rest van haar leven gedwongen zou zijn te naaien, naaien en nog eens naaien, anders werd haar moeder verdrietig.

De draad gleed niet soepel door het linnen en raakte de hele tijd in de knoop. Arvid zat aan tafel beschuitjes te dopen en maakte zich zorgen over de buien waardoor alles plat zou slaan. Er klonk heel onverwachts gestommel in het voorportaal, daar is hij, nu komt hij, kapitein Peder Torson is thuisgekomen om zijn hooilanden te maaien, maar het was een buurman die met Frank wilde overleggen over de rogge voor de armenzorg. Tora legde het hemdje op haar schoot en dacht aan de weitjes, was het gras dik en mooi? Was het tijd om te maaien?

De strekel voorhouden en de blije stem horen zeggen: dit jaar worden het veertien karrenvrachten.

Toen Frank de buurman naar buiten had vergezeld, liep hij een rondje door de kamer, leunde vervolgens over de bank en vroeg of het kind niet naar bed moest. En in het schijnsel van het weerlicht kreeg haar zwijgende moeder ineens een blos op haar wangen: een meisje van tien hoeft op dit tijdstip heus nog niet te gaan slapen!

De volgende dag zaten ze weer aan het raam en zagen de zomer voorbijvaren.

Een vader die voortdurend op reis gaat, komt en gaat en soms langer wegblijft dan normaal, zo'n vader kan altijd terugkomen, in het midden van de kamer gaan staan waar het licht het best valt en in één vlugge beweging een roos uit een stuk hout snijden. Toen Tora's moeder verdween was het voorgoed. De ene dag zat ze op de bank garen te twijnen, de volgende dag lag ze in de schuur terwijl de knechten een vaars slachtten. De dood werd zichtbaar door al het bier dat moest worden gebrouwen en al het voedsel dat moest worden bereid.

Ook de kamer was veranderd, met afgedekte ramen, sparrentakken op de vloer en kaarsen die midden op de dag brandden. Tora stond op de drempel te kraken met haar nieuwe rijglaarzen en hield zich vast aan de deurpost, want ze wilde niet naar binnen, maar uiteindelijk moest ze toch de kamer in, over de grote groene vloer die naar bos rook. Ze legde haar hand tegen een koude wang, pas toen wist ze het zeker.

Ja. Weg.

Weg, herinnerde ze zich 's ochtends als ze wakker werd.

Toen de begrafenis voorbij was ging alles door als vanouds, de botenbouw werd weer hervat, Frank vertrok om zaken te doen, Arvid zaaide winterrogge. Ze liep door het huis op zoek naar een restje van wat was verdwenen, iets heel kleins, misschien niet meer dan een geur die was blijven hangen in de geborduurde kussens of een haar die was blijven haken in het stramien.

Of nog kleiner, zo klein dat het er pas was als ze op de plek bij het raam ging zitten waar haar moeder altijd zat en haar bewegingen nadeed en naar dezelfde dingen buiten keek die zij altijd zag. Ze moest alles hetzelfde doen.

Maar het nieuwe boothuis belemmerde het zicht, en ernaast groeide de sloep terwijl de zee bevroor en de bodem wit werd en de tijd een aanloop nam en richting kerst vloog. Ze hadden het varken geslacht terwijl zij op haar knieën op de bank naar buiten zat te kijken. De enige geur die in het kussen zat was haar eigen: de geur van het zoeken naar iets wat weg was, zo rook het kussen. Ze ging op het krukje zitten met het ABC-boek en las met gesloten ogen terwijl haar vingers voelden hoe broos het papier was en dat het niet een levenlang zou meegaan als ze nu niet meteen opstond om het boek in de kist te leggen en het slechts één keer per jaar tevoorschijn te halen, op haar verjaardag.

Toen ging ze naar boven en legde het daar, onder het rode dek.

Er waren dagen dat de kamers zo leeg en koud waren dat ze het daar niet uithield, ze moest haar toevlucht zoeken in de keuken waar Mari op een stoel zat en niet opkeek van de erwten die ze zat te doppen of de vogel die ze aan het plukken was. Tora stond stilletjes in een hoek, sloop langs de muren, cirkelde steeds dichter naar de stoel, ten slotte stond ze vlakbij met haar handen op haar rug en vroeg: wat doe je, Mari? Ze stak haar hand uit en prikte een beetje in de schaal: wat is dit?

Ineens stond ze tegen een warme knie geleund en vroeg aan één stuk door: waarom doe je dat, wat doe je nu, wanneer gaan we eten, wees op de koperen kommen die aan de wand hingen en de pullen die op de plank stonden, op de zeef en de filter en het mes, alles wat ze al duizend keer had gezien, wat is dat, wat doe je ermee, terwijl ze steeds zwaarder tegen de knie leunde die soms zacht was zodat ze ertegen mocht rusten. Dan rustte ze en hield op met vragen.

Soms werd de knie weggetrokken, heb je nog nooit een kaasvorm gezien, domoor, dan rende ze weg, want het enige wat haar angst kon aanjagen was het gevoel van iets wat geen standhield, iets wat er was maar ineens begon te wijken. Ze verloor haar evenwicht en greep zich vast aan de tafelrand, vervolgens rende ze weg: naar het schapenhok, de koeienstal, de paardenstal, de graanschuur, de hooizolder, het opkamertje boven de voorraadkelder, de knecht die mest reed, de kat die een streepje zon had gevonden om

zich in uit te rekken en klein en geel met zijn ogen knipperde toen ze over zijn rug aaide, naar het varkenskot waar
de zeug op aardappelschillen lag te kauwen. Ze ging in het
stro zitten en kriebelde de zeug terwijl ze op een appel
knaagde die slechts aan één kant een paar bruine vlekjes
had. Mari schold toen ze weer binnenkwam en schrobde
haar in de afwasteil, je wordt zelf nog een varken als je niet
uitkijkt!

Iemand had de spijlenbank verplaatst om eronder te vegen en de kussens mee naar buiten genomen om ze te kloppen. Nu roken ze alleen nog naar winterlucht. Ze rende
door het huis en sloeg alle deuren dicht en schreeuwde dat
ze wat zouden beleven, dat ze moesten uitkijken, dat ze zich
moesten gedragen, tot iemand haar optilde en haar mond
bedekte met een hand waar ze in beet. Stil nu, zei een stem
terwijl ze de trap op werd gedragen en verbazingwekkend
zacht op haar bed belandde. De sleutel werd omgedraaid
in het slot. Ze stopte haar gezicht in het dek en veroordeel-
de ze allemaal tot de dood. Een winterstorm vloog door de
open ramen naar binnen en hield kerstschoonmaak met ijs,
bedekte iedereen met ijs en stopte ijs in alle monden. Alleen zij zou met haar adem een gat weten te maken en ontkomen.

Maar de volgende ochtend hielp ze de meiden met koper
en zilver poetsen en stond erbij toen de zult uit de vorm
werd geschud. Met haar hand in de plooi van Mari's rok bewonderde ze het mooie patroon van bladeren en druiven.

Daarna hielp ze mee met de schoonmaak en terwijl ze
de vensterbank met sop uitnam hoorde ze hoe ze met zachte wollige stemmen over haar praatten, de oudste knecht
bracht met lange tussenpozen iets te berde, als houten pluggen in het gemurmel. Ze verstond niet wat ze zeiden, maar
misschien zeiden ze dat ze aardig was, dat ze flink was, dat

54

het zielig voor haar was: zonder vader of moeder, zuster of broer, eenzaam als een duif in het bos.

Ze luisterde niet want ze stond naar de haverschoof te kijken die Arvid had opgezet en naar de lucht vol vogels. Ze hingen stil rond de schoof met klapperende vleugels terwijl ze wachtten op een graantje om mee weg te vliegen. Het was koud buiten, de lucht was scherp, de hemel was groen boven het dak van de koeienstal, ze moest onmiddellijk naar buiten om de vogels brood te geven, want ze hadden honger, zo'n honger dat ze om haar heen fladderden toen ze onder de schoof stond die al halfleeg was, ze waren niet eens bang. Nu hoorde ze dat iedere vleugelslag uit vijf tonen bestond, vijf droge mooie veertonen, en ze haalde het platte brood tevoorschijn dat ze had weggepakt en onder haar vest had verstopt en verkruimelde het terwijl de vogels wachtten in de lucht en naar haar keken met zwarte ogen, glanzende bosparels. Vervolgens doken ze op de kruimels af en vlogen weg naar het bos waar ze thuishoorden. Ze waren zo klein tegen de groene hemel.

Niemand had gezien dat ze naar buiten ging, maar ze zouden merken dat het brood weg was. Toen ze de deur hoorde opengaan rende ze weg, verstopte zich op de hooizolder onder een stapel oude zakken en kwam pas 's avonds laat tevoorschijn, toen Arvid de ladder op klom en haar riep. Hij beloofde voor allebei de kerstdagen een haverschoof neer te zetten. Toen hij haar optilde sloeg ze haar armen om zijn nek, hoewel ze te oud was om te worden gedragen en ze liet zich door de keuken dragen waar iedereen zwijgend zat te staren, niemand durfde haar nu aan te raken. Arvid moest haar zelf naar bed brengen.

Toen hij was vertrokken lag ze lang wakker en luisterde of ze de wind hoorde, maar het enige geluid was het huis dat kraakte van de kou. Weg, dacht ze.

2

In de herfst, twee jaar nadat hij zijn vrouw en zoontje had begraven, reisde Erland Frank naar Göteborg om te verzoeken om verlenging van de pachtovereenkomst die bij zijn huwelijk was opgesteld. Hij had een brief bij zich waarin de veldwachter getuigde dat Arvid Sanderson niet geschikt was als pachter en een brief waarin Arvid hetzelfde deed. Tijdens de korte bijeenkomst met het stichtingsbestuur beschreef Frank deze ongeschiktheid vooral als de onbezonnenheid van een jongeling die vroeg zijn vader had verloren en niet de leiding had gekregen die nodig is om de zorg voor een boerderij van de omvang van Ekornetång op zich te nemen, maar die de laatste jaren grote vooruitgang had geboekt, zij het nog niet voldoende. Afgelopen zomer bijvoorbeeld had hij zich op de dag dat hij meerderjarig werd laten vollopen in de herberg van Åsen en ze hadden hem zo ernstig toegetakeld in de berm aangetroffen dat hij twee weken het bed had moeten houden, en dat midden in de drukste tijd.

Hij wilde niet verhelen dat er een neiging tot mateloos drinken bestond, maar dat gebeurde met zeer lange tussenpozen en alleen als de jongeman door slechte vrienden in verleiding werd gebracht. Het herhaaldelijk weglopen hoefde men ook niet al te serieus te nemen, aangezien de wegloper na een paar dagen altijd uit eigen beweging weer terugkwam.

De voorzitter van de stichting humde misnoegd en las

nogmaals de twee brieven terwijl hij over de rand van het papier naar de man gluurde die voor hem stond, wijdbeens in kniehoge laarzen en met een roodzijden doek om de stevige, zonverbrande nek. De mensen uit Inland hadden altijd bekendgestaan om hun pronkzucht. De man keek strak terug, de voorzitter legde de brieven neer en leunde achterover in de armstoel terwijl hij hem met veel omhaal van woorden herinnerde aan het onbesproken gedrag van de vorige pachter, Sander Person, en de trouw die sinds de oprichting in 1694 het vaste fundament was van de Koninklijke en Hvitfeldtse Gymnasium Stipendiuminstelling, alles conform het testament van mevrouw Margareta Hvitfeldt, waarin ze haar volledige eigendom had weggeschonken ten bate van de ontwikkeling van de jeugd van Bohuslän, de grootste donatie ooit in het land voor zover hem bekend.

Het was een wederzijdse trouw, bracht hij in herinnering. Ekornetång werd sinds de Noorse tijd door dezelfde familie geëxploiteerd en er was meer voor nodig dan een paar brieven om die opeenvolging te doorbreken.

De curator aan zijn rechterzijde ritselde met zijn papieren, dat was zijn manier om erop te wijzen dat de voornaamste opgave van de Hvitfeldtse landerijen was geld op te brengen voor de stipendiumkas, maar de voorzitter was niet te vermurwen. De zelfverzekerdheid van de vreemde man had de zaak reeds beslist; het wippen op zijn hakken terwijl hij luisterde en het onafgebroken aankijken met zijn hoofd achterover tegen zijn stijve boord. Er kon geen sprake zijn van overdracht.

Voor Frank was het volkomen duidelijk hoe zijn zaak ervoor stond. Hij liet enkele seconden zwijgend voorbijgaan en verklaarde vervolgens dat zijn interesse geheel en al uitging naar de scheepsbouw en de scheepvaart en dat hij niet anders verlangde dan een tweejarige verlenging van het pachtrecht om de broer van zijn overleden echtgenote op streek te helpen. Na een kort overleg werd de kwestie overeenkomstig deze wens afgehandeld en kon hij de deur uit stappen met het ondertekende contract op zak.

Het was een heldere septemberdag en er waren veel mensen op de been, er werd levendig handel gedreven in de winkeltjes met vis, stoffen en specerijen. De schuiten lagen dicht opeen afgemeerd in de walgracht, helemaal tot aan de brug. Zonder te weten waarom ging hij een winkel binnen en kocht een lap donkerrood fluweel waarvoor hij geen bestemming had en die hij nu de rest van de dag met zich mee moest sjouwen. Hij nam plaats in een kelderrestaurant en bestelde een kan bier; een grote rust daalde op hem neer.

Hij strekte zijn benen onder de tafel en voelde het contract ritselen in zijn borstzak als een bevestiging van de rust; want rust moest het zijn, dat grote vlakke veld van stilte dat zich uitstrekte zover hij kon kijken. Hij bestelde een driegangenmaaltijd voor vijftien schelling en schopte het pak onder tafel aangezien er dan kans bestond dat hij het zou vergeten als hij vertrok. Door een klein groen raam zag hij voeten en rokzomen stof doen opwaaien, in de hoek zat een oude schipper uit een spanen mand te eten en de meid serveerde brandewijn en gezoet lichtbier, rechts zat een kerel te slapen met zijn hoofd boven een bord gebakken spek. Hij keek naar alles, maar zag slechts een veld van stilte, het was geel als rogge. Hij werd er bijna bang van.

Hij was altijd in beweging, in welke richting dan ook, gedreven door een voortdurend schrijnen dat hem gaande hield. Om niet te vergeten dat mensen zoals hij slechts zeer korte wijlen hoorden te rusten legde hij zijn vuile laarzen op het pak stof en draaide met zijn hakken zodat het papier openscheurde.

'Ahoi, jij daar, breng me d'r nog een op de valreep!'

Toen hij zijn glas had geleegd ging hij naar buiten, nog steeds met het pak onder zijn arm, en hij verdrong zich een poosje op een pleintje waar de marskramers uit Västergöt-land markt hielden. Hij voelde zich niet aangetrokken tot de messen met benen heften die op een doek lagen uitge-stald of tot de zilveren snuifdozen en wandelstokken, maar hij bleef staan bij een koord met zuurstokken en keek lang hoe ze, gestreept als beddentijken, ronddraaiden in de fris-se wind van de rivier.

Een oud vrouwtje vroeg hem jammerend om iets te ko-pen en hij liep vlug door, naar de haven waar hij zou sla-pen op de schuit waarmee hij de vorige dag hierheen was gevaren en waarvan hij voor een derde eigenaar was. Hij had in zijn vijf jaar op Ekornetång in niet minder dan ze-ven boten aandelen gekocht. Deze kleine schuit vervoerde vooral vis en hout langs de kust, maar de galjas Flygaren, die voor een zestiende van hem was, voer op de Middel-landse Zee met port en pomeransen. Hij stelde het zich zo voor, port en pomeransen op een blauwe zee, ook al was het enige wat hem interesseerde de inkomsten, de tot nu toe geringe maar regelmatige inkomsten die hij ontving van zijn aandelen en die hem binnen twee jaar in staat zouden stellen zijn eigen boot te bouwen.

Twee jaar was alles wat hij had, maar het zou toereikend zijn, het moest toereikend zijn, twee jaar, hij beet op zijn tanden en vloekte hartgrondig over de twee jaar.

Het papier ritselde in zijn borstzak, maar de rust was niet zo groot als hij had gedacht toen hij daarnet zat te eten, in feite was die veel geringer dan de razernij die hem nu over-viel als een grote zwarte wolk voor de zon. Hij versnelde zijn pas en duwde een jongen opzij die liep te lummelen, nu was het moment voorbij, geen vlakke velden meer om bij te rusten, zwarte vlekken stroomden langs de gehele horizon en hij begon te lachen omdat het zo moest zijn. Als hij het vergat moest hij misschien nog een keer over het ijs gaan met al zijn bezittingen in een zak op zijn rug en aankloppen en om een armvol stro vragen om op te slapen. Het had vijf jaar geduurd om de kou van die avond uit zijn lichaam te krijgen.

Hij was net als boekhouder begonnen bij de traankokerij in Höviksnäs en had een nieuw pak op rekening gekocht toen de haring verdween, niet van de ene dag op de andere zoals sommige mensen beweerden, maar plotseling genoeg. Het was het jaar 1809. Hij had zijn horloge moeten verkopen vanwege zijn pak. Langzaam maar zeker was hij noordwaarts getrokken in de hoop dat de situatie daar beter zou zijn, maar het enige wat hij aantrof waren koude schoorstenen en stinkende smeerbekkens en magere schaduwen rondsluipend in de zwarte ruïne waarin de kust was veranderd, op zoek naar iets om te verkopen of te eten. Degenen die hun huizen uit elkaar konden nemen, voerden het hout mee landinwaarts waar in ieder geval grond was, op de eilanden stopte men zeewier in de bergspleten in de hoop dat er aardappels op zouden groeien. Hij had kinderen gezien die blootsvoets door de vrieskou liepen en het verrotte aas uit de viskorven aten.

Hij dacht nooit aan hen die hij had verloren, maar wel aan het jaar dat hij over de eilanden had gezworven en timmerhout had geladen of tonnen gerold voor een beetje pap met suikerwater op een schoteltje ernaast om je lepel in te dopen. Hij zag zichzelf lopen in een donkere nevel, alsof er het hele jaar geen daglicht was geweest, alsof het nooit zomer was geworden. Het was de honger die alles zo kleurde, ook al had hij in die periode veel andere dingen meegemaakt en alles geleerd waar hij nu profijt van had. Toen hij de hoop op schrijfwerk had opgegeven, monsterde hij aan op een kleine schoener, voer een halfjaar van de ene Oostzeehaven naar de andere en ging aan wal met vijf schelling meer op zak dan toen hij vertrok. Met de kerst bleef hij in Höviksnäs en daar kwam hem ter ore dat Peder Torson uit Tång in een Noorse herfststorm schipbreuk had geleden. Na de jaarwisseling ging hij over het ijs naar Inland en toonde de weduwe de getuigschriften die hij zelf had geschreven, ze waren mooi met versierde kapitalen en ze streek bewonderend over het dikke papier terwijl hij in de zitkamer om zich heen keek, waar het vuur brandde in een ijzeren kachel en het koffieblad gedekt stond met kopjes van gebloemd porselein. De weduwe had zitten naaien toen hij binnenkwam, een gebreide sjaal rond haar schouders.

Hij ging dicht bij de kachel staan terwijl zij las, want hij was erg koud geworden op het ijs. In de vaarroute, waar het water het snelst stroomde, had het ijs onder hem bewogen en hij had aan het diepe donker eronder gedacht als aan een mogelijke oplossing, want in het leven wilde hij niet nog meer zinken dan hij al had gedaan. Het was pure hoogmoed, en alles wat hem nog restte nadat hij in Höviksnäs zijn geld had verdronken. De weduwe las heel langzaam, maar hij wilde nu uitsluitsel, zijn hele lichaam beefde van ongeduld en van de kou die zijn greep niet wilde laten varen, hoe dicht hij ook bij de kachel stond. Toen ze de papieren neerlegde en zei dat ze wel een man met zijn agrarische vaardigheden konden gebruiken totdat haar broer meerderjarig werd, ontblootte hij zijn tanden in een grimas van kou die misschien voor een glimlach kon worden gehouden. Zijn hele leven zou hij een man blijven die met al zijn bezittingen in een kleine zak van zeildoek over het ijs ging.

Terwijl hij in zijn handen wreef om ze tot leven te wekken, riep de weduwe naar de keuken om hete koffie en vroeg wanneer hij kon beginnen; hij dwong zichzelf te zeggen op z'n vroegst in maart, hij moest eerst nog belangrijke zaken afhandelen. Daar stemde ze in toe. Ze maakte zelf het bed voor hem op in het kleine kamertje naast de zitkamer, waar hij vervolgens de meeste nachten zou doorbrengen – ook als getrouwd man – omdat het kamertje van hem was en hij eigenlijk alleen kon verdragen wat het zijne was.

Hij sliep diep terwijl het bankbed onder hem bewoog en de sneeuw steeds dichter viel; hij was weer op het ijs en het werd sneller donker dan hij had verwacht, hij had zich misrekend en was woedend op zichzelf, want mensen als hij mochten geen foutieve berekeningen maken. Het enige waarop hij zich kon verlaten was een flakkerend lichtje aan de kant van het vasteland, het was niet veel, bijna niets, midden in de nacht stond hij op het donkere ijs en lachte om zijn benarde situatie, toen hoorde hij de ijsblazen die knappen als je de oever hebt bereikt en hij klauterde een lange stenen steiger op waar hij goed sliep en pas wakker werd toen iemand in de aangrenzende kamer aan het rommelen was. Het sneeuwde nog steeds en hij had spijt dat hij dat van die zaken had gezegd, want nu moest hij wel opstappen. En aangezien de zaken zo belangrijk waren, moest hij zich haasten.

Hij kreeg koffie in de zitkamer voordat hij vertrok. Boven aan de trap zette hij zijn kraag op en trok de klep van zijn pet over zijn ogen, hing de zak dwars over zijn borst en stak zijn handen in zijn zakken voordat hij met gebogen hoofd op pad ging en zich boog voor de sneeuw die droog en fijn als zand in zijn ogen prikte en hem vlug scheidde van al het andere; hij begaf zich erin en liet de boerderij verdwijnen, het enige wat bestond was zijn donkere lichaam in een sneeuwwerveling. Daarin zong hij om zich te warmen.

Halverwege kon hij meerijden met een houtvracht en hij bereikte voor het donker Uddevalla, verschafte zich toegang tot een leeg pakhuis achteraan in de haven en sliep daar een paar nachten terwijl hij op zoek was naar losse karweitjes. Het was een slechte tijd, alles lag stil na de kerst en de haven was dichtgevroren. Hij ruimde sneeuw en droeg water voor twee oude juffrouwen die niet meer konden missen dan koffie met brood en een paar wanten. Op marktdag hielp hij de boeren met uitladen en kreeg betaald met wat van de kar viel, knollen en aardappels die hij bakte in een vuurkuil, maar iemand zag de rook en joeg hem het pakhuis uit, toen sliep hij staande in een poort. De volgende ochtend vertrok hij met drie koude aardappels in zijn jaszak in noordelijke richting; met Maria-Lichtmis was hij in Dalsland en kapte bos. Hij sliep in een houthakkershut samen met andere mannen in een waas van natte kleren die te drogen hingen boven het vuur. Ze liepen tot hun liezen in de sneeuw te kappen.

Op de vierde betaaldag verliet hij stilletjes zijn plaats in de ploeg en liep midden in de nacht naar de kust, het was een heldere hemel en de bomen vergezelden hem met lange blauwe schaduwen. Ook de wolf liep met hem mee, dat wist hij. In Munkedal kocht hij stof voor twee hemden en bracht de nacht door voor de open haard in de herberg samen met een paar andere reizigers uit Göteborg die veel dronken en wilden dat hij met ze kaartte. Hij zei dat hij zijn dode moeder had beloofd nooit te spelen, en toen ze bij het vuur in slaap waren gevallen stal hij het horloge van een van hen en vertrok.

Het was in de ochtendschemering, de wind was lauw, de lentegeur van smeltwater en onbewerkt land sloeg hem tegemoet toen hij de rivier overstak. Twee dagen later stond hij zich in de zon te scheren, het stuk spiegel rustend tegen het lage plaggendak van een van de keuterboerderijen van Ekornetång, terwijl de boer vertelde over de oude Sander die voor zijn vijftigste was overleden aan koudvuur en over de mooie hoeve en landerijen die in verval waren geraakt, want de jongen was pas tien toen de man stierf en het meisje was met een zeeman getrouwd die liever wegging dan thuiskwam. Uiteindelijk was hij voorgoed weggebleven en nu wist niemand wat ervan zou worden. Maar Frank zei dat het goed zou komen.

Hij floot zachtjes toen hij zich over de spiegel boog en zijn natte haar achterover streek. Het lentelicht had een toon als van het hoogste register.

De straat was krap van rook, vuil en mensen die renden, sjouwden, bedelden en probeerden hem dingen te verkopen, visafval, eindjes touw, hout en lorren. Hij liep rechtdoor zonder iemand weg te duwen maar met zijn arm naar voren, als waarschuwing. De kleine vrachtschuit waarvan hij voor een derde eigenaar was, heette Bredfot en lag achteraan in de haringhaven afgemeerd; toen hij halverwege de heuvel bleef staan en neerkeek op de logge romp en stoppelige mast leek het amper een boot, eerder een vlot om vee mee te vervoeren. Niet echt iets om trots op te zijn.

De schipper stond aan dek te schreeuwen toen hij aan kwam lopen, want de plannen waren gewijzigd en ze zouden meteen vertrekken, hij had het geluk gehad een vracht stukgoed naar Marstrand te bemachtigen en de volgende dag een hele inboedel retour. De dominee zou verhuizen met koe en alles. Frank sprong over de reling en schreeuwde dat hij maling had aan de dominee, hij had nog meer zaken af te handelen voordat ze konden vertrekken, vervolgens rende hij naar benedendeks en gooide het pak stof op zijn kooi. Het papier was opengesprongen en de donkerrode stof puilde eruit. Eén enkele daad van lichtzinnigheid in vijf jaar en dan nog voor iets wat hem geen plezier bezorgde.

Iedere schelling was naar de boten gegaan, kleine verdiensten die hij heimelijk had gemaakt op de rogge van de drassige akkers die vóór zijn komst door niemand waren drooggemaakt en die de boerderij met vijftien bunders bruikbare grond hadden uitgebreid, en dat was nog maar het begin. Hij zou de stukken bos waar de koeien graasden afbranden en meer rogge verbouwen, deze met zijn eigen schip naar Engeland vervoeren en echte verdiensten maken, geen kleingeld meer dat in zijn buidel gleed en vervolgens in kleine stapeltjes op het bureau werd verzameld, waar hij rekende en nog eens rekende en noteerde in het kasboek, een zesde deel in de galjas Carl, een achtste deel in de schoener Frater.

Hij liet zich languit op de brits vallen en staarde naar de splinterige planken boven hem, bleef roerloos liggen zoals hij zich had aangeleerd, de enige manier om zijn woede te beteugelen. Bloedrode golven van fluweel spoelden door zijn hoofd. Het onstuimige kind thuis, hij had iets moeten kopen dat beter bij haar paste, een zuurstok met felle strepen of een mes om de graanzakken mee open te snijden. Twee jaar, zei hij om zichzelf te kalmeren, het gaat me lukken om alles wat ik wil in die tijd te doen.

De schipper stond boven te schreeuwen, zeker naar de jongen die niet vlug genoeg de trossen losgooide. De kleine schuit deinde vertrouwd, hij ging weer naar boven, nam plaats op een houten krat en keek naar de rommelige oevers die voorbijgleden, de krotten van de armen gestreept als beddentijken verderop. Er was geen traan meer om te verschepen. De jongen struikelde en schopte tegen zijn voet toen hij langsliep om het topzeil te hijsen, maar Frank liet het gaan, duwde hem alleen weg en haalde het contract weer tevoorschijn om zijn handtekening in de dikke zwarte krul van inkt te bekijken.

De rivier rook naar slib en verrotting, maar de wind rook zout. Toen ze dichter bij de monding kwamen zag hij in een weitje een bruin paard dartelen, het rende een heuveltje op en af alsof het achterna werd gezeten, keek met witte ogen in geveinsde angst om zich heen en stopte toen plotsklaps aan de oever om te drinken. Frank boog voorover en dacht aan het meisje terwijl het paard met zijn hoofd gooide, een witte waterboog van vreugde door de lucht slingerend. Hij herinnerde zich amper hoe ze eruitzag. Ze was twaalf of dertien jaar nu, of misschien elf, hij wist het niet. Iemand anders had de zorg voor haar op zich genomen. Zelf was hij te veel onderweg geweest, op zoek naar kleine bedragen en iets om ervoor te kopen.

Buitengaats, toen de wind aanwakkerde en de houten kist opzij gleed, vergat hij haar; jullie moeten beter sjorren, schreeuwde hij en hij nam het roer over terwijl de schipper beneden touw ging halen. De Bredfot was een stabiele boot, meer gebouwd om vracht te vervoeren dan om snel te varen, ze laveerden langzaam tussen de scheren en kwamen pas tegen de avond in Marstrand aan. Frank wilde niet aan wal gaan, hij lag in zijn kooi uit de fles te drinken die hij altijd bij zich had, meestal om anderen te trakteren, nu trakteerde hij zichzelf. Het gebeurde zelden dat hij zo kon liggen en zijn gedachten de vrije loop kon laten.

Hij stond aan de oever en hield toezicht op het optuigen van de sloep, het moeilijkste moment, even later liep hij het hooiland te maaien. Het was niet eenvoudig om te weten wat het beste was. Hij hield van de geur van hout en van de geur van gras. Toen de anderen aan boord kwamen, draaide hij zich naar de muur en deed alsof hij sliep, hij bedacht dat hij voor zijn volgende boot een betere

69

scheepstuiger moest zien te vinden. Het bruine paardje galoppeerde door zijn slaap, maar het was slechts het geluid van schoenen die tegen de keien klepperden, hij kwam in het halfduister overeind, pakte zijn ransel en het pak stof en klauterde het dek op, want nu had hij haast om thuis te komen. Een schipper van het eiland Stora Askerön nam hem mee. Leunend tegen de reling zag hij de schoorsteen van Höviksnäs en het kleine kantoor waar zijn lessenaar had gestaan, heel kort, voordat alles vervloog in de snelle wind.

In de haven kreeg hij een meisje zover dat ze hem naar het vasteland roeide, hij betaalde haar goed, ter wille van de wind die hij altijd mee had. Op een zonnige heuvel in het bos at hij de laatste proviand en sliep een poosje met het pak stof onder zijn hoofd.

Hij nam de tijd om thuis te komen, bleef af en toe staan om naar de akkers te kijken of naar een woonhuis dat rood was geverfd, of naar de zeearm die overal blauwe lussen maakte tussen de oeverweitjes waar de koeien zout gras graasden. Hij gaf de voorkeur aan zijn eigen hardere grond boven dit drassige landschap. Het laatste stuk voerde over de berg en hij bleef staan op de top om de hoeve een poosje van bovenaf te bekijken. In het begin had de manier waarop deze was gebouwd hem niet aangestaan, met het erf en de stallen die zich als eerste ontvouwden voor degene die over de weg kwam, maar nu wist hij dat het mooiste zicht bestemd was voor degene die over zee kwam. Hij ging op een steen zitten en veegde zijn laarzen schoon met mos. Misschien moesten ze het huis rood schilderen, dacht hij. Dan zou het helemaal tot op Orust te zien zijn.

Beneden rende een kleine gestalte over het erf en schoot een deur binnen. Hij dacht weer aan het meisje, hoe ze op een lenteavond alleen in de tuin had gespeeld toen hij van de zee beneden naar het huis liep. Hij was blijven staan, verscholen achter de haag van sneeuwbesstruiken, omdat hij niet begreep wat ze aan het doen was. Het duurde geruime tijd voordat hij zag dat ze danste. Ze draaide rond met uitgespreide armen, haar bruine vlecht stijf uitstaand terwijl ze krijste, krijste als een vogel, al was het een vogel die hij nooit eerder had gehoord. Dat was lang geleden. Inmiddels was ze misschien te groot om te spelen.

Hij stond op en begon naar beneden te klauteren terwijl hij zich vasthield aan de vossenbessenstruiken, maar hij gleed uit over een verrotte tak die verborgen lag in het mos en belandde op zijn eigen grond met grote natte plekken op zijn broekspijpen. Dat bedierf de thuiskomst een beetje. Hij voelde zich belachelijk toen hij met het gehavende pak het erf op baggerde. Vanuit het voorportaal gaf hij luidruchtig opdracht avondeten te brengen. Een angstige meid kwam aanrennen met erwten en haring, die hij opat aan zijn bureau in het kantoortje terwijl hij naar zijn nieuwe boothuis keek dat ook rood zou worden geschilderd; alles moest stralend rood worden.

Toen de meid het dienblad had weggenomen stak hij de lamp aan, haalde het grote boek tevoorschijn en begon te rekenen, tweehonderdtwintig tonnen graan was de opbrengst dit jaar. Die zou hij nog meer kunnen verhogen, tot driehonderd, als hij alle grond eenmaal in gebruik had genomen. Maar dat kostte tijd, het zou langer dan twee jaar duren, en twee jaar was alles wat hij had.

Hij doopte zijn pen in de inktpot en begon opnieuw, drie rijksdaalders per ton voor de haver, vijf voor de gerst, zeven voor de rogge, nog een zestiende in de galjas Flygaren, driehonderdvijftig rijksdaalders, een vierde in de sloep Delfin, tweehonderdvijfentwintig. Hij trok dikke strepen onder de kolommen en telde op, maar het kwam nooit uit, nooit, iedere keer vergat hij wel een stukje waardoor ze als een kaartenhuis instortten.

Hij doopte zijn pen, vierenzestig rijksdaalders voor de rogge, maar toen was hij het geld vergeten voor de stipendiumkas en het loon van de meester-scheepstuiger over wie de schipper van Stora Askerön had gesproken. Hij staarde naar zijn gezicht in de zwarte vensterruit zonder iets anders te zien dan de drassige akker aan de overzijde van de weg die hij niet bouwrijp zou weten te maken voor het zomergraan, bovendien kostte droogmaking veel arbeidskracht. En het bos moest gekapt en afgebrand. Ze moesten zorgen dat het hooiland meer opleverde, hij was het zat de koeien als gratenpakken naar buiten te zien komen na de winterse honger. Hij doopte zijn pen in de inkt en stelde zijn ambities naar beneden bij, een vierde deel vrachtboot voor vijftig rijksdaalders was het enige wat erin zat; een zadel, dacht hij, ik had een zadel voor haar moeten kopen. Met een beweging zo langzaam en voorzichtig dat zijn hand er pijn van deed legde hij de pen op het inktstel en leunde achterover in de stoel die kreunde, het geluid van vermolming maakte hem razend, hij draaide zich naar de deur en riep dat iemand het meisje moest halen.

De voetstappen van de oude vrouw klosten traag over de vloer van de zitkamer. In de deuropening bleef ze staan en keek hem zwijgend aan terwijl ze haar handen aan haar schort afveegde.

Ineens werd hij volslagen kalm. 'Ga het meisje halen,' zei hij en hij boog zich over het boek, 'ik wil met haar praten.'

'Ik weet niet waar ze is.'

'Is het dan niet je taak om voor haar te zorgen?'

Daarop gaf ze geen antwoord.

'Ga haar zoeken,' zei Frank. Hij opende zijn mes en begon langzaam een pen te snijden, veegde de fijne flinters weg, hield hem op tegen de lamp en bestudeerde de punt zorgvuldig terwijl hij wachtte of ze nog iets zou zeggen, maar ze liep weg.

Ze was dadelijk weer terug, stond op dezelfde manier tegen de deurpost geleund met haar handen in haar schort gewikkeld. 'Ik weet niet waar het meisje is,' zei ze koppig.

'Je wordt misschien oud en slechtziend?'

'Ik zie best.'

Hij vouwde het mes dicht, deed de kist waar het contract in lag op slot met de sleutel die hij altijd aan zijn horloge-ketting droeg en sloeg het boek dicht. De fragiele inkt-kastelen stortten hoorbaar in achter de kaften.

Buiten was het donker geworden, een klare koude duis-ternis, de eerste heldere herfsthemel boven de bosrand ge-hesen. Frank trok de vrouw met zich mee over het erf, waar-om wist hij niet, maar het was alsof er een snaar in hem werd aangedraaid en steeds harder aangespannen, en hij kon niet ophouden voordat die knapte. 'Hier ben ik al ge-weest,' zei ze nors in de deuropening naar het koetshuis toen hij zich bukte en met de lantaarn tussen de wielen scheen. In het opkamertje was ze ook geweest, verklaarde ze, maar hij dreef haar voor zich uit het trapje op en de klei-ne ruimte in waar naast een schoteltje met een pit zakken lagen uitgespreid op de vloer, alsof iemand zich daar placht op te houden. Maar hij kon erop zweren dat het niet het meisje was.

Toen was de graanschuur aan de beurt, daarna de hooi-zolder, hij dwong haar met de lantaarn naar boven en zag hoe haar klompen weggleden op de sporten van de ladder, hoe het licht flakkerde en tegen het dak sloeg toen ze zich tussen alle rommel perste om in de hoeken te schijnen.

'Ze is nergens,' riep ze met gesmoorde stem.

Ten slotte stuurde hij haar weer naar binnen, maar zelf bleef hij op het koude erf staan luisteren tot hij stemmen hoorde. Het was uiteindelijk heel simpel om het meisje te vinden; ze was in het varkenskot bij het varken dat uit de trog at die ze net bezig was te vullen en praatte met de knecht, die leunend tegen het hek stond toe te kijken. Frank begreep niet waarom hun kalme stemmen hem zo woedend maakten.

Het meisje was groot geworden, maar ze droeg nog steeds de kleren van een kind, een korte rok die rond haar magere benen zwierde en kapotte kousen. De vlecht die over haar schouder naar voren viel toen ze zich over de trog boog was dik en donkerbruin, maar hij hield niet van de manier waarop het haar gekamd en vastgezet was, zo strak naar achteren dat haar gezicht bijna verwrongen leek. Haar voorhoofd glansde wit en hoekig als een knie in het licht van de lantaarn, die aan een haak aan het dak hing.

Ze zette de emmer in het stro en veegde met haar handen over haar rok. Ze is vies, dacht hij terwijl hij dichterbij sloop.

De hele dag had het gestoken en gezeurd in hem, het meisje en het geld en de tijd die verstreek, dat hij zo weinig tijd had en dat het geld niet toereikend was. Toen het varken de emmer omstootte zodat de inhoud op de rok van het meisje spatte en de knecht begon te lachen kwam alles bij elkaar; hij rende op de man af en gaf hem een onbehouwen klap op zijn wang waardoor hij achterover tegen de muur viel waar hij in elkaar zakte en met open mond bleef zitten.

Frank tilde het meisje uit het hok en hield haar tegen het licht als een boek, of een afbeelding die hij beter wilde bekijken. 'Ga naar binnen om je te wassen,' brulde hij en hij keek neer op haar witte gezicht, dat niet te duiden viel, want ze was niet bang. Hij omvatte het en draaide het van de ene kant naar de andere in het licht van de lantaarn terwijl het varken schreeuwde.

'Nu moet je kalmeren, Frank,' zei ze met haar donkere stem.

Toen hij haar had losgelaten, trok ze rustig het opgekropen lijfje, waar ze uitgegroeid was, recht en sloeg het stro van haar rok. Ze borstelde hem weg met haar vuile handen alsof ook hij viezigheid was; op dat moment begreep hij dat hij haar zou moeten wegsturen.

De knecht zat nog steeds tegen de muur te jammeren met zijn hand tegen zijn wang.

Na de kerst werd Tora naar de pastorie in Brålanda gestuurd om te leren hoe ze een huishouden moest bestieren. De dominee in Tång regelde de kwestie, met een brief aan een oude studievriend die een vrouw en vijf dochters had en daarom beter geschikt was dan hijzelf om een meisje onder zijn hoede te nemen wier enige fout was dat ze te weinig vrouwelijke aandacht had gekregen. Zelf was hij al vele jaren weduwnaar, bovendien beroepen bij een kerkgemeente die buitengewoon armlastig was. Hij tilde zijn pen van het papier en droomde van de golvende korenvelden van de vlakte en de warme winden waarvan hij zich voorstelde dat ze overal waaiden behalve op de plek waar hij zich bevond. Hij droomde van met zand bestrooide tuinpaden en seringenpriëlen.

Afstand was belangrijk, benadrukte hij; om niet terug te vallen in oude gewoontes moest het meisje ver genoeg weg. Bovendien zouden ze veel plezier van haar kunnen hebben in de pastorie. Ze was in haar dertiende jaar, kon lezen, was lang en sterk voor haar leeftijd, en behalve een zekere koppigheid had hij nooit iets nadeligs over haar gehoord. Vrouwelijk gezelschap was het enige waaraan het haar ontbrak.

Hij zuchtte en dacht aan seringenpriëlen met lachende vrouwen.

Het was twee dagreizen naar Brålanda, zoveel tijd kon niemand vrijmaken, maar Frank zou haar naar Uddevalla varen, en daar had de dominee vervoer geregeld naar Lane-Ryr waar ze zou overnachten bij zijn zuster. Het laatste stuk moest met een koetsier worden afgelegd. De dominee was bereid die kosten op zich te nemen, aangezien Frank leek te vinden dat het meisje te voet kon gaan, net als hijzelf had moeten doen toen hij haar leeftijd had en zelfs nog jonger.

'Maar dat is toch horribel, een meisje alleen over de Dalbovlakte! Hoe moet ze de weg vinden?'

'Die moet ze maar vragen. Ik was zelf niet ouder dan acht toen mijn moeder me voor de eerste keer op pad stuurde.'

'Dat is toch anders,' zei de dominee en hij keek ernstig naar de man die aan de andere kant van zijn bureau zat en met zijn horlogeketting speelde. Hij had veel mensen horen zeggen dat Erland Frank een knappe kerel was, maar daar kon hij het niet mee eens zijn. Integendeel, het gladde, bruine gezicht dat er zo onbewogen uitzag dat het leek opgevuld met iets hards, stond hem helemaal niet aan.

'Anders, hoezo anders?' vroeg de man op zijn nonchalante manier.

'Tora is hoe dan ook van betere huize, zoals dat heet,' zei de dominee en genoot ervan met vaste stem deze vanzelfsprekendheid te uiten, waar niemand iets tegenin kon brengen maar waar tegelijkertijd een scherp randje aan zat waarvan men slechts kon vermoeden hoe diep die in de ziel sneed.

Op de gladgeschoren wangen van de man was zelfs geen zweem van schaamrood te bekennen, hij liet de horlogeketting terugglijden in zijn zak en schudde zijn hoofd zodat de gouden ringen in zijn oorlellen zwaaiden. 'God ja, dominee, dat was ik vergeten,' zei hij glimlachend.

'Wel, hoe...' zei de dominee toen het een poosje stil was geweest.

'Tja, kijk 's, dat weet ik niet.'

De dominee haalde zijn geldbuidel tevoorschijn en leg-

de een rijksdaalder op het vloeipapier voor zich. 'Een bij-
drage voor de voerman,' zei hij droog en hij zette een vink-
je in het register. Dat betekende niets, maar misschien
bracht het de man ertoe zichzelf bij de kraag te vatten. Hij
lag namelijk bijna languit in zijn stoel.

'Dank u, beste dominee,' zei Frank en hij stak vlug zijn
hand uit.

'Ik ben ervan overtuigd dat Tora het goed zal hebben...'
begon de dominee, maar hij stokte toen Frank de munt om-
hooghield en ernaar tuurde.

'Is er iets mis?'

'Sst,' zei Frank en hij boog de munt tot een halve maan
tussen zijn smidvingers.

'Kijk zondag of je deze in de collectezak ziet,' zei hij toen
en stond op. 'Tora's reis kan ik zelf betalen.'

'Ik heb alleen geprobeerd te helpen, op Franks eigen ver-
zoek,' zei de dominee die een man was met belangstelling
voor variëteiten in de natuur, zoals vissen met dubbele in-
gewanden en tuinplanten die bloeiden in de verkeerde
kleur. 'Dus waar dit toe dient?'

'Ja, wat denkt u,' zei de ander. 'Het zal mijn verdorven
inborst zijn.'

'Des te beter dan dat het meisje vertrekt,' zei de dominee en hij boog zich over het register ten teken dat het ge-
sprek was afgelopen. Door het raam zag hij de grote grofgebouwde man over de binnenplaats stevenen en een zwart
paard bestijgen.

Wat een wonderlijk figuur, dacht hij en hij ging naar zijn
bibliotheek om zich te sterken met Marcus Aurelius. Hij
mag dan wel iemand kunnen neerhalen, maar op het gebied van dienstvaardigheid, bescheidenheid, aanpassings-
vermogen en welwillendheid jegens de dwalingen van zijn
naasten heeft hij nog heel wat te leren.

Het was een natte lente dat jaar, met lange vuilgrijze sneeuwstroken in de bermen en glanzende waterogen die je aanstaarden vanuit de akkers en een lage lucht over de vlakte waar ze voorthobbelden over een kapot gereden weg. De akkers waren zo uitgestrekt dat je niet zag waar iets begon of ophield; toen ze een uur hadden gereden bevonden ze zich nog steeds op dezelfde plek. Er waren geen grenzen in het platte landschap.

Tora had al twee keer aan de boer gevraagd of ze er bijna waren, nu durfde ze niet meer. Ze hield haar valies op schoot tegen de kou. Er spatte veel vuil op, in het begin had ze geprobeerd het weg te vegen, maar nu liet ze het zitten en opdrogen. Dan kreeg je de vlekken later makkelijker weg.

Er was een nieuwe baaien mantel voor haar genaaid en een katoenen jurk die ze kon dragen als het warmer werd. De rijglaarzen waren van haar moeder geweest, maar ze waren weinig gedragen en ze was er blij mee, ook al waren ze te groot. De zuster van dominee Wallin had haar geholpen de neuzen met papier te vullen en haar een mooi zakdoekje gegeven dat ze om het psalmboek kon houden als ze 's zondags naar de kerk ging. Tora wist niet zeker of ze de zakdoek wel zou gebruiken, het was beter hem voor de terugreis te bewaren zodat ze aan juffrouw Wallin kon laten zien hoe goed ze voor het dunne batist had gezorgd. Ze dacht aan de thuisreis als aan iets wat niet heel ver weg was.

Tegen vieren reed de wagen tussen de hekpalen door van de fraai geknipte sparrenhaag die de pastorie omgaf en afschermde van de landweg. Het huis was wit en had kleine vleugels aan weerszijden en een rond bloemperk aan de voorkant met een marmeren urn. Tora stapte met haar valies onder de arm van de wagen en wendde zich naar de deur die openging en licht verspreidde; toen zag ze alleen de hemel die uithaalde met een grijze arm en haar in het gezicht sloeg. Ze lag met haar wang in het grind en zag de kleine wolkenflard snel verder drijven en vroeg zich af waar hij heen ging, waarheen de wind nu waaide.

Iemand praatte tegen haar. Ze probeerde het hoofd naar de vriendelijke stem te draaien die naar haar welbevinden informeerde; ze antwoordde: ja, ze had misschien een beetje honger, en ja, ze was zeker een tikkeltje vermoeid. Even later stelde een man met grote bakkebaarden voor dat ze zou proberen rechtop te gaan zitten, en dat deed ze. 'Dat ging toch prima,' jubelde een meisjeskoor en klapte in witte batisthanden en een oudere vrouw boog over haar heen en siste: 'Stel je niet aan!' Ze pakte Tora bij de arm en trok.

'Het is de spanning,' zei de man. 'En de lange reis misschien? Neem het meisje mee naar de keuken en geef haar iets te eten.'

'Geef haar een beetje soep, Berta!'

'Met knoedels!'

De stemmen verdwenen, ze bleef alleen achter met de oude vrouw die plotseling haar hand losliet en in het grind liet vallen. 'Ik ben niet van plan je te dragen,' zei ze en ze ging naast haar staan met haar armen over elkaar. In de verlichte vensters zag Tora gezichten tegen het glas gedrukt, honderden meisjesgezichten met bungelende pijpenkrullen aan weerszijden als hondenoren, allemaal onbeweeglijk en afwachtend, op de achtergrond een feest van licht.

Ze kwam overeind en de gezichten fladderden weg, de vrouw opende de deur en leidde haar naar binnen. Vanuit de hal zag ze dat het stralende licht van een kristallen kroonluchter kwam die brandde boven een tafel waarop scharen en naalden en speldenkussens lagen uitgespreid rond een dienblad met een gepoetst zilveren servies. 'Hierheen,' zei de oude stem, ze liepen de andere kant op over een geweven voddenkleed dat was vastgespijkerd aan de vloer zodat je er niet over struikelde, toch struikelde Tora, over de randen. Ze stond met het valies in haar armen in de vreemde keuken en zocht naar een plaats, de oude vrouw wees die haar, aan de korte kant van de tafel. Ze ging zitten en at zwijgend haar soep.

Nadat ze zich had opgefrist en de ergste vlekken uit haar rok had verwijderd met een borstel die de oude vrouw haar had gegeven, werd ze naar een kleine salon gebracht waar de dominee en zijn vrouw op een zijden bank zaten te wachten onder de geknipte silhouetten van hun vijf dochters. Ze mocht voor hen op een beklede kruk plaatsnemen terwijl ze vertelden over de gewoontes in de pastorie.

Om te beginnen moest ze niet bang zijn voor Berta, maar alleen aandachtig luisteren en doen wat haar werd opgedragen. Tora klemde haar handen tussen haar knieën en knikte. Ze moest ook alles om zich heen goed in zich opnemen en proberen een voorbeeld te nemen aan wat ze zag. Begreep ze wat ze bedoelden?

De domineesvrouw wendde zich naar de silhouetten aan de wand. Ook zij had lange krullen die onder haar kanten muts uit hingen en op en neer veerden als ze haar hoofd bewoog. Ze zei dat er bepaalde vrouwelijke deugden waren die je het best kon aanleren door goede voorbeelden na te volgen, Tora moest er zelf over nadenken en de dingen waar ze iets aan had overnemen. Goede manieren kwamen in alle levenssituaties van pas. En in alle levensstadia, voegde de dominee eraan toe.

Hij vroeg of ze haar catechese bij zich had.

Tora zei dat ze er geen had.

Dan mocht ze er een lenen, want haar stiefvader wilde dat ze aangenomen werd tijdens haar verblijf bij het domineesgezin.

'Hoe lang duurt dat?' vroeg ze en ze keek uit over de drassige akkers die achter de bessenstruiken van de pastorie begonnen en zich uitstrekten tot in de eeuwigheid, kleikleurig in het maartlicht.

'Dat hangt van de aannemeling zelf af,' zei de dominee. 'Ik hoop dat Tora niet al te veel haast heeft ons te verlaten?' Hij lachte, alsof zoiets moeilijk voor te stellen was, mevrouw kirde mee en bood Tora een pepermuntje aan uit een glazen schaal.

'Als ik met midzomer maar thuis ben,' zei ze. 'Want dan gaat Björn uit Näs trouwen en ik wil de ruiters zien als ze terugkomen van het onthaal.'

'Daar kan geen sprake van zijn,' zei de dominee.

'We zullen zien, beste Tora, we zullen zien,' zei mevrouw knikkend.

Ze vroegen of ze niet moe was na de lange reis. Ze zou voorlopig in het kleine kamertje naast de keuken slapen, Berta zou haar wegwijs maken. Als ze een brief wilde schrijven moest ze het laten weten, de dominee zou haar met plezier van papier en inkt voorzien. Wilde ze misschien meteen schrijven? Nee, wat dom van hen, ze zagen immers dat ze te moe was. De zon ging trouwens onder, dan werd het toch donker in het kamertje, onnodig om een kaars te branden als ze net zo goed een andere dag kon schrijven. Berta zou haar een schort geven, morgen was het bakdag, dan kwamen een paar extra handen goed van pas. Zulke kleine handen als de hare, die konden vast goed draaien en rollen?

Ze knikte en probeerde haar laarzen onder het krukje te trekken toen ze zag hoe vies ze waren.

'Je zult het toch wel naar je zin hebben bij ons?' vroeg de domineesvrouw ongerust.

De zwarte profielen boven de bank lachten om Tora's blote oren. Ze legde haar handen erover om ze te verbergen.

'Ze heeft zich zeker pijn gedaan,' fluisterde mevrouw. 'Toen ze viel, weet je nog.'

'We hebben toch geen kasplantje in huis genomen?'

'Morgen ga ik haar leren wafels te bakken, dat zal ze zeker leuk vinden.'

'Lieve vrouw, moge je goedheid gewaardeerd worden naar verdienste.'

'En die van jou! Jij vond immers dat we haar...!'

'Nee, jij vond toch dat we haar...!'

Ze schertsten een poosje met elkaar terwijl een kleine hond met platte snuit en pijpenkrullen van de poef sprong waarop hij had liggen slapen, naar Tora's voeten waggelde en ze begon te likken.

'Niet doen, Topsy! Foei.'

'Maar lieve, het meisje is toch niet bang voor Topsy?'

'Er zit misschien drek aan haar schoenen,' fluisterde de domineesvrouw.

Ze bracht Tora zelf naar het kamertje waar ze zou slapen, klopte zachtjes op de strozak om te laten zien hoe zacht die was en legde een pepermuntje op het kussen voordat ze vertrok. Tora ging op het bed zitten en keek naar buiten. Ze was nog nooit in een vreemd huis geweest. Door het raampje zag ze een bemoste boomstam en een stuk van het kippenhok.

Aan de andere kant van de muur hoorde ze hoe de deur van de keukenkast knarsend werd geopend en een schaal op een plank werd gezet, daarna liep er iemand zo dicht langs haar deur dat die tegen het hout streek. Ze probeerde het venster te openen, maar het zat dichtgespijkerd. Als je in een vreemd huis komt moet je eerst uitpakken, dacht ze. Er hing een haak aan de muur waaraan ze haar katoenen jurk kon ophangen, het doosje met de schelpen zette ze op de stoel naast het hoofdeinde. Pas toen het echt helemaal donker was kleedde ze zich uit en ging naar bed. Ergens verderop in het huis werd een duet over de maneschijn gezongen. Het regende met veel kabaal op het pannendak.

De volgende ochtend leerde ze in een ijzer wafels bakken en ze tot schuitjes, hoorntjes en rolletjes te vormen. De hoorntjes kon je vullen met room, verklaarde de domineesvrouw, maar de schuitjes waren meer geschikt voor bessen. En de rolletjes sierden zelfs de eenvoudigste koffietafel.

Ze hield een rolwafeltje omhoog voor Tora, als een kleine verrekijker om de wereld op een andere manier te zien.

Na de eerste maanden, toen Tora gewend was in de keuken en had geleerd iedereen op de juiste manier aan te spreken, gebeurde het soms dat ze haar schort mocht afdoen om met de familie een avondwandeling te maken. De dominee was zeer trots op zijn tuin, die ondanks de geringe omvang een laan met fruitbomen, een prieel en een klein Engels park bevatte. Men slenterde langzaam over de zandpaden en bleef staan om de bloembedden te bewonderen waar pioenrozen groeiden en violieren en iets kleins dat ze madeliefjes noemden. De domineesvrouw boog zich over de peterselie om deze op dezelfde liefdevolle manier op te schudden als de kraag van haar man, vervolgens sloeg ze haar arm om haar oudste dochter die in de herfst zou gaan trouwen, en nam haar terzijde om te bespreken welke planten moesten worden uitgegraven om mee te nemen naar haar nieuwe huis. De jongste dochter was vijftien en praatte soms met Tora, ze vertelde dat blauw haar lievelingskleur was en het maarts viooltje haar lievelingsbloem. Zaterdag was de beste dag van de week want dan kregen ze beignets bij de koffie. 'Kijk!' riep de dominee en wees met zijn wandelstok naar de zwaluwen die laag over de akkers vlogen op jacht naar muggen. 'Morgen krijgen we regen.'

'Het gaat niet regenen,' fluisterde het meisje, 'morgen gaan we uit rijden en berkenbladeren verzamelen voor de meiboom. Onze neven en nichten komen, en de zoons van de schoolmeester, we zijn met een groot gezelschap.'

Daarom kan het nog wel regenen, dacht Tora.

De volgende dag stond ze voor het keukenraam en zag ze wegrijden, met parasols en gitaren op de hooiwagen en de grootste picknickmand volgepakt. Het kon haar niets schelen dat ze uitgingen en zij in de keuken moest blijven, maar ze treurde om het ruideronthaal thuis dat ze niet zou kunnen zien, al die prachtige ruiters die uit Näs kwamen waar ze de bruidegom hadden opgehaald, al die kleine onstuimige paarden met strikken in hun manen en de speelman over wie ze had gehoord, die staand op een paardenrug kon spelen. Arvid zou ook meerijden.

'Kop op,' zei Berta. 'Volgend jaar is het jouw beurt om mee te rijden in de hooiwagen.'

'Ik ga in de herfst naar huis.'

'Dat gaat echt niet, midden onder Alma's bruiloft. Je zult tot na de kerst moeten blijven, op z'n minst.'

Toen het kerst werd at Tora mee aan tafel en sprong alleen in om te helpen met de zwaarste braadpannen en met de grote witte pudding die opgediend moest worden met brandende saus. Berta had pijn in haar benen van de kerstschoonmaak. De domineesvrouw verklaarde fluisterend dat zo'n trouwe dienares moest mogen rusten aan het einde van haar lange werkdag. De oudste dochter was naar haar nieuwe woning verhuisd en had een grote leegte achtergelaten.

Iedere middag om twee uur was het studietijd, dan sloegen de meisjes hun boeken open aan de eettafel en lazen zwijgend terwijl ze wachtten tot het hun beurt was om in de salon toonladders te oefenen. Muziek maakte geen onderdeel uit van Tora's educatie, de dominee meende dat deze meer op de praktijk gericht moest zijn. Toen ze klaar was met de catechismus, de prekenbundel en de huishoudleer ging ze over tot het merken van lakens voor de middelste dochter die verloofd was met een neef en na Pasen zou trouwen. Als je vijf huwelijksrijpe dochters had moest je voortdurend je linnenvoorraad inspecteren. Ze waren allemaal zo blij met Tora's behendige vingers en gevoel voor mooie monogrammen.

De linnenkast speelde een belangrijke rol in het leven van de vrouwen in de pastorie. Hij moest vaak schoongemaakt, gelucht en opnieuw ingericht worden, en iedere keer diende alles zorgvuldig geteld en afgevinkt te worden op een lijst die de domineesvrouw in haar secretaire bewaarde. Tora haatte de lucht van oude lavendel en het koude gevoel van gemangelde lakens in stapels die somber grijswit glansden als kerkzilver en vochtig aanvoelden als je ze aanraakte. Maar ze leerde kussensloopbandjes te krullen met een mes en de mangelplank stevig en gelijkmatig aan te drukken.

Toen ze een jaar in de pastorie verbleef schreef ze een brief aan Arvid. Beste Arvid, ik verkeer in goede gezondheid en leer veel nuttige dingen.

Bij haar aanneming kreeg ze van de dominee een psalmboek en van mevrouw een zwartzijden sjaal.

Nu twee van de dochters getrouwd en het huis uit waren, was er een slaapkamer vrijgekomen op de eerste verdieping, maar Tora zei dat ze liever wilde blijven waar ze was. Ze sliep de korte tijd die haar nog restte het liefst in het zijkamertje.

'Wat bedoel je, Tora?'

'Ik bedoel dat ik binnenkort naar huis ga,' zei het meisje, dat nog steeds angstwekkend kon overkomen. De domineesvrouw kreeg op zulke momenten de gruwelijkste dromen van branden en messen, de dominee badend in zijn eigen bloed en zijzelf hulpeloos roepend vanuit een venster terwijl de vlammen buiten de slaapkamerdeur loeiden.

'Maar zo mág je niet praten. Je mág het lot niet tarten.'

'Het spijt me. Ik bedoelde alleen maar dat het nu niet lang meer kan duren voordat mijn stiefvader schrijft dat hij wil dat ik naar huis kom.' Ze hield haar handen achter haar rug terwijl ze sprak, alsof ze daar iets verborg.

'Ik kan haar nog steeds niet peilen,' zei mevrouw 's avonds tegen haar man nadat ze naar bed waren gegaan. 'Soms kijkt ze me zo koud aan.'

'Tora is een heel lief en gedienstig meisje.'

'Maar soms kijkt ze me zo koud aan.'

's Ochtends had de domineesvrouw zware hoofdpijn, Tora kwam naar boven met koffie. Ze had een boeketje geplukt in precies dezelfde kleur als het kleedje op het dienblad en het gezoete tarwebrood in een waaier gerangschikt, zodat mevrouw het makkelijker kon pakken. Alma's oude jurk past haar perfect, dacht de domineesvrouw slaperig terwijl ze het meisje opnam dat in de kamer in de weer was. Ik ben zo blij dat we Tora hebben nu er twee meisjes weg zijn en Berta oud en humeurig begint te worden.

Tora leerde nootmuskaat raspen in de saus en slepruimen prikken met een stopnaald voordat ze ze in de likeur legde, kragen stijven en zakdoeken vouwen, eerst twee keer in de lengte, dan twee keer in de breedte. Ze keek toe terwijl de meisjes azijn dronken om bleek te worden, legde bloemen te drogen tussen boekbladen en naaide geurzakjes in rokzomen. Ze kookte compote en maakte bessengelei. Soms liep ze heen en weer langs de rand van de akker alsof ze dacht dat er iemand zou komen aanzeilen over de gele tarwezee.

Terwijl het domineespaar elkaar op de bank complimentjes toewuifde en zich daarbij in allerlei bochten wrong, naaide zij duizend stevige steken, 'het is helemaal jouw verdienste; neenee m'n beste, jij kwam met het voorstel; helemaal niet, weet je niet meer dat jij zei: als we nu eens lelies planten op die vochtige plek onder aan het bordes; ja maar toen had jij mij die plaat in het bloemenboek al laten zien...' Dagelijks hoorde ze dergelijke gesprekken, zonder de bedoeling ervan te begrijpen. Twee dozijn lakens moesten worden gemerkt met ACM in een krans van laurierbladeren. Toen de tijd weer was aangebroken om de linnenkast schoon te maken rende ze naar buiten om maar niet het wellustig strijken over de stapels handdoeken te hoeven zien en hoe de lakens als borelingen werden rondgedragen. Er hing een oude schommel in de iep, daar ging ze op zitten en zette af.

Tijdens haar tweede herfst in de pastorie stierf de jongste dochter aan een longontsteking. Een grote stilte daalde neer. Iedereen had zich opgesloten in zijn kamer, de dominee schreef de hele week aan zijn preek met de deur op slot, alleen mevrouw zat zoals gebruikelijk op de bank met haar kleine, witte borduurwerk dat nooit afkwam en Topsy op de poef. Ze hield Tora bij zich en vertelde over haar kleine meisje terwijl de draad uit de naald glipte en weer in het oog moest worden gestoken, of het hele borduurwerk gleed op de grond, zodat Tora het moest oprapen. De domineesvrouw maakte de ene steek na de andere en borduurde wiebelende bloemen aan bevende stelen.

De hele winter zat Tora daar en streek over haar koude handen, ontwarde haar draad en stak hem in de naald en brak beschuitjes in stukken die ze aan Topsy kon voeren, maar Topsy had moeite gekregen met kauwen. Of Tora zo vriendelijk wilde zijn het gekonfijte fruit te pakken.

Ze haalde de schaal uit de kast en ging op haar knieën naast het hondje liggen dat haar bezorgd aankeek met zijn doffe ogen, 'zo ja,' fluisterde ze en ze aaide over zijn krulkop en de donkere platte snuit. 'Topsy is oud aan het worden,' zei de domineesvrouw en ze liet alles vallen, alles gleed weg, de naald en de draad en de bloemen en het gekonfijte fruit, dat op het kleed regende.

Het werd een stille kerst, maar met Nieuwjaar kwam de familie met de neven en nichten op bezoek en toen kon men niet meer zo strak vasthouden aan het louter herinneren; men moest zich ook momenten van vergetelheid gunnen, zonder zich daar al te zeer over te schamen. Dans was niet toegestaan, maar de jongelui mochten spelletjes doen als ze dat wilden, en het klavier werd opengeklapt, al hield de dominee streng toezicht op de bladmuziek die tevoorschijn werd gehaald: het mocht niet al te triest zijn maar ook niet ongepast blijmoedig. De allervrolijkste liedjes kon zijn echtgenote niet verdragen. 'Vergeet niet hoe gevoelig papa is,' fluisterde de domineesvrouw als ze vond dat ze genoeg in e-moll hadden gehoord. 'Speel liever een opgewekt volksdansje.'

Vervolgens ging ze naar Tora in de keuken en huilde bittere tranen over de kleine meid die op deze manier terzijde moest worden geschoven opdat er ruimte ontstond voor de anderen. 'Maar het is niet anders,' verklaarde ze en ze schikte de rozijnen op de taart.

Met nog slechts twee dochters in huis werden de dagen stilletjes. Een grijze februari trok over de vlakte en drukte zo zwaar op het dak dat Tora het venster moest forceren met een mes. De domineesvrouw draaide zich onrustig om in haar slaap toen ze de knal hoorde, maar het was slechts het halve raam dat tegen de muur sloeg toen het meisje naar buiten leunde om naar de lente te luisteren, druppend in het duister. De wegen waren modderig en kapot gereden, 'we moeten wachten tot het een beetje is opgedroogd,' zei de dominee, die zulk stilzwijgend en trouw gezelschap niet graag wilde laten gaan.

Iedere dag vroeg het meisje naar de brief, de brief van thuis, of die nog niet was gekomen. Hij was gekomen, maar de bewoordingen waren zo vaag dat men ze zo kon duiden dat thuiskomst wenselijk was maar absoluut niet dringend. Tora wilde toch niet over die vreselijke voorjaarswegen hobbelen en doodziek worden? Ze waren echt genoodzaakt te wachten tot begin mei.

Het meisje leek zich erin te schikken. Ze was nu twee jaar bij hen. Ze was gegroeid en had nette manieren geleerd, en de afleggertjes stonden haar zeer goed. 'We mogen niet zelfzuchtig zijn,' zei mevrouw toen ze haar man hoorde zuchten in zijn werkkamer. Uiteindelijk werd de dag vastgesteld, de knecht van de pastorie zou haar helemaal naar Uddevalla rijden waar ze de nacht zou doorbrengen bij de neven- en nichtenfamilie, die had beloofd een bootpassage te bespreken voor de daaropvolgende dag. Dat alles zo goed geregeld kon worden was een kleine troost voor de dominee.

De laatste avond zat Tora in de salon handdoeklusjes aan te naaien en luisterde naar de meisjes, die in de aangren-

zende kamer quatre-mains speelden. Het domineespaar
zat op de bank met de oude hond tussen zich in. Ze durfde niet naar hen te kijken, naar hun grote bleke gezichten,
die pafferig waren geworden tijdens de winter en hun ge-
aderde handen, die zich vastklampten aan de hondenvacht.
Ze hadden op wijn en amandelkoekjes getrakteerd en mevrouw had haar een broche van bergkristal gegeven. Toen
Tora het doosje opende was ze gaan huilen, het klonk meer
als een boze kreet maar het waren echte snikken die haar
keel dichtknepen zodat ze niet fatsoenlijk kon bedanken.
Tranen liepen in haar mondhoeken toen ze zich naar de
spiegel draaide om de broche op te doen. 'Je mag altijd terugkomen, beste Tora,' zei de domineesvrouw, maar ze
wist dat ze hen nooit zou terugzien, want nergens in haar
leven was er plaats voor hen en hun milde wereld waar ze
zich als een vis in een kaar had bewogen, van de ene kant
naar de andere, en soms volkomen stil had gelegen alsof
ze sliep. Twee jaar, dacht ze en ze beroerde heel even de
koude steen.

'En wees voorzichtig met de grote mand, want daarin
hebben we de aspic gezet. Die moet je eerst uitpakken, en
zeg tegen mijn zuster dat hij heel koud moet staan voordat
ze hem aansnijdt, anders is het alleen maar moes. En de
brieven moet je ook meteen afgeven, vergeet dat niet.'

'Ik zal de brieven niet vergeten.'

'Ben je klaar met pakken?'

'Ik geloof dat het valies al naar buiten is gedragen.'

'Naai nu niet meer, beste Tora,' zei de dominee en hij
wreef in zijn ogen, maar ze zei dat ze nog maar een paar
steekjes moest, want ze huiverde voor het moment dat ze
haar bij zich zouden nemen en ze daar alle drie zouden zitten en naar de lichte lucht boven de appelbomen zouden
kijken en hij over zijn lange bakkebaarden zou strijken en

met licht trillende stem zou praten over de dag dat ze bij hen was gekomen, die allereerste dag toen ze omviel in het grind, een bijzonder meisje, zo stuurs en stil, maar ze hadden geleerd van haar te houden en konden alleen maar hopen dat het een beetje wederzijds was, en ze zou geen antwoord kunnen geven, enkel neerkijken op die grote bleke hand die de hare vasthield en probeerde er een antwoord aan te ontlokken, maar ze kon niet antwoorden, want ze wist dat er nergens in het leven dat voor haar lag plek was voor dergelijke woorden. Ze slikte en liet de tranen druppelen, dat was makkelijker, want die taal verstonden ze het allerbest, ze vochten er bijna om ze met hun zakdoeken af te drogen die zij had gestreken en met rozenwater besprenkeld.

Ze zei dat ze de broche zou bewaren als haar allerdierbaarste aandenken.

's Avonds, toen het stil in huis was geworden, ging ze op haar knieën liggen en haalde het bundeltje tevoorschijn dat ze van haar oude, te kleine jurk had gemaakt en onder het bed had verborgen. Ze legde de broche erin en knoopte de sjaal om die ze van mevrouw had gekregen. De rijglaarzen pasten nu precies. Ze ging op de rand van het bed zitten en wachtte.

Toen het op z'n allerdonkerst was kroop ze door het raam naar buiten en sprong in het rozenperk, ze volgde het perk langs het huis om het grind te vermijden en niemand wakker te maken, naar de haag waarin een gat zat. Ze gooide eerst het bundeltje erdoor en kroop er toen zelf achteraan, en ontdekte dat de landweg glansde, bijna als het lichten van de zee, maar alleen als je er niet naar keek. Je moest je ogen op de hemel gericht houden. Ze knoopte het bundeltje op haar rug en liep als een slaapwandelaar, rechtuit, zonder mis te stappen. Onder aan de heuvel bleef ze staan en ze voelde hoe de vlakte zich naar alle kanten voor haar opende met grote ruisende ademteugen.

Ze begon weer te lopen, vlugger nu hoewel ze wist dat het uren zou duren voordat er iemand wakker zou worden. Je kon al zien waar de zoom van de akkers eindigde en de lucht begon. Wanneer de zon opging zou ze zo ver zijn dat niemand haar meer in kon halen.

Tora zat in de berm met haar bundeltje naast zich en keek naar het woonhuis van Ekornetång, dat was afgetimmerd met planken en rood was geverfd tijdens haar afwezigheid. Het was nu een ander huis, met nieuw geplante berkjes langs de oprijlaan en geploegde akkers waar voorheen weitjes waren voor engelwortel en distels, hazen en bijen, mistsluiers en woelmuizen waar buizerds op jaagden.

Een kar beladen met hout reed naar de baai, helemaal bovenop zat een jongetje dat zwaaide. Tora zwaaide terug. Ze hoorde geroep en hamerslagen van beneden en tussen de boomstammen zag ze een glimp van de nieuwe boot in aanbouw, toen viel haar oog weer op het huis: het straalde als een meivuur onder zijn nieuwe pannendak. Het straalde zo sterk dat je je blik wilde afwenden. Ze draaide haar hoofd van de ene kant naar de andere en zocht het andere huis, het oude huis van grijs, onbewerkt hout. Ik ga nooit meer weg, dacht ze, ze stond op en klopte wat gras van haar rok.

Het erf was verlaten en in de keuken stond een vreemd meisje met een kom in haar handen. 'We mogen niets geven,' zei ze vlug toen Tora op de drempel bleef staan.

'Zie ik eruit als een landloper?' vroeg Tora en ze keek naar haar modderige rijglaarzen en naar de zoom van haar rok die donker was van het vocht.

'Je ziet er in ieder geval hongerig uit,' zei het meisje en ze zette de kom tussen de bergen aardappelschillen en visafval die nog op tafel lagen van het middagmaal.

De keuken was evenmin als vanouds, de grote haardste-nen voor de haard waren vlekkerig van roet en gemorst eten en al het keukengerei hing aan de verkeerde haak. Tora liep naar de plank en pakte haar tinnen beker, doopte hem in de wateremmer en dronk. 'Ik woon hier,' verklaarde ze te-gen het meisje, dat haar schouders ophaalde en de etens-resten in de kom begon te vegen.

'Geloof je me niet?'

'Jawel, Frank zei dat er iemand zou komen om het eten te koken. Want ik kan niet alles alleen.'

Ze is ergens, dacht Tora. Ze moet ergens zijn.

Zonder het aan het meisje te vragen liep ze naar het ein-de van de gang en klopte op de deur van Mari's kamertje, maar niemand antwoordde; ze duwde de deur open, maar het enige wat ze aantrof waren winterkleren aan een roe en een stapel oude dekens. Het psalmboek, het glazen bakje voor haarspelden, de zondagse rijglaarzen onder het bed en het kleine kistje had Mari meegenomen toen ze vertrok.

Ze draaide zich om en rende de trap op, want ze wist ze-ker dat ze daar precies hetzelfde zou aantreffen: alles wat van haar was zou verplaatst en veranderd, weggehaald en vervangen zijn door iets anders; ze zou er nooit achter ko-men waar het was gebleven want het waren geen belang-rijke dingen, niemand zou zich herinneren of het was weg-gegooid of verkocht of opgeborgen, maar toen ze de deur opende was de kamer als vanouds, met een bloeiende ge-ranium in de vensterbank en het bed hoog opgemaakt te-gen het hoofdeinde, waar haar vader een kamperfoelietak in het hout had uitgesneden. Het was er netjes en schoon, alsof ze werd verwacht. Het raam stond op een kier en ze liep erheen, trok het gordijn opzij en keek recht in de naak-te lentekruinen van de eiken en daartussen de zee, glanzend en strak gesteven met kleine rimpelingen waar de wind over trok. Het was een westenwind, de beste wind. De mannen daar beneden bewogen zich rond een nieuwe romp, hoger en breder dan de vorige. De kleine jongen rende heen en weer langs de oever en sloeg in het water met een stok, en achter hem, een stukje de heuvel op, stond Frank alles gade te slaan.

Ze liet het gordijn vallen en legde het bundeltje op bed, knoopte het open en ordende de dingen die ze bij zich had, amper meer dan toen ze was vertrokken. Het doosje zou ze terugzetten op de ladenkast, de sjaal zou ze in de kist leggen. Er stond vers water in de lampetkan, ze waste zich en bekeek het natte gezicht dat tevoorschijn kwam in de spiegel en waarvan ze nu pas, in haar eigen spiegel in haar eigen oude kamer, kon zien dat het veranderd was. Het haar krulde van het vocht, ze trok het hard naar achteren en stak spelden in de dikke vlecht tot hij stil bleef liggen. Het vreemde gezicht in de spiegel fronste de wenkbrauwen en begon te lachen, ontblootte de spitse tanden die oplichtten tegen de gebruinde huid, die ze had gekregen toen ze de Dalbovlakte was overgestoken. In de pastorie had ze nooit andere sieraden gedragen dan de zilveren speld op zondag, nu haalde ze het medaillon uit het doosje en hing het om haar nek. Het vond een plekje in het kuiltje in haar hals en werd meteen warm.

Ik zal om stof voor twee jurken vragen, dacht ze.

In de keuken stond het meisje nog steeds met de kom in haar handen naar buiten te kijken, waar de knecht een stel paarden over het erf leidde. Tora ging naast haar staan. Het waren Mård en Mörk, de paarden van haar vader.

'Nils heeft geploegd voor de aardappels,' zei het meisje en ze zwaaide.

'Dus jullie zijn nog niet klaar met het werk voor het voorjaar,' zei Tora verbaasd.

'Nee, nog niet. Arvid ging vanmorgen gerst zaaien, daarna heb ik hem niet meer gezien.'

'Heb je hem dan geen eten gebracht?'

'Arvid geeft het altijd zelf aan als hij eten wil hebben,' zei het meisje gewichtig.

Tora keek om zich heen in de smerige keuken, met koude as onder de ijzeren kookplaat, de kastdeur halfopen en vette borden in een stapel op de gootsteen. 'Wil je alsjeblieft iets te eten voor me maken,' zei ze en ze raakte het meisje aan dat met open mond naar buiten stond te kijken.

'Er is nog kouwe pap,' zei het meisje slaperig.

'Bak die voor me op.'

'Is dat nodig? Ik heb de mijne koud gegeten.'

Tora tilde haar hand op en liet hem hard neerkomen op de bolle wang. 'Bak die pap op en breng het in de zitkamer,' schreeuwde ze. 'Hier kan geen mens zitten. Morgen gaan we samen de keuken boenen.'

'Morgen mocht ik naar mijn moeder,' blèrde het meisje en ze liet de kom op de grond vallen.

'Eerst gaan we boenen,' zei Tora en ze trok aan haar vlecht toen het meisje probeerde weg te rennen. 'Maar overmorgen mag je naar je moeder, als we de keuken op orde hebben.'

Ze hield de vlecht in haar greep totdat het meisje gekalmeerd was, toen schraapten ze samen de aardappelschillen bij elkaar. 'Er is geen hout in de keuken,' zei het meisje chagrijnig op haar knieën tussen de etensresten.

'Dan ga je het toch halen?'

'Probeer maar, dan zie je het vanzelf.'

Tora liep naar het schuurtje, de kist was leeg. Ze deed de deur open om te roepen en kreeg de paarden in het oog die aan de paal stonden gebonden terwijl de knecht ze droog veegde, de grote zwetende lichamen die glansden in een wolk vliegen en het natte kapot gereden erf met de kuil in het midden die ieder jaar een beetje dieper werd deden haar het hout vergeten. Ze telde gewoontegetrouw de voetstappen in haar hoofd terwijl ze liep, vierentwintig passen naar de stal terwijl de zwaluwen floten. Ze perste zichzelf in de sterke troostende lucht tussen de paarden en legde zich als een juk over de paardennekken, met haar vingers in het harde paardenhaar. 'Waar is de oudste knecht?' vroeg ze met haar wang tegen een natte paardenhals.

'Die is in de herfst gestorven,' zei Nils en hij borstelde met de strowis. 'Kreeg een lading hout over zich heen. Het was alleen zijn been, maar hij is nooit meer opgestaan.'

'Dus nu ben jij de oudste knecht, Nils?'

'Zo is het,' zei hij glimlachend.

'Mård,' fluisterde ze in een groot harig oor. 'Mörk.'

Ze ging een armvol hout in de schuur halen en maakte vuur, bakte zelf de pap op en at zittend aan een schone hoek van de tafel terwijl het meisje de grote koperen vorm begon te poetsen om te laten zien hoe flink ze was. Tora at met haar gezicht naar het raam, voor het geval Frank eraan zou komen. 'Voor wie bouwt hij dit keer?' vroeg ze.

'Ik geloof dat hij voor zichzelf bouwt. Mijn kleine sloep de Gelukszoeker, zegt hij.'

'Dat is een toepasselijke naam.'

'Wat moet ik nu doen?' vroeg het meisje en ze hing de koperen vorm op.

'Komen ze straks niet voor het avondeten?'

'Ik weet niet wat ik moet maken,' zeurde het meisje en ze keek in de pan alsof ze hoopte daar iets te vinden. Toen dat niet het geval was keerde ze de lege pan demonstratief ondersteboven, maar Tora was het zat en liep naar buiten, naar het plekje met het fijne gras dat rond de waterput groeide en zag hoe de avondzon de stenen fundering rood kleurde en door de kleine ruitjes bij de koeien naar binnen gluurde.

Maar toen hoorde ze de donkere stem de hoek om komen en rende vlug weg, door de wei en langs de bosrand waar meer lapjes grond in gebruik waren genomen en waar ze al van verre Arvid aan de waterkant zag zitten met de zaaizak naast zich en zijn pijp in zijn mond. Ze bleef staan bij de zoom en wuifde naar hem, en uiteindelijk herkende hij haar. Het was vreemd dat het bij hem zo lang duurde om haar te herkennen en terug te wuiven. Ze rende door de buitenste voor en zong en schopte tegen de kluiten, maar toen ze bij hem was werd ze stil en bleef voor hem staan met de handen op haar rug, want hij was niet de oude. Ze wist niet wat het was, maar er was iets veranderd.

'Kom zitten,' zei hij en hij klopte op het gras. 'Oef, wat ben je groot geworden. Hoe oud ben je nu?'

'Bijna vijftien,' zei ze verlegen en ze vouwde haar benen onder zich.

'Vijftien, kijk eens aan,' zei Arvid en hij knikte naar het kleine akkertje: 'Ik geloof dat het niet erg regelmatig is. Maar Mari is er met de hak achteraan gegaan, dus het ligt in ieder geval diep genoeg.'

'Is Mari hier?'

'Ze is naar huis gegaan. Ik word nooit een echte boer, Tora.'

'Jawel...' zei ze en ze keek om zich heen. De hakken stonden tegen een boom geleund naast zijn opgevouwen jasje en de houten mok die hij in de beek had gevuld. 'Dus Mari doet herendiensten hier?'

'Hij heeft haar naar het hutje daar laten verhuizen,' zei Arvid en hij zwaaide met zijn arm naar de berghelling. 'Hij bouwt nu boten, grote schepen, die naar Indië kunnen varen. Wist je dat?'

'In dat hutje kan toch geen mens wonen.'

'Nils en ik hebben op een avond het dak gerepareerd, ik zou er zelf graag wonen, zo mooi is het er geworden.'

Hij keek naar een kever die over zijn schoen kroop en vroeg haar te vertellen over haar avonturen. Ze probeerde iets te zeggen over de pastorie, maar kwam niet verder dan een zucht.

'Wat is-ie groen,' zei Arvid en hij kietelde de kever met een grassprietje tot hij boos met zijn voelhorens begon te zwaaien. 'Heb je de keverballen gezien die de vos achterlaat? Ze zijn bijna mooi.'

'Moeten we niet eens naar huis?' zei Tora en ze trok aan zijn mouw.

'Nja, ik weet het niet. Het is toch heerlijk om hier te zitten? Hoe was het in de pastorie?'

'Ik heb veel nuttige dingen geleerd.'

Ze trok weer aan hem en hij kwam overeind, strekte zijn armen in de lucht zodat het versleten hemd kraakte.

'Ik zal nieuwe hemden voor je naaien,' zei Tora, 'mooie hemden met bloemen op de kraag.'

'En een jas met lange panden.'

'En een vest met zilveren knopen.'

'Dan kan ik het bos in gaan om me aan de vogels te laten zien.'

'Als je een dennenappel achter je oor legt versta je wat ze zeggen.'

'Dan kunnen ze me vertellen waar die steen ligt, van goud.'

'Daar heb ik nog nooit van gehoord.'

'Hij is zo groot als een roeiboot,' zei Arvid. 'Er waren drie broers in Korsviken, ze waren zeeman, maar 's winters waren ze thuis en dan kaartten ze altijd om wie het bos in moest om hout te sprokkelen. Op een dag kwam een van hen thuis met een schilfer die hij uit de steen had gehakt, rondom straalde het. Hij nam hem mee naar een laboratorium in Göteborg om hem te laten onderzoeken, maar ze wilden een groter stuk. Daar zou hij voor zorgen, beloofde hij, maar hij raakte betrokken bij een gevecht tijdens een kerstfeest en moest het bed houden, en vervolgens overleed hij zonder aan zijn broers te vertellen waar de steen lag. Maar ik denk dat ik hem wel zal kunnen vinden.'

Hij bleef staan en riep zachtjes naar de duiven, die antwoordden vanuit het bos. 'Nee,' zei hij en hij schudde zijn hoofd, 'ik versta ze niet.'

Toen ze het erf hadden bereikt, bleef hij staan en hing de lege zaaizak over Tora's schouder. 'Ik ga op zoek,' verklaarde hij. Ze bleef even staan en keek de lichte gestalte na die zich zo makkelijk en mooi tussen de bomen bewoog.

In de keuken zat het vreemde werkvolk aan de avondmaaltijd, om geen gedag te hoeven zeggen liep ze om en ging door de grote deur naar binnen waarvan de oude uitgeholde drempel, waar ze haar paardje over het splinterige hout heen en weer had laten rijden, was vervangen door een nieuwe. Een grote zwarte jas hing aan de haak. Ze liep stilletjes de zitkamer door en keek door de kier van de deur, Frank zat zoals altijd aan zijn bureau te eten, gebogen over het bord terwijl hij door het raam naar buiten keek. Toen ze de deur opende sprong hij op en trok het servet uit zijn overhemd.

'Goeieavond,' zei Tora en ze keek om zich heen in de kamer waar niets was veranderd, niets behalve zijzelf.

'Daar ben je dan,' zei hij en hij gooide het servet over zijn bord. 'Ik dacht... ik dacht dat je eerder zou komen.'

Hij veegde zijn mond af met zijn hemdsmouw en werd rood toen ze een stoel voor zichzelf bijtrok, zelf bleef hij staan, zijn hand gleed heen en weer over de bureaurand en vervolgens omhoog om zijn haar glad te strijken. Ze had hem niet eerder verlegen gezien.

'Het kon niet eerder geregeld worden,' zei ze. 'De knecht was ziek, de weg slecht, de kleden moesten geschrobd. Uiteindelijk heb ik mijn spullen gepakt en ben ik vertrokken.'

'Heb je dat echt gedaan?'

'Ja, echt.'

Frank begon te lachen. Wat is hij groot, dacht ze verbaasd toen hij het hele venster vulde met zijn schuddende schouders. De brede hals werd achterover gegooid zodat de huid spande en ze zag hoe daaronder iets bewoog.

'Waar is Mari?' vroeg ze om hem stil te krijgen.

'Je moet de dominee schrijven om fatsoenlijk te bedanken,' zei Frank en hij ging zitten. 'Dat kan ik trouwens ook zelf doen. Nu ga jij het huishouden hier doen en is ze niet langer nodig.'

Hij strekte zijn benen uit en sloeg ze over elkaar, wreef de laarsschaften tegen elkaar terwijl hij met zijn kin op zijn hand steunde en naar Tora keek.

'Bovendien wilde ik haar niet langer hier hebben,' vervolgde hij. 'Ze was er zo een waar de melk zuur van werd.'

'Mari is hier altijd geweest.'

'Dat maakt niet uit.'

Tora merkte dat ze slaperig werd, het was de warmte in de kamer, de geur van gras die in haar jurk zat, het stugge geluid van zijn laarzen en het lage rode avondlicht buiten.

'Mari heeft het goed waar ze nu is,' zei Frank en hij leunde naar voren. 'Ik heb haar een schaap gegeven. Ga bij haar langs, dan zie je het zelf. We hebben dit jaar dertig tonnen gezaaid, Tora, en ik ben een nieuwe boot aan het bouwen. Ik kan hem naar jou noemen als je wilt.'

'Dat wil ik niet.'

'Misschien vernoem ik hem toch naar je,' zei hij lachend.

Toen vertelde ze hem wat er zou gebeuren als hij dat deed, hoe de wind het zeil kapot zou scheuren en de boot op rotsen zou blazen die op geen enkele kaart stonden of volledig zou gaan liggen, niets dan ongeluk zou zo'n boot brengen. Je mocht geen naam gebruiken tegen iemands wil, dat had haar vader hem zo kunnen vertellen.

'Je kletst,' zei hij en hij schommelde met zijn stoel, hij schommelde alsof de wind al vat op hem had gekregen.

'Er is meer dan waar jij weet van hebt,' zei Tora toen de stoel tegen de rand van het bureau sloeg.

'Ik weet wat ik weten moet. Houd nu je mond, anders ga je maar naar bed. Ik was eigenlijk van plan een poosje met je te praten.'

Ze begon meteen luidruchtig te gapen en liet zich onderuit glijden zodat ze half in de stoel lag.

Frank liet haar begaan terwijl hij bij zijn bureau in de weer was, laden opentrok en met papieren ritselde. Er klonk getik als de pen tegen de rand van het inktstel sloeg en gekras als hij over het papier bewoog. 'Ik ben uiteindelijk toch degene die beslist,' zei hij na een poosje, zo vriendelijk dat ze overeind moest komen om hem aan te kijken.

'Wat schrijf je, Frank?'

'Een brief naar de dominee in Brålanda. Ik moet ze bedanken dat ze zo goed voor je hebben gezorgd en je zulke nette manieren hebben bijgebracht.'

'Ik zou in ieder geval denken dat ik oud genoeg was om voor mezelf te beslissen.'

'Dat zou ik ook denken.'

'Ik ga nergens meer heen,' zei ze vastbesloten.

'Ik zal je van mijn levensdagen niet wegsturen,' zei hij en hij draaide zich om. Je kon onmogelijk uitmaken of hij boos was of blij, zijn gezicht was als een hand voor een vlam. Tussen de vingers straalde het, maar zwak, toen werd de vlam uitgeblazen.

Er schoot iets in haar los, iets kleins, een verlangen naar meer van dat licht.

'Wil je de groeten doen?' vroeg hij, maar Tora schudde haar hoofd.

'Dan kunnen we nu over je plichten praten,' zei hij en hij wuifde met het papier om de inkt te laten drogen. 'Als je niet wilt dat mijn boot je naam draagt moet je maar eten klaarmaken, het meisje kookt vooral aardappels.'

'Je had Mari niet weg moeten sturen.'

'Die heks, ze sprak bezweringen voordat ze het eten bij me binnenbracht!'

Hij schoot in de lach alsof hij spijt had over wat hij zo-juist had gezegd en boog zich over de brief om hem met groene lak te verzegelen. Zijn grove handen waren schoon geschrobd, hij was er altijd erg strikt in dat ze hem na de werkdag warm water brachten. Het stempel verdween tus-sen zijn vingers toen hij zijn naam in de lak drukte.

'Ik kan eten klaarmaken...' zei Tora na een poosje.

'Dat is mooi, want hier is geen ruimte voor borduursels. Hier moet je koken, brood bakken, bloed roeren, stoppen en verstellen...'

Hij werd zo monter bij de gedachte wat ze allemaal zou kunnen doen dat hij moest opstaan om door het kleine ka-mertje van de boekenkast naar de ladenkast te ijsberen, hij schoof de stoel opzij om zich makkelijker te kunnen bewe-gen en keek in het voorbijgaan naar zichzelf in de scheer-spiegel, streek over zijn haar dat altijd glansde en vervolg-de de opsomming: 'Vis schoonmaken, gevogelte plukken, weven, spinnen, wassen, zeep koken en de zilveren kan poetsen, want die gebruiken we als er mensen op bezoek komen. Je kunt ook best een bloemperk aanleggen, aan de voorkant, daar is het zo kaal.'

'We hebben geen bloemen nodig als het hele huis vuur-rood is. Het lijkt wel of het zich schaamt.'

'Je bent nog maar een kind,' zei hij en hij haalde zijn schouders op. 'Maar ik wil dat het er mooi uitziet als mensen van zee komen en dan gebeurt er wat ik zeg.'

'En wat ga jij doen?'

'Boten bouwen.'

'En Arvid?'

'Arvid doet wat ik hem opdraag.'

De hond kwam aanlopen en begon te janken in de deuropening, ze lokte hem en probeerde hem naast haar stoel te laten zitten, maar hij was onrustig en wilde weg. Het was nu Arvids hond.

'Ik heb liever dat de hond op het erf blijft,' zei Frank en hij legde zijn handen op zijn rug. Ze herkende die houding, wijdbeens met zijn hoofd achterovergeleund zodat al het andere klein werd.

Ze liet de hond met een tik los en zei: 'Ik wil stof voor twee jurken.'

Toen ze in de pastorie kwam, had het haar moeite gekost om de mensen daar te begrijpen omdat ze zo veel praatten, om de tafel zaten en dingen voor elkaar beschreven en vergeleken met andere dingen die ook beschreven moesten worden. Ze vertelden aan elkaar over hun toestand, of ze blij waren, hoofdpijn hadden, naar de lente verlangden, ervan hielden in de schaduw te zitten, of ze die nacht iets hadden gedroomd en wat het kon betekenen; ze vertelden elkaar dat de zon scheen en dat ze van plan waren een flinke wandeling te maken, dat in de wintermantel van de dominee mot zat, dat het nu echt hoog tijd was om te gaan slapen. Zouden de anderen er ook niet eens over denken naar bed te gaan? Ze vertelden elkaar over dingen die ze samen hadden gezien, alsof het vertellen zelf een manier was alles nog eens te zien. Weet je nog, vroegen ze elkaar en beschreven iets terwijl de anderen luisterden en de zin van de woorden leken te begrijpen.

Nu keek ze naar de man die voor haar stond en zag dat hij in tweestrijd verkeerde, door de wil om nee te zeggen en de zin om ja te zeggen, en dat hij daarom zweeg. Ze legde haar handen in haar schoot en wachtte.

'Ik kan stof kopen,' zei hij na een poosje. 'Maar ik ga daarvoor niet speciaal naar de stad, je zult moeten wachten tot ik andere zaken heb af te handelen.'

Ze zei dat ze kon wachten, maar niet langer dan een maand.

Zo onderhandelden ze met elkaar.

'Weet je,' zei hij even later toen het was gaan schemeren in de kamer en het meisje het dienblad was komen afruimen en hij wijn voor zichzelf had ingeschonken uit het vaatje dat in een hoek stond, want hij dronk tegenwoordig liever wat te koop was dan wat er op de boerderij werd vervaardigd; hij hield de kelk van dik bobbelig glas tegen het licht en bewonderde de dieprode weerspiegeling voordat hij dronk, slechts één slok, vervolgens zette hij de kelk op zijn bureau en liet hij zijn vingertoppen tegen elkaar rusten, hij vormde een kerk met zijn handen en keek haar daaroverheen aan: 'Weet je dat door mijn verbeteringen deze boerderij een van de beste in het district is geworden?'

Hij wachtte tot ze iets zou zeggen, maar Tora zweeg. Nu wilde hij iets van haar. Ze voelde de verandering, alsof er iets in de kamer was verplaatst: dat was omdat hij iets van haar wilde en zij weigerde.

Hij leunde naar voren en opende zijn mond om nog iets te zeggen, maar toen spuugde ze op haar vinger en begon een vlek weg te poetsen, ze was niet in staat zich voor iets anders te interesseren zolang die vlek op de zoom van haar

jurk zat. Toen ze zich oprichtte, had Frank zich laten terugvallen in zijn stoel en draaide hij zijn glas rond voor de
kaarsvlam. Ze keek de kamer rond waar het bankbed zoals
gebruikelijk voor hem was opgemaakt en een schoon hemd
klaarlag voor de rustdag. Hij had een boek opengeslagen
en leunde met zijn hoofd op zijn handen terwijl hij las, alsof hij haar aanwezigheid in de kamer vergeten was.

'Daarom ben je immers hierheen gekomen,' zei ze toen,
'om de zorg voor de boerderij op je te nemen totdat Arvid
oud genoeg is om het over te nemen.'

'Arvid wordt nooit oud genoeg,' zei hij en hij sloeg een
bladzij om. 'Moet je nog niet naar bed?'

Grote dingen werden in de kamer verplaatst, van de ene
muur naar de andere getrokken, ze voelde alles kantelen.

'Je moet er een meid bij nemen,' zei ze terwijl ze opstond. 'Je moet niet denken dat ik van plan ben te melken.'

'Je doet wat ik je opdraag,' zei hij en hij sloeg met zijn
hand op tafel waardoor het glas omviel, de wijn stroomde
over de papieren en op zijn schoot, het klonk alsof hij om
hulp riep toen hij overeind vloog en het boek hoog in de
lucht hield alsof er een vloed van wijn aan kwam stromen,
ze moest enorm lachen en hielp de wijn te deppen met de
handdoek.

'Je doet wat ik je opdraag, maar ik zal er een meid bij nemen,' zei hij en hij rukte de handdoek uit haar handen.

Ze stonden in de kamer, die naar wijn rook en keken naar
elkaar.

Ze zaaide vlas op de vlasakker en stokrozen in het bloemperk, schoffelde de moestuin en zaaide mosterd en peterselie, kool en uien, peurde in de rijen en rende vervolgens snel naar de waterton om haar handen af te spoelen want ze verafschuwde het gevoel van opdrogende aarde onder haar nagels, maar toen het landje begon te kiemen lag ze daar toch op haar knieën de aardkluiten rond de kleine plantjes kapot te tikken en ze bedacht dat ze volgend jaar de grond beter zou losmaken.

Mei was nat en koud, maar in de zomermaand kwam de warmte, ze ging naar het gras kijken op de kleine lapjes grond, mooi hoog gras in de schaduw van het dikke blad, dat ook afgesneden moest worden, maar dat was haar taak niet, in plaats daarvan ging ze naar de keuken om bonen in de week te leggen en stopte suiker en brood in de koffiemand voor de scheepsbouwers, maar de mand brengen deed ze niet. Dat moest de meid doen terwijl zij de melk afroomde en de room in de ton schonk die bijna vol was, nog twee dagen, dan zouden ze karnen. Ze had niets tegen het karwei, dat slechts vereiste dat je hard en regelmatig stootte. Voor het avondeten zou ze havermout koken. Met haar ene knie rustend op de kruk leunde ze door het raam naar buiten en zag de knechten aankomen met hun hakken, ze waren op de akker geweest om aardappels aan te aarden.

'Zijn jullie al klaar?' riep ze scherp.

'We hebben geen koffie gehad,' riepen ze terug, en het was waar, ze was vergeten het te laten brengen. Ze gaf hen boter op het brood en een grote brok suiker elk, toen het meisje terugkwam trok ze haar voor straf aan haar haar omdat ze zo lang beneden was gebleven om met de kerels te praten, in het vervolg moest ze de mand neerzetten en meteen terugkomen. Ik ben benieuwd hoe het met de aardappels is, dacht ze terwijl ze het havermeel afmat uit de kist. Ze zou zelf poolshoogte moeten gaan nemen, maar de beide knechten waren op hun gemak de lange rijen aan het aanaarden.

Ze rukte haar sjaal af en rende weg, het bos in en de berghelling op, het water onder haar was wit, midden in de schittering zag ze Arvids boot en de riemen die werden uitgestrekt in de witheid, hij maakte een wit spoor in het water en trok de schittering met zich mee als een school vissen, die sprongen en spartelden rond de boot en hij zat in het witte licht en roeide, recht op de steiger af hoewel hij zijn hoofd niet een keer omdraaide om te richten.

Hij was de hele dag op zee geweest. Tora dacht aan alle vis die hij bij zich moest hebben, maar toen ze hem tegemoet rende overhandigde hij haar drie kabeljauwen aan een stok. 'Voor het avondeten,' zei hij en hij sprong op de stenen steiger, en ze was blij dat het boothuis het zicht ontnam, want Frank zou niet tevreden zijn geweest met drie kabeljauwen voor een hele dag. Ze liepen door het eikenbosje en stonden een poosje in de schaduw door de boomstammen heen met elkaar te praten.

'Waar ben je geweest?' fluisterde ze.

'Ver weg,' antwoordde hij.

'Wat heb je gezien?'

'Een valk die jaagde, een bot die als een platte steen over

het water scheerde. Een jutter die hout verzamelde bij de landtong van Tång.'

'We moeten het gras onder de bomen hier maaien,' zei ze, 'het staat zo hoog en mooi, het is jammer om het te laten verpieteren.'

Arvid zei dat hij het zou doen, maar de volgende dag nam hij de hond mee en verdween naar het bos en ze had niemand anders om het te laten doen, want Frank wilde de boot met midzomer klaar hebben en had Nils nodig, die een goede timmerman was, en de jongste knecht moest de zeug in de gaten houden die moest biggen. Uiteindelijk pakte ze zelf de zeis, maar het was midden op de dag en het gras was droog en moeilijk te maaien, toch maaide ze een stukje van het weitje, het gedeelte verscholen vanuit het huis zodat niemand kon zien hoe onervaren ze was. Als Frank erbij was geweest zou hij hebben gelachen. 'Het komt alleen maar doordat het gras droog is,' schreeuwde ze toen de punt vast kwam te zitten in een pol.

Ze trok hem los, hing de zeis over een tak en ging naar binnen om de bonen te koken die ze zouden eten, maar de volgende ochtend ging ze vroeg naar buiten om tijdens de dauw te maaien, het gras lag dubbel van het vocht en liet zich mooi tot op de wortel afsnijden, het viel in glanzende golven en ze vond het ritme, het tempo, de hellingshoek, de spaarzame beweging met het blad bijna rustend op de grond, de kleine pasjes. Tegen tienen was het weitje gemaaid en ze stond haar gezicht af te spoelen bij de waterton toen het nieuwe meisje samen met haar moeder het erf op kwam, met haar ene hand hield ze haar moeder vast, met de andere haar bundeltje, ze huilde toen ze afscheid moest nemen en Tora nam haar mee naar de keuken, gaf haar een boterham met stroop en liet haar zien hoeveel plaats er was in het uittrekbed waar ze samen met de oudere meid zou slapen, stuurde haar vervolgens naar het bos om kennis te maken met de koeien en te kijken hoe de paden liepen.

Het was dinsdag, ze zouden zoute haring eten en het restant van de koude bonen. Een dof gebrom, de timmerlieden kwamen, ze moest bij het fornuis blijven staan en erop toezien dat iedereen werd voorzien, maar zelf at ze niet mee. De hele keuken rook naar zweet en hout, de lamp begon te schommelen van de donkere stemmen. Frank was in een goed humeur en zat mee aan tafel, hij schonk voor iedereen een borrel in en praatte over het inwijdingsbier, alleen het lastige optuigen moest nog gebeuren, misschien zouden ze er net niet in slagen voor midzomer, maar dan toch kort erna.

Ze schuurde de borden met zand, daarna droeg ze haar eigen eten naar de zitkamer en at bij het raam. Buiten deden de kerels een middagdutje in de schaduw.

's Avonds, als ze de melk in de houten kommen op de kelderplank hadden gegoten en de keuken hadden geveegd en de pannen waren afgewassen en de borden opgeruimd en de erwten in de week lagen en het vlees afkoelde in het kookvocht, ging Tora naar het vlas kijken, hoe het groeide. Ze voelde aan de zwellende bonen en erwten en aan het aardappelloof, of het gezond was en dik. Ze wiedde een beetje in de moestuin en dompelde haar handen in de waterton, droogde ze af aan haar schort en inspecteerde het zwart onder haar nagels, dat maar nooit verdween. Vervolgens liep ze de berg op en keek naar de vaarwegen en hoorde hoe het kraakte in het bos waar de koeien nieuwe paden voor zichzelf plattrapten. Dit jaar gaven ze zoveel melk dat ze een gedeelte van de boter konden verkopen. Ze was te moe om af te dalen naar zee, zoals ze van plan was geweest.

Toen ze de keuken binnenkwam zat Mari daar te wachten, ze had gehoord over het inwijdingsbier en vroeg of ze haar soms konden gebruiken. Dat konden ze inderdaad, en ook bij de oogst en de slacht en het schapen scheren en het opzetten van een weefsel, en het vlas, want dat was veel te bewerkelijk voor Tora alleen en ze had ook nog nooit zelf een weefgetouw opgespannen.

'Jullie zullen de nieuwe schipper onderdak moeten geven,' zei Mari. 'Hij komt uit Hjelteby heb ik gehoord.'

'Ik dacht dat Frank voor zichzelf bouwde,' zei Tora en ze deed koffie in de molen.

'Hij heeft geen geld, dat zijn allemaal dromen.'

Zwijgend dronken ze koffie terwijl ze naar het jonge katje keken dat op de grond met een stuk zwoerd lag te spelen.

De sloep zou Sjöfågel heten. De schipper uit Hjelteby hield een tafelrede toen Tora de deur opende om Mari door te laten met rijstepudding. Ze zag dat Frank zijn servet tot een hoorn draaide terwijl hij zat te luisteren naar de toespraak, die lang was voor zo'n kleine boot, ze zag ook wat hij dacht: dat de volgende groter zou zijn en dat hij die zelf zou houden. Arvid wachtte op haar in de keuken, ze legde schijven van het gebraad op brood en gaf het hem, want hij zou gaan jagen, hij jaagde voortdurend maar kwam nooit met iets thuis. Ze liet haar knie tegen de kruk rusten en zag een stuk van de mooie julidag door het raam, dat gespikkeld was van vetdruppels.

De week daarop kwam Frank uit Uddevalla met twee lappen stof, een van zwarte zijde en een van grijs bombazijn met bladpatroon, ze legde ze allebei in de kist want er was nu geen tijd om te naaien. Frank had vier oogstknechten opgetrommeld, ze begonnen al met al met z'n achten bij het vallen van de avond en maaiden tot het donker was, maar er waren slechts drie harksters, Tora had geweigerd.

Ze bracht hen koffie en brandewijn, maar het was onmogelijk achter Frank te harken en te kijken naar zijn grote zwaaiende armen, zijn voeten die op de stoppels trapten. Arvid liep naast hem, soms kwam hij voor, soms achter, 'niet achterop raken, slome!' brulde Frank die hetzelfde tempo hield tot hij aan het eind van de regel was, dan pas rechtte hij zijn rug en dronk uit de scheplepel.

Ze wilden zout voedsel na het werk, ze had vlees gekookt en nieuwe aardappels, maar Frank was niet tevreden, er moest haring komen en ze moest met de lantaarn naar buiten om bieslook uit de moestuin te halen. Om drie uur gingen ze verder, Frank had besloten dat alle hooiland dezelfde nacht gemaaid moest worden. Toen ze met ontbijt kwam, lagen ze aan de rand van de akker te slapen, behalve Frank, die wakker was gebleven om tegen haar te zeggen dat ze best had kunnen harken.

'Harken doe ik niet!'

Ze was het beu, al het eten dat moest worden bereid, de klonten boter en brokken suiker die moesten worden uitgedeeld aan de dagloners, de vette haring die in de ton dreef en wegglipte als hij gesneden moest worden, het botte mes en de strekel die nooit op zijn plaats lag. 'Je moet niet zo slordig rooien,' vermaande ze de meid die de nieuwe aardappels had gekliefd in plaats van ze voorzichtig omhoog te trekken en tevoorschijn te krabben. Klompen klepperden op de stenen vloer, het brandhout zat vol scheuten waaraan ze haar handen bezeerde en brandde. Ze nam de boot en was een hele dag weg, maar het enige wat Frank zei was dat hij een eigen roeiboot zou bouwen die er altijd was als hij hem nodig had. 's Avonds roeide hij de fjord over om zaken te doen met iemand aan de overkant, ze wist niet wat voor zaken.

Ze reden naar de kerk, ze had nog steeds geen gelegenheid gehad een nieuwe jurk te naaien maar de zoom van de oude uitgelegd, ze zette de sjaal vast met de zilveren speld en zat naast Frank op de bok, want dat wilde hij zo. Ze hadden een nieuwe dominee gekregen die vooral over verdoemenis preekte. Soms hoorde ze Frank lachen aan de andere kant van het middenpad, alsof hij verdoemenis grappig vond. Arvid zat met stevig gevouwen handen tijdens de gebeden, fladderde met zijn oogleden en was berouwvol, maar zodra ze buiten waren maakte hij vanachter zijn psalmboek grimassen naar haar. Eenmaal thuis zegende hij hun zondagse koffie eerst met plechtige hand om deze vervolgens tot het vagevuur te verdoemen, Frank haalde de fles uit de kast en schonk in, ze dronken en proostten samen met hun koffiebrandewijn.

Ze dacht aan de dag dat Frank weg zou gaan. Het was slechts één beeld, ze zag het niet duidelijk voor zich: hij vertrok, zij bleven, zo moest het zijn. Het verdwijnen was omkaderd met zeilen en het krakende geluid als de wind vat krijgt. Soms zag ze de boot die verdween, soms zag ze zichzelf en Arvid op het strand staan en steeds kleiner worden. Ze hieven hun handen en wuifden.

Maar er was geen haast met het bouwen van een nieuwe boot, eerst zouden ze het hooi binnenhalen en de bonen drogen, midden onder de oogst ging ze een avond met Arvid op makreel vissen, maar de dag erna pakte ze aan op de roggeakker, om het gat te vullen dat was ontstaan omdat Mari last had gekregen van haar arm. Ze bond de schoven te langzaam en kreeg een uitbrander, toen keek ze hoe de anderen het deden en verhoogde haar tempo.

Toen alles was binnengehaald volgden een paar regenachtige dagen, ze haalde de zwarte stof tevoorschijn en begon te knippen zoals ze in de pastorie had geleerd, maar de gedachte aan een nieuwe zondagse jurk schonk haar geen vreugde. Ze liet alles liggen en ging naar het opkamertje waar Arvid met de hond naast zich op de vloer zat. Ze luisterden met z'n drieën naar het typische geluid van regen.

Toen hoorden ze kabaal op het erf, het was Frank die het zwarte paard naar buiten leidde en wegreed. 'Waar gaat hij nu weer heen?' zei Tora en ze veegde een spinnenweb van het raam.

'Hij gaat zeker iets kopen.'

'Maar hoe komt hij aan al dat geld?'

'Hij heeft zeker eerst iets verkocht.'

'Ik zie nooit een cent,' zei Tora en ze ging weer zitten. Ze liet haar achterhoofd tegen de wand rusten en keek hoe Arvid de kolf van de buks poetste met een tip van zijn oude hemd. Ik zal nieuwe hemden naaien, dacht ze. Ik ga spinnen, ik ga weven. Het deed pijn aan haar vingers als ze eraan dacht.

'Hij geeft mij soms wat geld,' zei Arvid na een poosje. 'Een paar schelling, als hij wil dat ik een poosje wegblijf.'

'Maar hij is toch boos als je verdwijnt?'

'Niet echt. Nee, we kunnen best goed met elkaar overweg.'

'Op een dag is hij degene die vertrekt,' zei Tora en ze schrok van zichzelf, want nu werd het beeld werkelijkheid, van de boot die verdween. Want om in die dag te kunnen geloven moest hij vanaf nu dichterbij komen, niet zover voor hen uit blijven zweven.

'We hebben niets te klagen,' zei Arvid en hij stond op.

Ze moest er zelf voor zorgen dat die dag dichterbij kwam.

'Waar ga je naartoe in de regen?' vroeg ze en ze volgde hem het trapje af.

'Ik ga naar Jonas in Hällycka om te kijken naar de nieuwe rode viool die hij heeft gebouwd in plaats van degene waar iemand met midzomer op is gaan zitten, maar je kunt niet mee want hij durft niet te spelen als jij in zijn hutje zit.'

'Hoe kan hij op alle feesten spelen als hij zo verlegen is?'

'Maar weet je, het hutje is zo klein, zo klein,' zei Arvid, het was het begin van een sprookje. 'Veel te klein voor gasten, een kleine kamer met één enkele stoel, het raam niet groter dan een zakdoek, het is altijd schemerig binnen, er groeit een grote sparrenboom buiten, die heeft zulke diepe wortels dat het hele hutje op en neer deint als het waait.' Hij floot de hond en vouwde zijn jas om de binnenzak waaruit de hals van een fles stak.

Tora ging naar binnen om het voorpand te knippen.

Op Allerheiligen reed ze naar de kerk in haar nieuwe jurk, die zo was genaaid dat ze het medaillon erop kon dragen. Na die dag droeg ze het altijd goed zichtbaar.

Ze zouden dat jaar twee beren en een vaars slachten, 'ik red het niet alleen,' schreeuwde ze tegen Frank, die opkeek van zijn kolommen, naar haar bebloede schort en de druipende handen die ze ver van zich af hield alsof ze ze wilde verloochenen. Toen ze was uitgeschreeuwd liep hij naar de keuken en vroeg Mari een bed op te maken in haar oude kamer en te blijven tot na de slacht. Tora trok het dek over haar hoofd, de hele nacht hoorde ze hoe er werd gezaagd en gehakt. De keukenramen zaten dicht geplamuurd door stoom van het koken, het drupte en stroomde van de muren, maar toen ze de keukendeur opende riep iedereen dat het te koud werd, ze vroren dood! Maar ik stik hier! Mari sloeg de deur voor haar neus dicht en pakte de peper uit de kast, vervolgens schraapten ze al het vlees van de botten en maalden samen de zult.

Na de jaarwisseling kwam het ijs, ze hakten een wak en gooiden het schrobnet uit en vingen bij de eerste poging vier tonnetjes kleine haring. Op het ijs stonden strepen van de sleden die stenen aanvoerden voor de nieuwe steiger, hij

116

zou langer en breder worden dan de oude, al zei iedereen dat het zinloos was als de bodem zo steil afliep, maar Frank liet alleen maar meer sleden komen. De steiger moest worden zoals hij in zijn hoofd had.

Toen het te druk werd langs de oever hakte Arvid een wak verder uit de kust en gooide het kleine schrobnet uit, nu vingen ze er slechts een stuk of twintig, de haring was wispelturig. Bij de vaargeul stonden mensen in de zon te blinkeren. Ze gooiden het net nog een keer uit en, diep onder het ijs, voelden ze het trekken en opbollen en zich vullen met stromend water, het water verzette zich en Tora plantte haar hakken in de sneeuw, die wegleed in lange voren van zwart glanzend ijs. Dit keer kwam het net leeg naar boven, maar dat gaf niets, ze hadden de hele winter bot en wijting gegeten.

's Avonds kwamen ze thuis met ijs in hun kleren en ze zaten alle drie bij de kachel om zich voor het open luikje te warmen, hielden hun verkleumde handen op en voelden hoe ze begonnen te prikken en kloppen. Niemand sprak, ze stelden zich tevreden met het vuur dat met zichzelf praatte, pruttelde, siste, soms iets riep en vuursprankels spuugde, en met het gebonk uit het kamertje waar Mari het weefgetouw had opgespannen. Sommige avonden ratelde de sneeuw zo hard tegen de ruiten dat alle andere geluiden erin verdronken. Voeten in grijze wollen sokken werden zo dicht mogelijk naar het vuur uitgestrekt, af en toe maakte iemand een langzame beweging om meer hout op het vuur te gooien. Zo zaten ze tot ze begonnen te gapen.

Toen ze voldoende winteravonden zo hadden doorgebracht, vroeg Tora wie de nieuwe tanden voor de harken zou snijden.

Zij naaide hemden van het linnen, twee voor Arvid en twee voor Frank.

De koeien kauwden op schors en bladeren, schors en bladeren, ze liep de hele rij langs en vroeg om vergeving, vroeg de grote geduldige lijven om vergeving, de lieve ogen, de kleine kromme horens die hen van lepels voorzagen om van te eten, de slappe uiers. 'Het wordt gauw lente,' troostte ze. Ze nam de helft van de erwten die nog in de kist lag en maalde ze tot meel, dat ze mengde met het beetje hooi, want ze konden geen enkele koe missen, ze moesten er allemaal zijn wanneer ze op de eerste lentedag het erf op wankelden om van de haarfijne grassprietjes te eten.

Ze ging bij Frank naar binnen en zei dat hij geen enkel lapje grond meer mocht ontginnen, meer rogge hadden ze niet nodig, ze hadden gras nodig.

Ze ging in de zitkamer zitten naaien, borduurde een klein wit bloempje op een kraagpunt. Na een poosje hoorde ze zijn stoel kraken toen hij opstond en het geluid van zijn denken, drie stappen naar de boekenkast, drie terug, dan stilte als hij bij het raam stond en naar buiten keek. Hij duwde de deur open en zei dat zodra de vorst uit de grond was hij het laatste weitje aan de overkant van de weg zou droogmaken en er rogge zou zaaien, want die bracht nu acht rijksdaalders per ton op.

'Moeten de koeien rogge eten?'

'We zullen klaver in de graslanden zaaien, dan leveren ze meer op.'

Ze hield het hemd op en schudde het uit om te laten zien dat het voor een lichaam bestemd was dat veel magerder was dan het zijne, dat het mooie borduursel voor iemand anders was bedoeld, een kleine armzalige wraak. Hij zag het niet eens, want hij was naar de kachel gelopen, het was alsof hij nooit te dichtbij kon staan. Hout was het enige waarop hij niet bezuinigde. 'Ik wou...' mompelde hij en hij opende zijn grote handen naar de warmte toe. 'Ik wou...'

's Nachts hoorde Tora het ijs knallen, lange pistoolscho-
ten.

Eind februari sloeg het weer om, de mist en de wind slok-
ten de sneeuw op tot er enkel nog diep in het bos wat grauwe hoopjes lagen. Ze ging naar buiten en rook aan de voor-
jaarslucht, een speciale geur die uit de zee kwam als alle ijs
verdwenen was en de schelpjes hun tocht op en neer in de
waterlijn begonnen en de kraaien langs de oever wandel-
den en de hopen zeewier omdraaiden en de meeuwen mos-
selen op de klippen lieten vallen. Het ijs had alles verplaatst,
ook de stenen van Franks steiger.

De akkers kwamen uit de mist tevoorschijn, met voren
van zijde. Het smaakte naar ijzer in je mond als je erlangs
liep. De knechten verspreidden mest, in de drassige wei waren al twee man bezig met het graven van een sloot, ze rende de keuken in en maakte de erwten schoon, het waren de
allerlaatste, maar ze hadden nog voldoende aardappels, ze
hadden altijd voldoende van alles gehad. De lenteavond was
rookgrijs met vogelgeroep uit het bos, hoge lichte kreten.
Maar wat gaat er gebeuren, dacht ze terwijl ze ging zitten,
wat gaat hier gebeuren, hoe zal het allemaal gaan? Ze hoorde Arvid de trap af rennen en naar buiten verdwijnen, onderweg ergens naartoe.

De gedachte aan geld, hoe het in huis kwam en waar het
voor gebruikt werd. Contant geld waar stof, vaatjes wijn,
ladingen steen, droogmaking, rode verf van werd betaald.

Op een ochtend in april liep ze door het bos en dacht
aan geld, de koekoek riep maar ze wist niet uit welke richting, het kwam uit alle richtingen alsof het bos was betoverd. Van wie is het geld, dacht ze en ze ging op haar hurken bij de beek zitten om haar handen te wassen die vies
waren geworden toen ze over de omheining klom. Ze was
helemaal boven, bij het hutje van Mari, het water stroom-

de snel, de top van de heuvel waar de zon op stond was opgedroogd zodat je in het gras kon zitten. Ze ging even zitten en opende de mand: suiker, koffie, beschuitjes in een blik. Beneden in de verte liep Arvid weer gerst te zaaien, ze was nu bijna een jaar thuis en toch wist ze niet van wie het geld was.

Mari was in haar moestuin aan het werk toen Tora kwam, ze rolde de mouwen van haar jurk naar beneden en schraapte haar schoenen schoon aan de trapsteen voordat ze groette. Tora wiedde een rij in afwachting van de koffie, want ze wilde niet het armoedige kamertje binnengaan waar het naar schaap stonk en Mari wijdbeens op een krukje zien zitten terwijl ze in het vuur blies. Ze dronken koffie op het bankje aan de zuidkant en doopten de beschuitjes die te bleek waren, veel te bleek, als aangespoelde lijken, heb jij die gebakken?

'Van wie is het geld voor de rogge?' vroeg Tora en ze volgde een kleine gele vlinder die in het gras darde en toen ineens opsteeg alsof het grote sterke vogelvleugels had gekregen en boven de boomtoppen verdween.

'Als Frank de rogge verkoopt is het geld van hem.'

'Maar het is toch niet zijn boerderij?'

'Nu wel.'

Ze liet haar hoofd zakken en keek naar Mari's vlekkerige handen, die kruimels wegveegden, haar eigen handen die hetzelfde deden, haar hele blikveld bestond uitsluitend uit die handen en een stukje grond eronder en haar rijglaars, die ineens opwipte alsof ze ergens naar trapte. 'Maar hoe kan dat dan?' zei ze zeurend met haar lichte meisjesstem terwijl ze trilde van ergernis en schaamte over het feit dat ze een klein meisje was dat niets mocht weten.

'Vanwege het contract,' zei Mari, 'ze hebben het verlengd omdat Arvid zo slordig is, iedereen heeft dat getuigd.

Later, toen jij in de pastorie zat, is hij weer naar Göteborg geweest, en toen heeft hij het voor levenslang gekregen. Dat is wat ik heb gehoord.'

'En Arvid dan?'

'Arvid wil niet. Hij zal nooit een boer worden, ook al loop je er de hele dag naast om hem bij de les te houden. Hij heeft de roeiboot gekregen en een buks en een paar nieuwe laarzen, en wat geld misschien, ik weet het niet precies.'

'Het is niet eerlijk,' zei Tora en ze liet het kopje vallen zodat het in twee stukken brak, het was Mari's mooiste kopje, nu had ze het kapotgemaakt. Ze pakte de twee helften, bond ze in haar hoofddoek en legde ze in de mand. 'Ik zal het kopje laten maken,' zei ze en ze voelde het branden in haar keel, niet om de boerderij maar om het kopje met rozen.

'Arvid is blij dat hij ervan af is. Laat hem, Tora.'

'En ik dan?'

'Jij zult moeten trouwen, net als ieder ander.'

Wat zal er van ons worden, dacht ze toen ze door het bos naar huis rende. Waar moeten we heen? Ze struikelde en viel met haar gezicht in de vossenbessenstruiken. Is het mijn bos niet meer? Toen ze op haar rug rolde, zag ze tussen de sparrentoppen een stukje van de hemel en de buizerd die door de lucht zeilde en de woelmuis riep, kom woelmuis, uit je hol, kijk naar de zon en steek je snuit in de lucht, dan pak ik je. Ze ging rechtop zitten en zocht naar de scherven van het kopje in de vossenbessenstruiken, het lege blik was weggerold en lag een stuk lager op de helling. Ze hing de mand aan haar arm, precies op dat moment dook de vogel achter de bomen naar beneden en had iets te pakken.

Ze begon weer te rennen en bedacht dat ze groter moest

worden. Het was een soort dans, terwijl ze dansten verwisselden ze van plaats: de een werd kleiner, dat was Arvid, de ander werd groter, dat was zij. Frank had een stok met een zilveren knop die hij had gekocht op een boedelveiling en die hij gebruikte om de knechten te dreigen. Arvid balanceerde met uitgestrekte armen op een boomstam, hij was nog kleiner nu en bijna doorschijnend in het groene lentelicht, maar hij was helemaal niet boos omdat ze hem was gevolgd, tilde haar op zodat ze mee kon rijden op de boom die groen uitliep hoewel hij vorige herfst was omgewaaid. Hij klakte met zijn tong tegen het paard, toen gingen ze op weg, klemmen met je knieën, anders val je! Ze zou de afgesloten laden in Franks bureau openbreken en het contract verscheuren.

Maar misschien is het niet waar, dacht ze en ze bleef staan.

Ze was opgelucht, zo was het natuurlijk.

Arvid was op de akker gerst aan het zaaien, als ze vertelde wat Mari had gezegd zou hij alles weglachen en zeggen: je geeft een boerderij toch niet weg voor een paar laarzen! Ze rende door het steeds dunner wordende bos, daar op de ontgonnen plek was hij aan het zaaien, greep een hand gerst en strooide met lichte weidse bewegingen. Het viel met hetzelfde geluid als waterdruppels. Hij zou naar haar lachen maar zonder op te houden met zaaien, ren naar huis Tora, zou hij zeggen, of nog liever: geef me een beker water.

Zo was het natuurlijk.

Maar toen ze bij de zoom van het bos kwam, was Arvid er niet, de akker lag er verlaten bij, de zaaizak was in de berm gesmeten zodat de gerst eruit was gerold en de vogels zich eraan te goed deden.

Arvid loopt door het bos, hij loopt als iemand die het gewend is, verlengt zijn pas om een oneffenheid te ontlopen en tegelijkertijd een tak weg te buigen en zijn hoofd opzij te brengen om de waterdruppels te vermijden die eruit vallen. Hij doet alles tegelijk, zonder erbij na te denken, in een reeks bewegingen aangepast aan precies dit bos, dat van hem is, zoals alles van hem is zonder dat hij ooit die gedachte denkt. Als hij al iets zou denken, was het dat er niets van hem was, maar hij denkt niet, hij loopt alleen maar.

Hij is een zomerkind dat ieder jaar dieper het bos in wordt gelokt omdat de koekoek vanuit het oosten roept, en daar vindt hij alles, alles wat belangrijk is: het geluid van de mierenpaden dat groeit tot een gesuis, tot een gedaver dat het hele bos vult, en de lange zwellingen op de eikenstammen die eruitzien als onder de schors gekropen slangen. Hij legt zijn hand tegen de boom en voelt hoe het klopt. Een grote bruine haas ligt stilletjes in het gras te kijken, als hij zijn hand laat zakken rent hij weg, maar slechts een klein stukje, en hij begrijpt dat dit de plek van de haas is en dat hij wacht tot Arvid zal verdwijnen zodat hij terug kan keren naar zijn graspol, een dikke groene pol met vrij uitzicht. Dan loopt hij door, stilletjes.

De paden ontspringen in het gras onder hem. Slingeren en vertakken zich tot een net, waarin hij vastzit. Sommige zijn onzichtbaar en kunnen alleen met de voet worden gevonden, voeten die iets hards voelen door de bosbessen-struiken en het volgen, een oud vergeten pad. Maar als hij naar beneden kijkt, is het weg. Als hij loopt zonder te kijken voert het hem naar een grondvest overwoekerd met braamstruiken en een bemoste appelboom die net die lente had besloten voor de laatste keer te bloeien. De witte kroon is een stolp van zoemende bijen.

Of hij komt bij een bron die niemand anders kan vinden omdat hij bedolven is door moerasgras, maar hij buigt het gras weg en ziet de stenen, gelegd in een kring, en het water, als een oog. Hij laat het zien, vervolgens laat hij het verdwijnen, sluit het met zijn hand voor alles behalve kikkers, padden, slangen, uitbroedsels en de libellen, die stilstaan in de herfstlucht en blikkeren voordat ze zich laten vallen op het drijvende vlot van gras. Hij loopt drie rondjes rond de bron en vergeet hem, alles moet vergeten worden en weer gevonden door een toeval, alleen zo kan het bos ondoordringbaar en eindeloos blijven.

Blauw blauw blauw gekletter tussen de bomen als de duiven opvliegen.

Hij blijft staan en kijkt naar een zwerm muggen die chaotisch in de avondzon ronddarren. Na een poosje ontdekt hij dat hun bewegingen slechts willekeurig zijn voor een onachtzame toeschouwer en dat er een patroon in het gedar zit, dat de zwerm in twee delen is gesplitst die aanvallen en terugtrekken zodat de delen door elkaar glijden, maar de hele tijd met hetzelfde punt als naaf, alsof er grenzen in de lucht waren en uitgerekend dat punt boven die koeienvlaai van de muggen is. Maar de bedoeling ontgaat hem.

Dan loopt hij weer verder, in een varenbos met schuine groene lichtstroken door het gebladerte. De bomen groeien helemaal tot in de hemel. De wind is slechts een fluistering in de hoogste toppen. Ver weg hoort hij hoe het kraakt en dreunt, het straalt van warmte en zoemt van vliegen, dat zijn de koeien op weg naar huis, want het is al laat, maar hij weet niet hoe ze heten, hij weet niet eens dat ze van hem zijn. Hij is waar hij thuishoort, in het groene licht waar het roodborstje zingt, een verstild murmelend lied dat hem troost voor alles, mocht hij troost nodig hebben, maar hij is een gelukkig man.

Zijn voeten vinden nog een pad dat is verhard met steen, hij gaat op zijn knieën zitten en ziet de stenen, tweehonderd jaar of langer geleden samengevoegd toen het pad van iets leidde, naar iets. Nu eindigt het slechts, in een verlaten open plek. Hij loopt door een kloof die druipt van water, een berg op, en daar ziet hij op een augustusavond in het jaar 1820 vier zonnewolven langs de hemel jagen, twee kleine in het oosten en zuiden, twee grote die hun muil openen om de zon op te slokken. Hij ziet duidelijk hoe scherp hun tanden zijn als ze rukken aan het rode licht.

Hij vertelt het niemand, hij vertelt nooit iets. Hij loopt alleen maar, steeds stiller, hangt zijn buks aan een boom voordat hij het bos in gaat zoals hij zijn jas bij de deur hangt voordat hij naar binnen gaat. Van maart tot oktober slaapt hij in het opkamertje, dan is het te warm in zijn kamer aan de voorkant, verklaart hij, en bovendien houdt hij van het geluid van de zwaluwen op de hooizolder, maar het is om niet gezien te worden en te kunnen komen en gaan wanneer hij wil, stilletjes.

Ze vragen alsmaar: dan, van de ene dag op de andere, houden ze daarmee op.

Er groeit verdwaalgras in het bos, maar hij verdwaalt nooit ook al draagt hij geen mes bij zich om de betovering los te snijden. Soms raakt hij de weg kwijt, maar dan wacht hij gewoon tot het bos zich ergens opent en tuimelt eruit, misschien een kwartier gaans noordelijker dan hij had verwacht, maar met al zijn instincten intact. Hij sjokt in de schemering naar huis en vindt de deur op slot, het eten afgeruimd, de boten in zee, de aardappels in de grond, de gasten vertrokken, maar iemand heeft een bord voor hem neergezet op de vloer van het opkamertje. Hij deelt het eten met de hond en poetst zijn buks, want hij is een jager die iedere ochtend naar buiten gaat op zoek naar wild. Zijn handen zijn groen als gras in het licht van de traanlamp.

Windrichting, weer, zonsondergangen, rustig zeilende wolken. Augustusmaan en de lijster die zingt, hij kan het ene lied van het andere onderscheiden en geeft namen aan alles wat hij ziet, ook aan wat al een naam heeft, hij vindt namen die beter zijn. Hij loopt in het bos, zijn hele leven zal hij zo lopen, in zijn lichte hemd, in het lichte bos, het zomerbos waar de koekoek roept, hij wordt geen dag ouder.

In het moerasgras staat de eland te slapen tussen wollegras en rijsbessen, dan draait hij zich om en sluipt weg. 's Nachts droomt hij elandendromen over lange passen en takken die knakken. Hij strekt zijn hoofd naar de hoogste boomtop en plukt wilde appels met zijn lippen.

Maar dan gebeurt er iets, het heeft met de heuvel te maken, die ineens zo zwaar begaanbaar is. Hij moet halverwege blijven staan om op adem te komen. Er groeit verdwaalgras in het verdwaalbos, daar verliest hij jaren en jaargetijden, tijd en leven en bezittingen, hij loopt in cirkels tot hij op een zomerdag blijft staan, naar zijn handen kijkt en ze niet herkent, want ze zijn oud geworden. Hij gaat op de heuvel zitten en ziet hoe alles wegvliegt.

Het is ver. Nog steeds loopt hij zo licht als een veertje naar boven en als hij de top bereikt haalt de hond hem in, hij heeft de deur van het opkamertje opengekrabd en tijgert het laatste stuk door de vossenbessenstruiken met zijn oren plat van schaamte, maar Arvid is blij, ze zijn allebei net zo blij over het onverwachte weerzien. De hond hobbelt voor hem uit, blaft tegen een dode tak en de schaduw van een vogel. Arvid gooit een stok voor hem, dan blijft hij staan en kijkt naar de zee die bijtend wit is in het middaglicht, hij ziet steigers noch boten, alleen de zonnebaan die recht daarheen voert waar het licht zo scherp wordt dat je je blik moet afwenden. Hij is nog nooit zo gelukkig geweest. Dit is de beste dag van zijn leven.

Zijn voeten vinden een pad, hij volgt het, passeert een steenhoop en gooit er een steen op, loopt door een bosje van hazelaars en door een wei. Bij het hek staan de koeien te wachten, ze morren een beetje als hij komt en hij klimt hoog boven ze op het overstaphek en springt, licht als lucht, maar onderweg gebeurt er iets want hij valt en belandt op zijn knieën. Niet dat het pijn doet, maar de val is het eerste onbehaaglijke dat hem die dag overkomt. Hij weet niet waarom het hem zorgen baart. Hij is altijd gesprongen zonder erbij na te denken en nu dit plotselinge verraad van de lucht.

Hij denkt er de hele avond aan, hoe de lucht zich omdraaide en hem sloeg.

3

Die herfst werd Tora zestien jaar en kreeg ze van Frank de roodfluwelen stof om een jurk van te naaien. Hij was uitgenodigd door de oude koopvaardijkapitein op het eiland Stillingsön en roeide zoals altijd zelf de fjord over, maar toen hij er bijna was besloot hij de volgende keer de knecht te laten roeien zodat hij niet warm en bezweet arriveerde: dat was toen hij het huis van de kapitein op het hoge smalle stenen fundament zag liggen, en een halvemaanvormig venster met gekleurd glas in het water zag weerspiegelen. De galjas Flygaren had het afgelopen jaar een flinke winst opgeleverd en de kapitein, die het grootste aandeel bezat, wilde de kleinere eigenaren op toddy trakteren. Het waren vijf man die zwijgend in hun stijve goeie goed in de zitkamer zaten te luisteren hoe de vrouw des huizes met warm water en glazen op een zilveren dienblad binnenkwam.

Mevrouw was jonger dan haar man en had bruine pijpenkrullen die glansden alsof ze waren ingesmeerd met vet. Haar wijnkleurige jurk ritselde zoals ze nog nooit hadden gehoord, ze konden amper verstaan wat de kapitein vertelde over de haven van Messina toen ze tussen hun stoelpoten door draaide en kleine wolkjes parfum uitwasemde. Ze hield een zakdoek in haar ene hand, daarmee bette ze haar neus terwijl ze de toddyglazen inschonk, ze glimlachte mooi en Frank streek over zijn haar en glimlachte terug, maar toen ze zich over hem heen boog om erbij te kunnen met de kan zag hij haar neusvleugels trillen onder haar zakdoek en toen was hij ineens een zwetende boer die met open mond zat te luisteren maar zelf niets te vertellen had. De eerste kleine rode golf kwam aanrollen door de kamer.

De citroenen werden in de maand april geoogst, zei de kapitein, denk je dat eens in. En de pluksters droegen ze in manden op hun hoofd, konden ze zich voorstellen dat de vrouwen hier aardappels op die manier naar huis droegen?

Frank probeerde iets te zeggen over karren en trekdieren, die toch de voorkeur verdienden, maar het bleef bij een geluid diep in zijn keel, verder kwam hij niet voordat de kapitein toesloeg met de vismarkt, waar waren van een heel ander slag werden aangeboden dan hier, vissen die blauw waren met vinnen als lange sluiers en koppen met voelsprieten.

'Dan hoeven ze tenminste geen haring te eten,' zei de kapiteinsvrouw en ze trok haar neus op, maar toen werd Frank echt kwaad, want hij herinnerde zich hoe het was die keer dat de haring zo overvloedig was dat het ijs in de zeestraat openbarstte en de glanzend zilveren vissen over elkaar heen tuimelden alsof ze zichzelf weggaven, je kon ze zo van het ijs opscheppen. Deze gulheid kon hij niet vergeten, maar ook niet verklaren voor de kapiteinsvrouw die zich juist tussen twee stoelen manoeuvreerde om de waterkan op tafel te zetten.

Zijn buurman links, Bengt Anderson uit Vreten, opende zijn brede mond en zei: 'Haring is lekker.'

'Zeker, zeker...' zei de oude kapitein, ineens vermoeid. Hij was de draad van zijn verhaal kwijt en porde met zijn lepel in zijn glas en klaagde ondertussen dat het water niet heet genoeg was. 'Maar Siciliaanse citroenen zijn de beste, de allerbeste!'

Toen kwam het boek tevoorschijn en de totalen werden

bij elkaar opgeteld, de kapiteinsvrouw zuchtte toen ze hun stoelen naar de tafel trokken en zich over de afrekening bogen en Frank zag vanuit zijn ooghoek haar jurk wegslepen over het vloerkleed en samengeperst worden in de deuropening toen ze de kamer uitglipte. Hij onderbrak het gemompel boven de cijfers en begon met luide stem te vertellen van het bezoek van de koning in Göteborg, die hij met eigen ogen had gezien toen hij daar een lading turf had afgeleverd, de kroonprins was statig, maar de koning zelf zag er achterbaks uit met zijn zwarte haar tegen zijn voorhoofd geplakt.

Voor die woorden kon hij in het gevang belanden, zei de kapitein en hij rinkelde een belletje, ze draaiden zich allemaal naar de deur en vielen stil, maar dit keer was het slechts de meid, met meer rum. Frank veegde zijn geld bij elkaar en stopte de buidel in zijn zak, maar hij was niet tevreden. Geld gaf niet langer voldoening.

'Hierna ga ik een jacht bouwen,' verklaarde hij en hij leunde achterover in de kleine delicate mahoniehouten stoel van de kapitein.

'De oude boer Sander bouwde mooie roeiboten,' zei een dikke eilander van Orust en stak zijn pijp aan. 'Misschien moet je het daarbij houden.'

'Ik heb al een contract met de douane,' zei Frank, maar dat was gelogen. Het jacht daarentegen zag hij al voor zich, glashelder.

'Je zult binnenkort moeten beslissen, Frank, of je boer bent of scheepsbouwer.'

'Ik kan het allebei doen,' zei hij en hij haalde zijn horlogeketting tevoorschijn en begon er mee te spelen. Hij was volstrekt kalm nu hij ze tegen zich had.

'Ekornetång is niet geschikt voor grotere schepen,' zei de kapitein. 'Dan moet je eerst de rotsen opblazen.'

'Er is een kloof in de berg waar de zee het diepst is, dat heb ik al uitgezocht. Daar kan ik een scheepshelling aanleggen. Dan kun je nieuwbouw plegen op een slede hoger op de heuvel en beneden reparaties uitvoeren.' Hij keek op zijn zakhorloge en stond op.

'Moet je al gaan, Frank? Heb je zo'n haast met dat jacht?'

Op dat moment werd de deur naar de eetkamer geopend, daar stond de kapiteinsvrouw onder een brandende kroonluchter en dekte de borden in op het witte tafellaken. De mannen zwegen, iemand legde een hand op Franks schouder en schudde hem vriendschappelijk heen en weer. Zelf had hij spijt van wat hij had gezegd, het was een soort dwaasheid dat hij zichzelf altijd met zijn rug tegen de muur moest zetten. Hij had graag willen blijven, aan tafel gaan en samen met de andere mannen eten en verder praten over de koning, de visvangst, de oogst en de toekomst van de Flygaren terwijl de vrouw des huizes het koude gebraad voor hen aansneed. Maar nu moest hij opstappen.

'Jammer dat Frank moet gaan,' zei de kapitein en hij kwam met een witte hand op de knop van zijn stok uit zijn armstoel overeind. 'We waren van plan een spelletje te kaarten na het eten.'

'Ik kaart nooit,' zei Frank. 'Dat heb ik mijn moeder op haar sterfbed beloofd.'

Vanuit de eetkamer keerde de kapiteinsvrouw hem een meelevend gezicht toe en bleef zo staan, een bord met ingemaakte haring in haar hand, terwijl hij gedag zei.

Rukkend aan de riemen roeide hij in het maanlicht naar huis en vloekte de hele weg, over de roeiboot die lekte en de riemen die te kort waren en het hemd dat spande, waarom kon ze niet naaien zodat het paste, over het zware water en de oever die weggleed en de wolk die uit het niets kwam en voor de maan schoof en daar bleef hangen, een wolk klein als een meisjesgezicht, maar koppig. Wist van geen wijken. Toen hij de boot had vastgebonden móést hij de kloof in om te meten, het kon zelfs niet wachten tot de volgende dag, zo bang was hij dat het er te smal zou zijn, maar zoals hij had gedacht was de spleet in de berg een geschikte plek voor een scheepshelling, in ieder geval op de momenten dat de maan scheen. Hij begon de kloof af te passen, toen verdween de maan achter een wolk.

Hij ging op een steen zitten en haalde de fles tevoorschijn, dronk en dacht aan het jacht dat hij zou bouwen. Het was op de werf in Ulvesund dat hij er voor het eerst over had horen praten. Ze hadden een offerte gedaan maar hij zou een lagere uitbrengen, morgen al zou hij de kosten door gaan rekenen. Hij stak een pijp op en herinnerde zich de kapiteinsvrouw die door een kier naar hen had gekeken voordat ze de deur opende en binnenkwam, haar kanten manchetten en de witte scheiding die het haar in de nek deelde. De maan stond boven Stillingsön en glinsterde in het gekleurde raam, nu sliep ze daar.

Hij dronk de fles helemaal leeg, drentelde naar zijn eigen donkere huis en sprak met zichzelf over de tuigage: die moest van de beste kwaliteit zijn, de allerbeste kwaliteit. De dienstmeiden lagen in de keuken te snurken en hij maakte een beetje kabaal om ze te wekken, maar bedacht zich toen hij hoorde hoe ze zich omdraaiden in het uittrekbed en meteen verder snurkten, ze waren zo moe in deze tijd van het jaar.

Zelf was hij te moe om de lamp aan te steken. De maan scheen door de kleine ruitjes, hij kleedde zich uit in het blauwe vierkant en lachte om zijn voet die bleef steken in de broekspijp zodat hij op een been naar de kist moest hinken, hij was van plan geweest om het deksel een klein stukje op te tillen, maar het vloog met een knal tegen de muur en hij riep 'sst' terwijl hij op zijn knieën ging zitten en naar het pakket tastte. Het had sinds Göteborg vergeten in de kist gelegen, nu rukte hij het papier van de stof, die zich ontvouwde en langs zijn lichaam streek zodat hij tot aan zijn voeten toe voelde hoe zacht het fluweel was. Onwaarschijnlijk zacht. Met een trap schopte hij zijn broek uit zodat die door de kamer vloog terwijl hij met een tip fluweel over zijn borst en armen streek, het was zo zacht dat hij zich niet eens schaamde.

De zachtheid deed hem gapen en slaaptranen huilen. Hij viel dwars op de bank en droomde van een rood zeil, toen hij 's ochtends wakker werd was het fluweel, dat achteloos over de bureaustoel lag, het eerste wat hij zag. Hij schoof het opzij en ging zitten om timmerhout en arbeidsuren op te tellen terwijl de meid in de deur met het koffieblad rammelde en wegrende toen ze hem daar naakt zag zitten.

Hij hoorde de voetstappen en keek heel even op, naar de warmtenevel boven de zeearm en een vrouwtje dat dwars de baai over roeide met een schaap in haar boot, toen boog hij zich weer over het papier en vulde het verder met zijn mooie handschrift waar hij zo trots op was, kapitalen bekleed met pluimen en linten, majestueuze enen, tweeën als zwanen zeilend over de zeeën. Toen hij het koud begon te krijgen kleedde hij zich aan en liep naar de keuken voor zijn ontbijt, toen kreeg hij de knechten in het oog die op de deel stonden te hangen hoewel hij de vorige dag tegen hen had gezegd dat ze de laatste gerst moesten maaien. Toch stonden ze op hem te wachten. Hij liep met het kopje in zijn hand naar buiten en herinnerde hen eraan, maar ze waren lastig en dwars en van gerst maaien wisten ze niets. Dat konden ze zweren, zeiden ze. Omdat hij de laatste week zo vaak weg was geweest stribbelden ze tegen.

'De graanschuur lekt,' zei de oudste knecht en wees naar het doorgezakte plaggendak.

'Het is droog nu. Het dak doen we later.'

'Er moet toch een nieuw dak komen,' zei de knecht koppig. 'Liefst van pannen. Het heeft weinig zin de gerst droog te oogsten en dan binnen in het nat te leggen.'

Frank herinnerde zich ineens het geld van zijn aandeel dat hij de vorige dag had ontvangen, hij had zich er niet om bekommerd en de buidel nonchalant in zijn mantel gestoken, nu moest hij het geld eerst fatsoenlijk achter slot en grendel bergen.

'Het is het laatste restje gerst, daar zijn we zo mee klaar,' riep de knecht hem na toen hij wegliep.

'Dan doen jullie de naoogst.' Hij bleef in de keukendeur staan en draaide zich om: 'En vanavond moet Nils naar de molen om het meel op te halen, want dat heb ik afgesproken. Petter moet sparrenhout hakken voor de dominee, hij wil acht vadem. Morgen beginnen we met de aardappels, dus dan hebben we geen tijd.'

'En het dak dan?' klonk het misnoegd.

'Ik zal Arvid het dak op sturen om het te maken.'

Zijn mantel lag in het kantoortje op de vloer, de buidel zat er nog in, en hij ging zitten rekenen terwijl hij dacht aan toddy en lepels met lange stelen die tegen de rand van het glas rinkelden als je dronk. Hij zou naar Höviksnäs varen om met zijn oude voorman te praten, misschien dat die iemand kende bij de douane. Hij deed het geldkistje op slot en hing de sleutel aan zijn horlogeketting, toen ging hij naar buiten en maaide zelf de hele boomgaard en alle slootkanten en een flink stuk van de boszoom. Het herfstgras was amper de moeite waard, zo dun en sprieterig was het na de droogte, maar hij had Tora beloofd dat de koeien die winter geen honger zouden hoeven lijden.

Als het echt slecht gaat zal ik hooi moeten kopen, dacht hij en hij bleef staan.

Ze zouden een mooi inwijdingfeest voor het jacht houden, veel gasten die hun boot afmeerden aan de nieuwe stenen steiger. Hij zou ze zo fêteren dat iedereen tevreden was. Als ze het jacht zagen zou hij meer opdrachten krijgen, grote mooie opdrachten van licht hout, hij zou tekeningen op tafel uitvouwen waar ze zich overheen bogen om dingen voor te stellen die hij zou goedkeuren of verwerpen. Hij verbaasde zich over alles wat hij kon, alle deskundigheid die hij had opgezogen. Ten noorden van de scheepshelling zou hij ijzeren haken in de rots slaan om de schuiten tegen de steile wand te kielen.

Het was middaguur. Hij liep met de zeis over zijn schouder naar huis en vroeg om warm waswater, want hij zou naar Höviksnäs varen en daar overnachten. Toen hij zich had omgekleed en onderweg was naar de boot veranderde hij van gedachten en besloot de offerte eerst goed door te rekenen voordat hij er met iemand over sprak.

Hij klom een stukje tegen de rots omhoog om te kijken waar hij de ijzeren haken zou bevestigen, vervolgens liep hij naar het boothuis en stond lange tijd te staren naar een kapot net dat in een hoek lag terwijl hij zichzelf ervan verzekerde dat het allemaal mogelijk was, dat het allemaal echt mogelijk was. Even later stond hij over het net gebogen om te kijken of het gerepareerd kon worden, trok en rukte zo dat het vergane garen uit elkaar viel. Er was iets mis met deze dag, het ging de verkeerde kant op, hij kwam overeind en voelde dat zijn lichaam pijn deed alsof hij stenen had gedragen, tonnen gerold, planken geladen en in de sneeuw had lopen hakken. Hij gooide het net op de afvalhoop en liep naar boven om een poosje in zijn tuin te wandelen waar hij de fruitbomen inspecteerde en bleef staan om met de meid te praten die liep te harken, maar ze was te bang om fatsoenlijk antwoord te geven. Het verlangen viel op hem als een vracht stenen, om iemand van zijn plannen te kunnen vertellen en iemand te horen zeggen dat het zou lukken, dat het allemaal zou lukken.

Hij plukte een appel en nam een hap, maar hij smaakte bitter, Frank gooide hem ver weg tussen de sneeuwbesstruiken. 'Dat zijn winterappels,' zei de meid verlegen en ze gaf hem een andere, een gele die ze eerst met haar schort had schoongeveegd. Hij pakte hem voorzichtig aan.

's Avonds zat hij aan zijn bureau pennen te snijden terwijl hij naar Tora's voetstappen in de kamer boven luisterde. Hij stelde zich voor hoe ze af en toe bij het raam bleef staan om naar buiten te kijken. Hij stelde zich ook voor dat ze iets in haar hand hield, een sok die ze moest stoppen of een kanten zakdoek waar ze haar neus mee bette. Het raam knarste, nu deed ze het open voor een hommel en woof met haar zakdoek tot hij de kier vond en naar buiten vloog.

De angstige meid die iets minder bang was nadat hij voor de appel had bedankt kwam binnen om het dienblad te halen, en hij vroeg haar tegen Tora te zeggen dat hij met haar wilde praten. Vervolgens maakte hij berekeningen hoelang het zou duren voordat ze zou komen, hoeveel passen ze eerst moest nemen, hoelang ze stil moest zitten en hem laten wachten. Hij scherpte zijn mes en sneed een pen die mooi was en puntig genoeg voor de brief die hij moest schrijven aan de Koninklijke Douanedienst. Het rode fluweel lag nog over de kist, toen hij haar op de trap hoorde stond hij op en begon het op te vouwen, maar het was de meid die kwam zeggen dat Tora bezig was.

Hij sneed een hele pen en hield hem tegen het licht terwijl hij haar boven hoorde zingen, waarom is uw zwaard zo van bloed zo rood, gij Sven uit Rosengård, vermoord heb ik mijn broeder, o mijn zoete moeder, en mij vindt gij nooit ofte nimmer. Met de stof onder zijn arm liep hij de trap op en klopte hard op de deur die vanzelf open gleed toen hij ertegenaan leunde. Ze zat bij het raam en het enige wat ze deed was naar buiten kijken terwijl ze zong.

'Ik heb je dat liedje geleerd,' zei hij en hij keek om zich heen in de kleine kamer.

'Dat weet ik,' zei ze. 'Je hebt me veel liedjes geleerd. Dat vond moeder niet fijn.'

'Maar jij vond het leuk.'

'Dat kan ik me niet herinneren.' Ze wees naar het mes, dat hij nog steeds in zijn hand hield en hij legde het op de ladenkast en hoorde hoe ze zuchtte toen het kleedje scheef gleed. 'Jawel,' zei hij en hij ging op de rand van het bed zitten, 'je vond het leuk, en je leerde alle verzen net zo snel als ik ze voor je zong.'

'Dat kan ik me niet herinneren.'

Ze was half overeind gekomen, alsof ze van plan was hem de kamer uit te sturen. Hij ging wat steviger op het bed zitten, drukte zich demonstratief in de strozak, toen haalde ze achter haar rug een sok tevoorschijn en begon te breien. In het venster brandde een kaars, het lichtschijnsel viel op het gouden medaillon in het kuiltje van haar hals.

'Morgen moeten de aardappels eruit,' zei hij en hij keek om zich heen, naar de kleine kist en het doosje met schelpen op het deksel. Hij draaide zijn hoofd van de ene kant naar de andere en merkte hoe onprettig ze het vond dat hij naar haar spullen keek. Hij keek bijzonder lang naar het hoofdeinde van haar bed en de bloemenrank die was uitgesneden in het hout. De naalden tikten afkeurend. Ik bederf de dingen voor haar, dacht hij, alleen al door ernaar te kijken.

'Mijn vader heeft het bed gemaakt.'

Hij balde zijn vuist om de beddenpoot en dacht aan deuren die werden opengeslagen, daarachter gedekte tafels onder kroonluchters. Tora stond bij de tafel in haar rode jurk en stak takjes peterselie in de boter. Het was zomer, de gasten kwamen aanlopen vanaf zee.

'En laat je één ding duidelijk zijn, aardappels rooien doe ik niet!'

Ze wees naar hem met de naald en trok haar mondhoeken naar beneden; ze is lelijk als een trol, dacht hij toen het lichtschijnsel op haar harde voorhoofd viel en het deed glanzen, ik zal haar niet kunnen uithuwelijken, niemand wil haar hebben, ik moet haar voor altijd houden, hel en verdoemenis nog aan toe.

Zeilen, hij dacht aan wind, aan weggaan. Zij stond op de oever en werd kleiner, ten slotte verdween ze. Er knapte ineens iets, alsof er iets brak.

'Het was ook niet mijn bedoeling je aardappels te laten rooien,' zei hij en hij gooide het pak stof in haar schoot.

'Waar is dat voor?' vroeg ze zonder de stof aan te raken.

'Voor een jurk, had ik gedacht.'

'Ik kan niet in een rode jurk lopen.'

'De vrouw des huizes op Stillingsön heeft een rode jurk,' zei hij en hij stond op. Hij stak de andere kaars aan en zette hem op de ladenkast, toen zag hij zijn grote brede schaduw op de muur groeien, hij groeide zelfs tegen de zoldering op, wentelde zich en zwaaide met zijn armen, opende zijn mond en mokte: 'Zij loopt er in ieder geval wel in.'

Tora had haar sok weer opgepakt, de naalden tikten droog als dode takken.

'Je moet er morgen nog maar eens naar kijken, in het daglicht,' zei Frank.

Ik ga een scheepshelling aanleggen, dacht hij, echte boten bouwen en vlaggen hijsen en etentjes geven. Zeven timmerlui aanstellen en muntjes onder de mast leggen en een compagnon nemen en eigen briefpapier laten drukken met mijn naam bovenaan. Zij zal op de oever staan en met een zakdoek wuiven.

Hij schraapte zijn keel en zei: 'Ik ga een scheepshelling aanleggen...'

'O ja,' zei ze en ze plette een slome herfstvlieg tegen de vensterbank.

'Ja, want het zijn nieuwe tijden en ik neem geen genoegen met het timmeren van roeiboten in de schuur. Dit was ooit een mooi bedrijf, maar je vader heeft het laten vervallen.'

'Mijn vader was geen schipper op een schuit die rond plaste met haringtonnen en hout, hij voer grote schepen naar echte havens. Hij kwam thuis met thee en zijde.'

'Hij kwam helemaal niet meer thuis op het laatst.'

'Er was een herfststorm,' zei ze, 'bij de Noorse kust. Drie schepen vergingen diezelfde nacht.'

'Hoe dan ook, hij is weg.'

Toen werd ze kwaad en gooide de stof naar hem toe, er flitste iets door zijn hoofd, hoe zacht het langs zijn wang streek en hoe mooi het zich ontvouwde toen het richting de deur vloog. Het volgende moment schudde zijn schaduw het meisje door elkaar, hij zag op de muur hoe haar hoofd heen en weer vloog terwijl de schaduw zijn mond opende en schreeuwde: 'Waarom neem je niet aan wat ik je geef?'

'Ik wil niets hebben,' schreeuwde de meisjesstem, met horten en stoten doordat haar tanden tegen elkaar sloegen. Hij hield op met schudden en voelde hoe haar warme haar over zijn handen stroomde. Pling, pling klonken de haarspelden toen ze op de grond vielen. De schaduw op de muur was zwart als kool en hield een mes in de hand.

Met zijn andere hand trok hij het medaillon strak om de hals van het meisje, hij trilde van verlangen de ketting kapot te trekken en zij klauwde om zijn vingers los te wrikken, toen klemde hij nog harder en lachte om het boze gehijg dat ergens vandaan kwam, ergens van buiten de kamer meende hij. Ver weg was er iemand die tegen hem schreeuwde en vloekte, een voet raakte zijn been met een wollige pijn alsof ook die zich buiten de kamer bevond.

Hij hield zijn ogen op de muur gericht en keek verwonderd toe terwijl de schaduw het medaillon losliet en een pluk haar van het meisje greep. 'Je zou je haar moeten krullen,' zei hij vriendelijk, maar het enige waar ze zich om bekommerde was het sieraad redden, ze tastte ernaar en liet het onder haar kraag glijden terwijl ze heen en weer zwaaide aan de streng haar die hij vasthield.

'Ik heb je een zilveren speld gegeven,' zei hij, 'die draag je nooit.'

''s Zondags naar de kerk,' zei haar stem. Nu was die heel dichtbij.

'Dat telt niet.'

Het lemmet van het mes glom toen hij een haarlok boven haar voorhoofd afsneed, ze viel achterover en landde met een bons op de kist.

'Je moet me niet zo tergen,' zei hij en hij keek naar de lok die hij in zijn hand hield.

De kamer was weer stil en licht geworden, de kleine vlammetjes richtten zich op in de stilte en begonnen helderder te branden. Tora bleef op de kist zitten, haar vingers gleden heen en weer over het afgesneden haar en trokken eraan, een dunne franje die amper haar wenkbrauwen bedekte. Toen ze opstond deinsde Frank achteruit, maar ze liep slechts naar de wastafel om in de spiegel te kijken.

Ineens leek zijn aanwezigheid haar in het geheel niet te

storen, of ze was hem vergeten, of ze deed alsof hij er niet was. Ze stond daar alsof ze alleen was en maakte krullen op haar voorhoofd, een vinger dopend in de lampetkan. 'Geef het mes,' beval ze ineens zonder zich om te draaien, en hij reikte het aan zodat ze recht kon maken wat hij scheef had afgesneden. De hele tijd zag hij hoe haar donkere ogen vanuit het spiegelduister naar hem keken.

Tot slot raapte ze de stof van de vloer op en wikkelde zich erin, drapeerde het op verschillende manieren en kronkelde voor de spiegel die zo klein was dat hij slechts een klein stukje per keer liet zien, maar dat leek voldoende te zijn, want ze glimlachte. Ze boog diep alsof ze het beeld groette.

Frank gaf een feest en Tora droeg haar nieuwe jurk, die was niet genaaid van de rode stof maar van de grijze met bladmotief, want die vond ze mooier. Ze had begrepen wat hij wilde dat ze zou doen, en dat deed ze: omdat ze het kon en om te laten zien dat ze het had begrepen. Hij kon niets voor haar verborgen houden. Het was merkwaardig dat het zo was geworden tussen hen, misschien was het gebeurd toen zijn hand het medaillon omsloot en ze voelde hoe graag hij de ketting kapot wilde trekken, misschien veel eerder, toen ze was teruggekeerd uit de pastorie en de schone kamer aantrof die op haar wachtte, maar nu begreep ze alles en keek klaar in wat eerst duister en troebel was. Het voelde bijna als een teleurstelling alles ineens zo helder te zien.

Hij was doorschijnend als een libel in de herfstzon zoals hij daar in het eikenweitje liep op de uitkijk naar boten, zijn hemdsmouwen fladderden van geestdrift wanneer hij zijn hand opstak om naar de zee te wuiven. Ze hield zijn mantel voor hem op zodat hij niet hoefde te stuntelen, zodat ze hem niet hoefde te zien stuntelen. Vervolgens liep ze naar binnen om de koffietafel gereed te maken, het was slechts een klein feestje voor de schippers van Orust, hij wilde een compagnon met geld vinden voor de scheepshelling die hij zou bouwen, maar dat kon haar niets schelen. Ze had een krans van goudsbloemen op het tafelkleed gelegd. De gasten kwamen lachend en gesticulerend door het weitje omhoog, Frank had hen de plek al laten zien waar de helling moest komen, de vrouwen liepen voorop en ze ging naar buiten om hen te begroeten, maar alleen omdat het haar huis was. Nu deed ze wat hij wilde, maar alleen omdat zij hetzelfde wilde. Het was vreemd hoe hun verlangens zich hadden kunnen verenigen en één waren geworden; dat beviel haar en ook weer niet, het was vreemd hoe twee zulke verschillende gevoelens tegelijkertijd aanwezig konden zijn.

Frank stond tussen de eiken naar een man met een witte baard te luisteren, ze hield de deur open en vroeg de dames binnen te komen, tegelijkertijd zag ze hoe hij zich dichter naar de man boog om hem goed te kunnen horen. Zijn hand vloog instemmend door de lucht. Ze wilde dat hij niet zo bedrijvig was. 'Komt u verder,' riep ze met haar beste stem naar de dames die roezemoesden in de hal, ze waren slechts met z'n drieën maar ze had het gevoel dat ze overal waren, alles in de kamer inspecterend, de geborduurde kussens en het kleed met opengewerkte zoom, de vlijtig liesjes in de vensterbank. Ze waren bevriend geweest met haar moeder en nu praatten ze over haar terwijl Tora knikte en glimlachte. De warmte stroomde haar tegemoet, maar ze wilde hem niet; ja, het was treurig van moeder. Veel te jong. Groot gemis.

Baardige kapiteins stapten over de drempel en gaven haar een hand, ze maakte een kniebuiging en zette een vriendelijk gezicht terwijl de verhalen de kamer vulden, overal flarden, sommige over kapitein Peder Torson en een vastgevroren brik in de haven van Sint Petersburg, andere over de oude boer Sander die tijdens een regenachtige winter roeiboten in de schuur was gaan bouwen. Frank stond in een hoekje te luisteren, over hem waren er geen verhalen. Ze zag hoe eenzaam hij was, want nu was de kamer van haar en ze begon hem met eigen woorden te vullen en hoorde haar eigen stem steeds vlugger en harder praten. Ze lachte en kreeg de anderen aan het lachen met het verhaal over het touw, het touw dat moeder om het middel van vader had gebonden toen hij een eindje wilde zwemmen en zij er niet op vertrouwde dat het water hem zou dragen. De kunst van het zwemmen had hij op zijn reizen geleerd, maar hier was die onbekend, moeder zat op de rots en hield het touw vast. Ze praatte over haar moeder maar het ging over haar, want de verhalen waren van haar, alleen van haar, ze gebaarde met haar arm en gaf bevelen zoals toen ze klein was, open de ramen, breng de koffie binnen, en al die tijd keek hij naar haar, maar hij was niet boos zoals ze had verwacht, het was iets anders, iets wat ze niet wilde.

Ze keek weg en viel stil. Al die verhalen, ze waren niet bedoeld om aan vreemden te vertellen, nu had ze hen verraden. Frank kwam uit de hoek tevoorschijn en vroeg iedereen te gaan zitten. Ze voelde hoe zijn arm in het donkere water werd gestoken en haar opving.

Ze voeren naar het doopfeest in Höviksnäs, hij liet haar het roer vasthouden en spreidde zijn jas voor haar over de stuurmansbank om op te zitten. Ze stuurde naar het zuiden en antwoordde amper op zijn vragen, of ze het koud had, of het niet te veel spetterde, of ze niet liever in de luwte wilde zitten. Hij had een overdreven grote dooplepel gekocht en zij wist waarom, net zoals ze wist waarom hij haar zo zacht voor zich uit schoof om het echtpaar te begroeten en haar een behulpzaam duwtje gaf: om te laten zien dat zij het kind was dat hij onder zijn hoede had genomen. Ze maakte een kniebuiging voor de koopman en zijn vrouw die in de deur stonden, vervolgens ging ze de kamer binnen en wachtte tot er iemand zou komen, en er kwam iemand, een meisje dat ze lang geleden had gekend, voordat ze werd weggestuurd. Ze verstopten zich achter de deur en lachten om het kleine jongetje dat werd rondgedragen en getoond in zijn lange jurk.

Aan de andere kant van de kamer stond Frank met de koopman te praten, hij hield tekeningen in de lucht omhoog en wees op kaarten aan hoe de schepen zouden varen, zijn plannen bolden op als zeilen en kregen leven ingeblazen. De hele tijd hoorde ze zijn stem door de andere stemmen in de kamer, een diepere toon. 'En ik zei dan gaat het over en toen ben ik weggerend,' fluisterde het meisje. Tora trok haar verder de hoek in en vroeg wat er daarna gebeurde, maar toen verplaatste Frank zich naar het raam vanwaar hij haar nog steeds kon zien; waar ze ook was in de kamer, hij kon haar zien. Ze ging naar buiten naar het prieel, maar meteen hoorde ze voetstappen knarsen in het grind en ze wist dat hij het was. De donkere stem praatte door de muur van bladeren. Ze moesten opstappen. Het was al laat.

De zee was glad en oranje van de avondzon. De boot stond bijna stil in de deining en slingerde heen en weer met het slappe zeil.

Het was herfst, de sleepruimen rijpten, ze legde ze in brandewijn met suiker zoals ze in de pastorie had geleerd en keerde het blik voorzichtig om zonder te schudden, één keer in de week, vaker niet. Ze naaide een rode jurk, maar alleen omdat ze zelf wilde, misschien zou ze hem nooit dragen. Ze hield het fluweel voor de spiegel omhoog en zag hoe de kleur alles kleur gaf. Als ze de stof van iemand anders had gekregen had ze hem misschien mooi gevonden.

Het in de kist laten verpieteren was een manier, het gebruiken een andere, in beide gevallen was zij degene die won. Het was merkwaardig dat het zo was geworden tussen hen, maar het had te maken met de schaduw op de muur die brulde en zwaaide met een mes, hoe meer die zwaaide des te rustiger ze werd. Wat haar angst aanjoeg was niet de donder maar het moment ervoor, als de vogels midden op de dag stilvielen terwijl de zon scheen. Een grote blauwe kolos van onweer kwam aanstormen over zee, ze opende het raam en keek naar buiten.

Het was niet eenvoudig een compagnon met geld te vinden en waarom zou je grote boten op Ekornetång bouwen als je dat net zo goed ergens anders kon doen; het was maar een droom, een houten droom van zestig mooie spanten in een wieg van stutten. De eiken krulden in elkaar met roest op de bladeren, eronder liep Frank kopstoten uit te delen aan de lucht. Soms bleef hij staan om iets uit te leggen aan een steen of een struik. Een pol lag in de weg, hij spietste hem aan zijn stok.

Zelf trok ze haar rode jurk aan en rangschikte de glazen op het dienblad, het was stil in het kantoortje, ze waren uitonderhandeld, de oude mannen zaten wijdbeens in hun hoge laarzen, die aarde mee naar binnen hadden gebracht en achtergelaten op het kleed, in hun zwarte stijve kleren, die roken naar zout, vuil, vis en pruimtabak. Hun baarden waren geel rond hun mond, hun vingers vol zwarte rimpels die niet konden worden weggewassen, omvatten de kleine glaasjes, sleepruimkleurige glaasjes die suikerige kringen op Franks papieren achterlieten. Ze trok de stop uit de karaf en schonk bij, ze kreeg ze aan het lachen met die glaasjes, die je bijna niet kon vasthouden, zo klein waren ze. Frank had zijn pen op de grond laten vallen.

En zelf was ze ook niet al te groot, maar groter dan ze zich herinnerden, op wie leek ze het meest? Op haar vader, dat stond buiten kijf. Dat was een echte zeeman, die kapitein Peder Torson, en wat een stem als hij tekeerging over de zeilen. Dan was er niemand die hem tegensprak.

Ze keek naar Frank, moest ze gaan of moest ze blijven, maar hij was nog steeds op zoek naar de pen die onder een stoel was gerold, ze bleef. Ze legde haar hand op zijn rugleuning en vertelde een verhaal over de hond van haar vader die in de dagen voordat hij thuiskwam op de steiger had zitten wachten, niemand wist wanneer hij zou komen, maar de hond had altijd gelijk.

'Honden ja, dat zijn slimme beesten. Herinneren jullie je mijn Snapp nog? Die kon tot vijf tellen.'

Het was een klein beest dat met zijn staart kwispelde.

'Want als ik vijf borrels op had, dan begon hij te blaffen.'

Hij stond op de steiger te snuffelen. Opende alle deuren, is hij in deze kamer? Misschien is hij in die kamer? Werd er op de deur geklopt, dan sprong hij op en blafte, maar het was de buurman die een praatje kwam maken.

'Je zou een hond moeten hebben, Tora.'

'Ja, een mooi klein hondje met een bruine krullende vacht.'

Ze kon zich de oude hond niet herinneren die op de steiger had zitten wachten. Mari had over hem verteld.

'Een klein hondje met grote bruine ogen, zoals je zelf hebt. Wat zeg je me daarvan, Frank?'

Frank zei niets en ze werd kwaad omdat hij daar maar zat met hangende armen. Er waren blauwe kringen op het contractvoorstel gekomen, ze boog vooorover en las 'eiken- en dennenhout droog, volgroeid en in goede staat,' toen sloeg ze het dienblad tegen haar been en zei: 'We hebben al een hond.'

'Maar een eigen hond om mee naar bed te nemen, het kan zo koud zijn in oude huizen, hahaha.'

Het gaf niets.

'Moet je niet eens trouwen, Tora? Vraag aan Frank of hij een man voor je vindt.'

Ineens hoorde ze zichzelf zeggen dat ze dat zelf wel kon. Ze zei het met luide vrolijke stem.

Het was om ze aan het lachen te maken, maar dit was een ander soort lach dan ze zich had voorgesteld, scherper. Ze knipoogden naar elkaar. Tora perste zich tussen de stoelen en begon de glazen af te ruimen, toen lachten ze nog harder en ze begreep dat niets ter wereld grappiger was dan een meisje in een rode jurk dat zich moet uitstrekken en bijna vast komt te zitten tussen de stoelen terwijl ze glazen op een dienblad zet. Ze gingen niet opzij en waren niet van plan hun benen in te trekken, ze moest eroverheen stappen en voelde hoe haar jurk bleef haken in de ruwe stof van hun broeken, hahaha, ze vonden het leuk dat ze vastzat, het was als het plukken van bramen, ze trok zich los maar bleef meteen haken aan nieuwe doornen. Al die tijd zaten de kerels als standbeelden met hun armen over elkaar, ze keken niet naar haar toen ze naar het laatste glas reikte. Frank had zijn pen gevonden, hij droogde hem af met het lapje dat altijd naast het inktstel lag, vervolgens ging hij rechtop zitten en zei haar te gaan, ga naar de keuken, Tora, en zeg tegen de meid dat ze komt afruimen, maar het was niet onvriendelijk en precies op dat moment kwam ze los. Alle benen werden onder de stoelen getrokken.

'Je moet het niet zo groot aanpakken, Frank,' zei de oudste. 'Je kunt net zo goed op dezelfde voet doorgaan, zonder scheepshelling.'

'Nee,' zei Frank en hij begon de papieren op te rollen.

'Ik zou natuurlijk wel een kleiner bedrag kunnen investeren, in een meer bescheiden onderneming.'

'Nee,' zei Frank weer.

Zijn stem was zacht, slepend bijna, tegelijkertijd reikte

hij met zijn arm naar Tora en duwde haar zacht opzij zodat ze achter zijn stoel kwam te staan. Hij schermde een eigen deel van de kamer voor haar af.

'Maar ik had er al op gerekend,' zei de oudste man drei-
nend. 'Je hebt te veel haast, Frank, zo kunnen we geen zaken doen. Maar je hebt misschien iemand anders achter de
hand, iemand met meer geld? In dat geval begrijp ik niet
waarom je ons hebt uitgenodigd.'

'Ik heb niemand anders achter de hand,' zei Frank. 'De
scheepshelling is van de baan.'

Dat moet hij niet tegen ze zeggen, dacht ze. Hij kan beter een geheime compagnon verzinnen. Het was vreemd
dat het zo liep, dat hij niet probeerde zijn teleurstelling te
verbergen.

'Tora, zeg tegen de meid dat ze een echte borrel brengt.'

Maar toen ze naar hem keek zag hij er niet teleurgesteld
uit.

De kerels leken net kleine hoopjes as. Ze hadden iets
meer verwacht, plechtige verzekeringen of pogingen tot
overreding, maar Frank zat heel vredig naar het raam gekeerd en keek naar buiten. Door de rugleuning waarop haar
hand rustte voelde ze het bonzen van zijn hart, tenminste,
ze dacht dat het zijn hart was dat snel en opgewonden klopte hoewel hij zo rustig leek, maar misschien was het wel
haar eigen hart dat ze in haar vingertoppen voelde kloppen
tegen het hout. Ze had zich niet verroerd, maar de kerels
wilden toch niets meer drinken, verklaarden ze en ze kwamen overeind. Ze waren oud nu, stuk voor stuk.

Zodra ze het huis uit waren vloog ze de trap op om haar
jurk uit te trekken en weg te smijten, maar toen ze in haar
kamer was bleef ze bij het raam staan en zag hoe ze verdwenen in de richting van de zee, de zwarte ruggen dicht
opeen als een grote kever krabbelend door het gele herfst-

gras. Ze moest eerst zien dat ze echt vertrokken. De boten werden in het water gelegd en Franks stok werd vanaf de steiger opgestoken in een soort groet, maar ze bleef staan met de jurk half losgeknoopt, want ze moest wachten tot hij terugkwam.

Ze wist niet hoe het zo geworden was tussen hen. Misschien door de hand die het medaillon had omsloten en bijna kapot had getrokken, en doordat ze die drang begreep: kapot scheuren, snijden, trappen en slaan. Toch kon ze enkel reageren door het medaillon te blijven dragen zodat hij het altijd zou zien, want dat was haar manier.

Ze was ervan overtuigd dat hij het begreep en dat hij op dezelfde manier zou reageren. Als ze hem vriendelijk om iets had gevraagd zou hij wegkijken en als ze had gehuild zou hij kwaad zijn weggelopen. Daarom moest ze achter het gordijn staan toen hij kwam aanlopen van zee. Ze wilde zich ervan vergewissen dat alles in orde was, maar dat mocht hij niet weten.

Even later wilde ze dat ze in de keuken was gebleven zoals hij had gezegd, want hij struikelde in het gras en het was duidelijk dat hij teleurgesteld was.

Het was een dag met grijze hemel, lage wolken, lucht verzadigd van waterdruppels. Frank stond op het erf en zag een raaf over het kapotte dak van de koeienstal vliegen. De dag was zo stil dat hij iedere vleugelslag kon horen toen de vogel in een langzame schokkende vlucht over de daknok scheerde en in de dichte mist verdween. Het was midden in de slechtste tijd van het jaar, de wazige natte tijd met modderkluiten onder de schoenen en binnenshuis was het klam en halfduister hoewel de lamp brandde. De nevel was aardkleurig en taai als turf, hij bewoog amper.

Hij had te veel gegeten en voelde zich lusteloos, in de hal had hij zijn voeten in een paar klompen gestoken die iemand daar had laten staan en die zo klein waren dat zijn hielen uitstaken. Alles wat hij zag stemde hem mismoedig. De stalwanden waren nog ouderwets bekleed met takken van de jeneverbes, terwijl hij had gedacht dat alles tegen deze tijd geschilderd zou zijn, de ramen lieten niet genoeg licht binnen bij de koeien, de loopbrug naar de hooizolder moest worden geëffend en de diepe kuil in het midden van het erf opgevuld, het gereedschap moest beter opgeborgen en niet kriskras tegen de wand staan. De bergen moesten verlaagd zodat je eroverheen kon kijken en het bos verhoogd tot goed mastmateriaal, een andere plek was beter geweest, eentje waar dingen met minder weerstand verplaatst en gerangschikt konden worden. Hier was alles traag en hij voelde zich moe, maar dat kwam misschien door de soep. Die kookten ze altijd van de vetste stukken. De behoefte aan een middagdutje, even gaan liggen zoals de ouwetjes deden, hij had er bijna aan toegegeven.

Alles hier moet over, dacht hij verbaasd. Alles had van het begin af aan anders gemoeten.

Hij wist niet waar het misnoegen vandaan kwam, want in tien jaar had hij Ekornetång toch veranderd in een van de beste hoeven van de streek, dat stond zwart op wit, maar die lelijke takken zaten er nog altijd en hij was er zo aan gewend dat hij ze niet eens meer zag. Het was net een betovering. Er was altijd een woord dat de betovering verbrak, op het laatste moment herinnerde je het je, na twintig dagen windstilte als het drinkwater bijna op was riep de jongste scheepsjongen: Glimveer! En de wind kwam terug. Een raaf, groot als een hond en pikzwart, vloog over het dak van de stal en kraste donker, en toen zag hij het ineens: de takken en de rommel en de kleine bekrompen grijze wereld die de herfst nog kleiner maakte.

De wolken kwamen met meer regen, geen harde duidelijke regen in grote druppels maar bedrieglijke nevelige regen die je besloop. Hij strompelde over het erf in zijn sloffende klompen en voelde hoe zijn hiel bij iedere stap de grond raakte en zijn sok water opzoog. De deur van het opkamertje zat op slot, hij bonkte net zolang tot Arvid een van de ramen opendeed. 'Je moet de boel niet zo op slot doen,' schreeuwde Frank tegen het lichte gezicht dat naar buiten leunde in een krans loshangend haar. Net een meisje, dacht hij en hij gaf een extra schop tegen de deur.

Hij stopte zijn pijp en wachtte, deed op zijn wankele klompen een paar passen heen en weer op het modderige erf tot het klonk alsof er iets van de trap viel, een zachte bons alsof iemand een zak meel liet vallen. Binnen blafte de hond een paar keer woest. Hij draaide de pijp in zijn hand, het was een nieuwe meerschuimpijp die nog niet was ingerookt, hij streek met zijn duim over de honinggele kop en wachtte tot er iets achter de deur bewoog, toen leunde hij naar voren en riep, zachtjes zodat niemand in het grote huis het zou horen.

'Het was een vermolmde traptree,' antwoordde de stem binnen.

'Doe open zodat ik je kan zien.'

'Ik had de trap veel eerder moeten maken,' zei Arvid en hij draaide de sleutel om. Hij duwde de deur open en knipperde tegen het licht, als een aardbeest, alsof hij uit een hol was gekropen en zich nog steeds voor de helft in het donker bevond. Toen hij naar buiten op de trapsteen stapte hield hij zijn hand op als bescherming tegen de grauwe schemering, alsof zelfs die pijn deed.

'Je bent dronken,' zei Frank en hij deed een stap achteruit.

'Ik kan het me niet herinneren. Misschien wel, ja.'

'Ik ruik het.'

Arvid keek naar de hond die rondjes rende over het erf en vervolgens naar zijn hemd, dat vies was en een grote scheur aan de voorkant had. 'Is dat gekomen toen ik viel?' vroeg hij en hij draaide zich om zodat Frank het kon zien.

'Hoe moet ik in godsnaam weten wanneer je hemd gescheurd is.'

'Er zat ergens een spijker,' zei Arvid en hij stak zijn hand door de scheur, zijn gezicht kreeg een uitdrukking van dromerige concentratie terwijl hij over zijn buik streek op zoek naar de schram die daar moest zitten, hij haalde zijn vingers weer tevoorschijn en keek ernaar, maar ze waren droog. 'Niet erg,' zei hij en hij glimlachte, stralend.

'Wat moet ik met je aan,' zei Frank.

Het leek hem nog zo kortgeleden dat hij met de jongen

in zijn kielzog had rondgelopen en het prettig vond dat hij daar was. Dat was in die eerste lente, de lente na de ijswinter en de hongerwinter en de houthakkerswinter. Hij was uit Dalsland komen lopen terwijl de sneeuw smolt en toen hij bij de heuvels kwam die afdaalden naar Tång viel de eerste lenteregen met kleine troostende geluiden. Hij had zelf willen huilen, voor alle wonden waarop niemand een kus had gegeven. Hij had geprobeerd te denken dat hij nu op weg naar huis was, en uiteindelijk was dat waar gebleken.

De avonden waren het best, dan nam hij de jongen met zich mee naar de akkertjes aan de bosrand, het was bedoeld om hem dingen bij te brengen maar vooral ook vanwege de avonden, die zo bruin en mild waren. Als er een regenbui was gevallen zongen de vogels krachtiger, de jongen vroeg waardoor dat kwam en hij zei dat ze blij waren omdat de lucht zo schoon was. Dat was hoe hij het zelf ervoer als hij ademhaalde.

Hij had het prettig gevonden dat er iemand vlak achter hem liep en vragen stelde, maar toen was er iets gebeurd. De jongen werd te groot voor dit soort wandelingen. Eigenlijk was hij dat altijd al geweest, want hij was geen jongen, iedereen noemde hem gewoon zo en bleef dat doen tot het te laat was. Hij was nog steeds een jongen zoals hij zijn hand stond te bekijken, zijn strogele haar achter een oor gehaakt, een jongen met rimpels, van al het turen als hij de hele dag op zee zat en de boot liet drijven, en met handen die er verweerd uitzagen. Alles aan hem was een beetje versleten, alsof hij vergeten in de zon en regen was blijven liggen. Ooit had Arvid prachtige lichtblauwe ogen gehad.

Een jongen, dat is iemand die drie, vier jaar oud is en met jonge katjes op de trap zit te spelen. Hij is vijf jaar en krijgt de vogelvluchten aangewezen. Hij is zes en loopt ach-

ter de geploegde voor en vraagt of hij mee mag rijden, uiteindelijk tilt men hem op het paard, dat zijn hoofd draait
en naar het beentje kijkt dat recht vooruit steekt. 'We moeten het dak van de koeienstal maken,' zei Frank toen de
eerste druppel viel. Nu begonnen de lange herfstregens
echt.

Hij liet zijn hoofd achteroverleunen en nam het dak in
ogenschouw hoewel hij precies wist waar het gat zat. Ondertussen luisterde hij naar de zuchtende geluidjes achter
hem, van iemand die ronddraaide en van zijn ene voet op
de andere stapte in de modder. 'Het gat zit midden boven
de hooizolder, geloof ik,' vervolgde hij, 'maar je moet zelf
kijken. Ja, pak de ladder en ga kijken.' Hij richtte zijn aandacht op zijn pijp, die steviger gestopt diende te worden,
draaide zich om en zei: 'Heb je gehoord dat ik zei dat je de
ladder moest halen?'

Toen hij de oude jongen zag staan rillen met zijn handen in zijn hemdsmouwen gestoken en om zich heen zag
kijken voor hulp, kreeg hij zin hem lens te slaan.

'Je weet toch wel waar de ladder staat?'

'Ik weet het niet zeker. Dus misschien kun je beter iemand anders sturen.'

'Er is op dit moment niemand anders die ik kan sturen.'

'Maar waarom klim je zelf dan niet op het dak?' vroeg
Arvid en niemand wist of het oprechte verbazing was over
het feit dat Frank zelf niet op die simpele oplossing was gekomen of dat er in zijn wereld ook listen en stekeligheden
bestonden. Niemand kende zijn wereld.

'Tja, ik moet eerst mijn pijp roken,' zei Frank.

'Dan kan ik in de tussentijd de ladder halen en kan jij
daarna op het dak klimmen.'

Frank liep naar de keuken en stak een stokje aan in de
haard, door het raam zag hij Arvid en de ladder aan elkaar

vastgeklampt voorbij zwabberen. Hij wist zelf niet waar het allemaal toe diende. De hemel was blauwzwart en het was gaan waaien, iedere andere dag was beter om een gat in het dak te repareren, maar Arvid was erin geslaagd de ladder tegen de schuur te zetten en stond er afwachtend naast. Frank wees met zijn pijp en riep 'omhoog, omhoog,' maar Arvid bleef staan en glimlachte om het misverstand dat snel zou worden rechtgezet: hij had de ladder gehaald, dat was zijn onderdeel van de afspraak.

'Maar weet je,' zei Frank en hij greep zijn arm vast, 'ik ben nog niet klaar met mijn pijp en bovendien kan ik met dit schoeisel geen ladder op.' Hij kneep in de arm, maar liet meteen los toen hij voelde hoe mager die was, als een handjevol gras. Hij tilde zijn ene voet op zodat Arvid de klomp kon zien die te klein was en ook afgesleten aan de onderkant.

'Daar glij je mee uit?'

'Daar zou ik beslist mee uitglijden.'

Arvid keek een poosje naar de grond, toen richtte hij zich op en zei: 'Ik wil niet.'

Frank sloeg hem, met zijn vlakke hand in het gezicht, niet harder dan dat je een paard een tik geeft. Arvids hoofd sloeg achterover tegen een sport van de ladder, maar het kon niet veel pijn hebben gedaan, want hij dacht slechts heel kort na voordat hij zei: 'Nee, ik wil echt niet.'

Frank sloeg hem nog twee keer, iets harder nu, de tweede klap kwam op zijn oor doordat Arvid zijn hoofd had weggedraaid, het deed misschien een beetje maar toch niet heel erg pijn. Frank had het gevoel dat hij iets doods sloeg. Dat onverschillige lijf dat niet eens probeerde hem te ontlopen deed hem walgen. 'Je kunt toch wel een ladder op klimmen,' schreeuwde hij en hij sloeg nogmaals, in zijn buik dit keer, het was niet meer dan een por, zo licht dat hij het zelf amper voelde, maar Arvid klapte dubbel en hapte naar lucht.

'Zo erg is het niet,' zei Frank en hij liet hem los, toen vloog Arvid ineens de ladder op zonder zijn handen te gebruiken, alsof het een trap was, het leek alsof hij recht de lucht in rende over luchttreden. Boven aan de ladder bleef hij op dezelfde manier doorrennen, schuin over het zwak hellende dak tot hij midden boven de hooischuur was, daar ging hij op de nok zitten en keek uit over de akkers aan de andere kant. De wind rukte en trok aan zijn haren. 'Je hebt berkenschors nodig om het gat dicht te maken,' schreeuwde Frank tegen de afgewende rug, maar zijn stem verdween in de windvlagen. Nu de nevel was weggewaaid deed de dag niet onder voor een gewone grijze dag met gewone regen die blaasjes maakte in de modderplassen, en hij begreep zelf niet waarom hij Arvid het dak op had gejaagd. Met zijn handen vormde hij een trechter rond zijn mond om te roepen dat hij naar beneden moest komen, maar hij gleed uit toen zijn ene klomp werd vastgezogen in de modder, en toen hij even later omhoogkeek was het dak leeg.

Tora zag Arvid vallen. Ze stond aan de bosrand met een zak wol die ze Mari wilde laten spinnen en twee ronde broden in een bundeltje geknoopt. Ze draaide zich om omdat ze de hond hoorde blaffen en toen zag ze hem balanceren op de nok met haar dat door de wind in uitstaande punten werd getrokken en spartelende armen en benen, een grote witte ster die een paar buitelingen maakte voordat hij over de rand viel. Tegen de anderen zei ze dat hij op zijn knieën in de plaggen zat te graven om het gat te vinden en dat hij met zijn voet was blijven haken toen hij wilde opstaan, maar in werkelijkheid had het eruitgezien alsof hij op de nok op en neer sprong en een spelletje deed. Het vallen zelf was volledig geluidloos. Ze gooide de zak en het bundeltje neer en rende dwars over de akker en door de natte brandnetels die rond de mesthoop groeiden, waarin hij een zachte landing had gemaakt maar hij lag doodstil, zuchtte slechts een beetje toen ze hem heen en weer schudde.

'Waar zijn jullie?' riep ze, want ze verkeerde in de veronderstelling dat de anderen hem ook hadden zien vallen en onderweg waren om haar te helpen, maar er kwam niemand, ze moest hem alleen laten en helemaal rond de koeienstal rennen naar het erf waar Frank met één sok in de modder naar het dak omhoog stond te kijken. 'Hij ligt aan de achterkant,' riep ze wenkend, vervolgens rende ze terug en hij kwam achter haar aan, ze hoorde het gebonk van zijn ongelijke passen en een soort gepiep, alsof hij buiten adem was of bang voor iets. Toen ze zich op haar knieën in de drek liet vallen opende Arvid zijn ogen en zei dat ze moesten beloven hem naar het opkamertje te brengen, want hij wilde nergens anders liggen.

'Je stinkt zo erg dat we je toch niet naar het huis kunnen brengen.'

Frank droeg hem, zij hoefde er alleen maar naast te lopen en Arvid voor te houden hoe dom het was op het dak te klimmen als het waaide, maar ze wist dat het lastig was om van een plaggendak te vallen, daar moest je zelfs op winderige dagen moeite voor doen. 'Je moet niet het dak op gaan als je dronken bent,' mompelde ze en ze raapte het mes op dat uit zijn broekzak viel.

'Ik kon toch niet weten dat hij zou vallen,' zei Frank terwijl hij de deur opende en voorging op de trap naar het kleine kamertje, waar een lont brandde op een schoteltje met traan. Ze legden Arvid op een stapel zakken en trokken zijn kleren uit. 'Hoe kon ik dat weten,' mompelde Frank en zij stuurde hem weg met haar wijsvinger, de hooizolder op en de keuken in, wat ze hem ook opdroeg, hij gehoorzaamde.

Dat was zeer terecht, want alles was zijn schuld. Dat ze Arvid moest wassen was zijn schuld. Dat ze opgelucht was dat ze hem niet het huis in hoefden te dragen was ook zijn schuld. 'Weet je zeker dat je liever hier ligt?' vroeg ze toen Arvid zich in het stro installeerde dat Frank had gehaald, maar hij gaf geen antwoord. Hij lag naar de regen te kijken die het raam deed bewegen als een stuk grauw zeildoek.

'Binnenkort is het te koud om hier te wonen,' zei ze en ze ging naast de hond zitten die dacht dat alles nu in orde was en met lange trillende ademteugen lag te slapen.

'Ik was van plan een kleine haard te metselen,' zei Arvid

en hij tilde zijn handen op. Hij liet haar zien hoe hij de stenen bovenop elkaar legde en er specie tussen smeerde.

'Er is geen rookgat,' zei ze.

'Ik zou ook een kleine schoorsteen kunnen metselen.'

De doelloze handen werden moe van de luchtstenen en vielen terug op de deken die ze over hem heen had gelegd.

Ze keek om zich heen in de ruimte, die nooit voor iets anders was gebruikt dan het bewaren van kapotte spullen en waar de spinnen jarenlang het ene web na het andere hadden geweven, tot dikke grijze kluwens in de hoeken, spikkelig van het zaagsel dat uit het dak sneeuwde wanneer de ratten tekeergingen. De kelderlucht drong door de kieren in de vloer naar boven. Wat is het hier smerig, dacht ze. Hoe houdt hij het hier uit? De hond kermde in zijn slaap, hij zat achter iets aan. Zijn staart bonkte drie keer tegen de vloerplanken toen hij zijn prooi had ingehaald.

Toen ze die ochtend het doosje met botergeld had geopend om Mari twee rijksdaalders voor de wol te geven, was het leeg geweest. Het was eerder gebeurd dat er geld ontbrak, maar het was de eerste keer dat hij alles had weggenomen. Ze begreep wat dat betekende: het kon hem niet schelen of ze het wist. Het was niet nodig de schijn op te houden. Ze zou hem toch nooit kwaad doen. Ik zal voor je zorgen.

Maar dat hij het zo openlijk deed en dat hij zich liet wassen en zijn armen slap liet hangen toen ze hem omdraaide om het schone hemd aan te trekken, dat hij zich liet omdraaien en deed alsof hij het prettig vond en niet eens probeerde mee te werken, dat het volstrekt onbelangrijk voor hem was iets te verbergen, dat iedereen kon zien dat hij geld had gestolen en van het dak viel omdat hij het had opgezopen, dat maakte dat ze hem weg wenste, ver weg zodat ze weer om hem kon geven. Hij moest zijn waar hij thuishoorde, in het groenste gedeelte van het bos.

Hij stonk naar foezel en mest en had donkere vlekken in zijn gezicht. Toen ze zijn arm optilde van de vieze vloer en die over zijn borst legde, kermde hij en Frank, die in de deur stond, rende weg en riep dat hij iets ging halen. Zelf schoof ze een eindje opzij om de stank te vermijden. Arvid was al weg, al zo ver weg van hen.

Ze had altijd gedacht dat hij het zelf zo wilde, dat hij de voorkeur gaf aan het zwarte kamertje en de zwerftochten naar plekken die niemand anders kon vinden en de mensen die hij weghield omdat ze te verlegen en stil waren, maar misschien was het alles wat hem nog restte. En misschien was hij haar niet kwijtgeraakt maar zij hem. En misschien was ze hem niet kwijtgeraakt maar had ze hem laten ontkomen. Het beeld van hoe hij viel, zo langzaam en inschikkelijk en zonder hoop, hij viel keer op keer en zij rende over de akker om hem op te vangen.

Hij lag aan zijn wang te voelen waar een blauwe plek was opgekomen. 'Je hebt hem geslagen,' schreeuwde ze tegen Frank, die met een fles brandewijn in de deuropening stond te trappelen op de drempel, alsof hij een aanloop moest nemen om de kamer in te durven waar iemand lag te sterven, zo moet het er voor hem hebben uitgezien. Zijn gezicht was wit weggetrokken van angst, want hij wist niet dat Arvid zacht met zijn hoofd in het bevuilde stro was geland. 'Kijk dan wat je hebt gedaan,' schreeuwde ze schel om hem nog banger te maken: kijk dan wat je hebt gedaan, kijk dan wat je hebt gedaan, hij is helemaal alleen, hij is zo eenzaam als de duiven in het woud.

Toen ze klein was had Arvid zich over haar ontfermd. Hij had haar trieste schuilplaats achter de kluit van een ontwortelde boom gevonden en de kraanvogeldans met haar gedaan tot ze duizelig werd en in het gras viel.

'Het stelde niets voor,' zei Frank en hij reikte de ont-
kurkte brandewijnfles aan. Hij deed een stap de kamer in
en hield de fles als een schild voor zich, toen deed hij nog
een stap terwijl de hond zijn kop optilde en gromde.

'Zijn gezicht is blauw. Misschien gaat hij wel dood. Misschien beland je wel in de gevangenis.'

'Met mij is niets aan de hand,' zei Arvid en hij ging rechtop zitten, en ze kreeg zelf zin om hem te slaan, voor zijn
domheid, of was het goedheid, ze wist het niet. Ze kende
hem niet meer. Misschien had hij alleen maar dorst, want
hij pakte de fles van Frank aan, en toen de hond bleef grommen legde hij zijn hand op de grijze kop en maande hem
tot stilte.

'Volgende keer dat je het dak op gaat moet je zorgen dat
je berkenschors bij je hebt,' zei Frank tegen de deurpost
leunend.

Tora zag hoe hij uitademde en weer zijn oude zelf werd.
Hij zwol en werd tegelijkertijd zacht en traag en gevaarlijk.
'Zo is het genoeg!' brulde hij en hij griste de fles weg toen
Arvid deze voor de tweede keer aan zijn mond zette. Hij
hield hem tegen het licht, schudde zijn hoofd, sloeg de kurk
erin en stopte de fles in zijn zak omdat hij van hem was, zoals alles van hem was, zelfs dit donkere vieze kamertje. Zelfs
het vuil was van hem, hij besliste erover en over de zakken
waar Arvid op lag en over het stof en de dode vliegen.

Alles wat hij hen gaf was genadebrood en ze wist dat ze
iets moest doen.

Hij had zijn armen over elkaar geslagen, tevreden met
zijn vele bezittingen, maar hij liep nog steeds op één klomp
en ze boog haar hoofd en staarde naar de natte sok tot hij
rood werd en de trap af vloog.

'Je moet niet zo gemeen doen tegen Erland,' zei Arvid.

Hij was een beetje in elkaar gezakt, ze hielp hem te gaan

liggen en schikte de deken, maar toen moest ze in de koude trek van het raam gaan staan want ze hield het niet langer uit met zijn gezwollen gezicht en zijn handen die niets voor elkaar kregen en zijn domheid, of was het goedheid, ze wist het verschil niet, want zelf was ze dom noch goed, ze was nog steeds een klein meisje dat gruwelijke straffen bedacht en liever alles zag branden en wegwaaien. Maar liever dan wat wist ze niet. De lichte stem kwam naar haar toe drijven, 'je moet aardig zijn, Tora,' en ze wilde naar buiten rennen, de regen in en recht omhoog de winderige natte hemel in en zich bevrijden, maar ze móést blijven want dat had ze ooit beloofd.

Een kort moment dat smaakte naar kalk en ijzer en aarde en dat droog was als zand in haar mond wenste ze dat Arvid niet bestond.

'We moeten je toch maar naar het huis brengen,' zei ze over haar schouder, maar hij was in slaap gevallen. Zijn arm was weer van zijn borst gegleden en lag op de vloer met de handpalm open en roze als van een kind. Hij sliep heerlijk. Ze ging op een kapot krukje bij het raam zitten om zichzelf een straf op te leggen, hij had nog geen duidelijke contouren, maar ze zag de donkere vorm aan de rand van haar blikveld, als een wolkenbank.

Ze zou bij Arvid blijven tot hij wakker werd en daarna zou ze de meiden naar boven sturen om zijn oude kamer in orde te maken. Ze zou erop toezien dat hij daar in het vervolg sliep en altijd aan tafel kwam voor de warme maaltijd. Ze zou een trui breien van de gesponnen wol. Met haar knie tegen de muur om het wiebelende krukje in evenwicht te houden dacht ze aan de kleuren: vooral grijs met het zwart van de mooiste ram ingebreid langs de hals en mouwen. Al die tijd zag ze de wolkenbank dichterbij komen, duidelijker worden, compacter, bijna menselijke contouren krijgen. Ze sloot haar ogen en liet haar voorhoofd tegen de vensterbank rusten om het niet te hoeven zien, maar werd wakker van een klap gevolgd door klingelende klokjes: het was de keukendeur die werd dichtgetrokken; ze herkende het geluid van de gebarsten ruit in het raam ernaast die meerinkelde en glimlachte om die kleine eigenaardigheid die haar keukendeur onderscheidde van alle andere in de wereld en die in haar halfsluimer uitgroeide tot iets van enorme en cruciale betekenis.

Toen werd ze echt wakker en zag Frank buiten op het erf, zijn hoed slap van de regen, omhoogkijkend naar het raam van het opkamertje, roerloos alsof de regen hem niet deerde. Ze boog zich dichter naar het glas en vroeg zich af hoelang hij daar al stond. Het leek alsof hij op een teken wachtte. Ze kon hem niet goed zien en veegde de aanslag van de ruit, maar dat maakte geen verschil, zijn gezicht was nog steeds een grijze vlek. Toch wist ze waar hij naar keek. Ze bewoog haar hand ten antwoord en toen hij dat zag trok hij de rand van zijn hoed naar beneden en verdween om de hoek van het huis, naar zee.

Ze wilde dat ze met hem mee had gekund, zelfs op een dag als deze was dat een betere plek, naar het uiteinde van de nieuwe steiger waar je het water naar je toe zag komen en zich op het laatste moment zag delen in schuim en waterfranje. Het ijs mocht de steiger wat haar betreft meenemen, daar zou ze alleen maar blij om zijn, want dan werd de baai weer zoals voordat Frank er was, glad en heel zoals ze hem zich herinnerde. Toch had ze het krukje in een hoek willen schoppen en met hem mee willen gaan. Omdat ze van de wind hield, meer van de wind dan van de zon, meer van de zee dan van het bos. Ze hield van de kaalste klippen. Ze waren hard en tegelijk zacht en hadden honderden kleuren.

Maar de volgende keer kon Arvid erger vallen.

Ze draaide zich om en keek naar hem. Hij sliep nog steeds diep, met zijn hoofd naar de deur gekeerd zodat ze slechts een stukje van zijn wang zag tussen de haarslierten. Ze ging op haar knieën naast hem liggen en vroeg om vergeving, om vergeving omdat ze de woorden in de bakerrijmpjes was vergeten en de weg in het varenbos. Diep vanbinnen, voor haar geestesoog, had ze hem bewaard, groen en verguld van het licht daar. Hij balanceerde met uitgestrekte armen op een mossige stam.

Arve, dacht ze en ze streek het haar van zijn voorhoofd. Toen zag ze dat hij niet sliep, zoals ze dacht, maar dat hij viel, met zijn gezicht strak en gesloten van angst.

Voor het venster van het koopmanshuis stonden kan-
delabers te branden tussen de gordijnen, die waren
opgebonden met rode linten, in de knopen zaten vossenbessentakjes gestoken. Achter de beslagen ruit dansten zes
paren een quadrille die de vlammetjes deed flakkeren, de
vloer op en neer gaan en wat vergeten stof uit de kroonluchter liet dwarrelen en neerkomen op de tafel met punch-
bowl en gekonfijt fruit. Verhitte gezichten groeiden en
krompen in de messing bollen van de wandblakers als de
paren zich van voor naar achter bewogen in de veel te kleine salon op het geluid van de oude viool die van de muur
was gepakt en in allerijl gestemd terwijl de gastheer zijn
klarinet tevoorschijn haalde. Er werden marsliederen en
langzame anglaises gespeeld. Er was slechts ruimte voor de
eenvoudigste dansfiguren, maar dat was voldoende voor
Tora, die nooit eerder had gedanst. Toch vond ze het verbazingwekkend makkelijk om het spiegelbeeld te zijn van
een schoolmeester uit Kungälv met lange panden aan zijn
jas, als een zwaluw.

Ze had een zwarte sjaal met zijden franje om haar schouders geknoopt, op die manier werd de rode kleur van de
jurk dieper en mooier en hoefde ze Frank niet te laten zien
dat ze het gouden medaillon had verloren. Toen haar cava-
lier tegen de muur botste en zonder het te merken met zijn
schouder een blaker doofde begon ze te lachen, het meisje naast haar begon ook te lachen, het was hun beurt om

de dansvloer op te gaan en ze kruisten elkaar met uitgestrekte vingers die elkaar heel licht aanraakten, toen bevond Tora zich ineens achteraan in de rij naast de onbekende die haar hand pakte, met de andere tilde ze haar rok op om niet te struikelen en ze begonnen hun slag naar voren tussen de rijen paren, naar de lichtste plek in de kamer waar een paar oude vrouwen met kanten mutsen op een bank de maat zaten te klappen.

'O, ik heb zo'n dorst,' zei het meisje na afloop toen ze bij de tafel met drankjes stonden.

'O, ik ook,' zei Tora en ze hield haar glas vast alsof ze nooit anders deed.

Het smaakte scherp en prikte als spelden in haar keel, en ineens merkte ze dat ze door de kamer rende bij een soort pandverbeuren en ze gilde van verrukking toen ze de jager op het allerlaatste moment te slim af was en wist te ontkomen, een kamer in waar een man een tabakspot opende en zei: 'Figuren zoals hij, daar is niets aan te doen.'

Twee andere mannen knikten en staken hun handen in de pot maar Frank, die bij de open haard stond, draaide zich om en zei: 'Een mens blijft het toch proberen.'

Ze ontdekte dat ze haar sjaal was verloren, die was in het geren achter de deurkruk blijven haken. Ze deed haar hand omhoog om de lege plek van het medaillon te verhullen, maar Frank zag haar niet, hij boog zich over de tabakspot en vroeg: 'Is dit die Engelse?' en ze liep achterwaarts de kamer uit en stortte zich weer in het spel, dat haar naar de andere kant van de salon voerde waar kerstbrood met kardemom stond. Het spel ging door in een volgende kamer, maar zij nam haar kop mee naar het raam en doopte afwezig het verse brood erin dat zacht werd en uit elkaar viel terwijl ze dacht aan figuren waar niets aan te doen is, wie dat waren. Het was heel goed mogelijk dat ze het over een knecht hadden die probeerde onder karweitjes uit te komen.

Er werd geroepen en geschreeuwd in de aangrenzende kamer, maar ze had geen zin meer in spelletjes. Ze voelde zich zo verzadigd na de dunne snee brood dat ze niets meer kon eten van de schalen die in de eetkamer werden opgediend. Ze wilde niet blijven logeren en haar jurk losknopen in een vreemde kamer en samen met meisjes die ze niet kende op strozakken op de grond slapen. Ze verlangde naar de avond buiten. Die was blauw met lange stille schaduwen en een haas die op zijn achterpoten bij een appelboompje stond en aan de onderste takken knaagde. Tora was de enige die hem zag. De geluiden rondom haar verdwenen naar de achtergrond tot ze alleen was, alleen op de harde sneeuwkorst die bijna hield. Ze verlangde er zo erg naar dat ze de smaak in haar mond proefde, van nacht en sneeuw en kou.

Figuren zoals hij, daar is niets aan doen.

Ze had aan een stuk door gerend en geroepen en gelachen en zich bijna laten vangen om te vergeten dat Arvid het mooiste wat ze had, het enige wat hij nooit mocht nemen, het enige waarvan ze zeker was geweest dat hij het nooit zou aanraken, had weggenomen. De bomen zwaaiden en losten op en de maan vloeide uit tot een grote bonzende vlek toen haar ogen zich vulden met tranen, maar ze mochten niet overlopen, ze bleef roerloos staan om ze terug te dringen. Niemand mocht haar alleen bij het raam zien staan terwijl ze haar tranen droogde.

Toen dacht ze aan Arvid en hoe vreselijk en eenzaam het moest zijn waar hij zich bevond, op die vreemde verlaten plek waar hij zich ophield, en de tranen stroomden, ze liepen langs haar neus en ze tilde haar arm op om ze te drogen en hoorde zichzelf snotteren. Ze kende hem niet meer en hij kende haar niet: dan was er niemand die haar kende. Nu was er helemaal niemand meer die haar kende. Ze drukte haar handpalmen hard tegen de rand van het raamkozijn om zichzelf te dwingen op te houden met huilen en ze staarde naar buiten, naar de blauwe haas die weg hupte.

Dan is Frank daar, ze had hem niet horen aankomen want ze hoorde enkel de geluiden in haar eigen hoofd, van tranen en zuchten en klaaglijk gejammer. Ga weg, dacht ze en ze wendde haar gezicht af, maar hij blies de kaars uit en ging een eindje bij haar vandaan naar buiten staan kijken. Zijn stem kwam in het donker aandrijven, laag en slepend: 'Ik dacht... Als je er geen bezwaar tegen hebt...'

'Ja?' zei ze.

'We zouden naar huis kunnen rijden... De maneschijn is zo helder.'

Hij strekte zijn arm uit en doofde de laatste kaars, zodat alle weerspiegelingen van de kamer verdwenen en het enige wat je in het raam zag de tuin buiten was.

De gasten waren de eetkamer binnengegaan en om hen heen was het stil geworden. Het beeld van de thuisreis sloot de eetkamerdeur met een laatste klik, zoals wanneer je een horlogekast sluit. Ze was al onderweg in de witte maneschijn, ze was buiten, of het was de tuin die binnenkwam tot ze tot aan de schachten van haar rijglaarzen in de sneeuw stond. Een enkel spoor, dat drupt van inkt in de sneeuw, leidde naar het bos waarin de haas was verdwenen.

'Mij maakt het niet uit,' zei ze. 'Maar we kunnen vertrekken als jij dat wilt.'

'Ja, want het leek me een goed idee om morgen vroeg op te staan om te gaan kappen nu er zulke mooie sneeuw ligt.'

Hij zei dat ze binnen moest wachten terwijl hij voorspande, maar ze kon niet wachten, ze moest op de trap staan stampen en voelen hoe haar lippen pijn begonnen te doen en haar neus dicht kleefde. Het was een bitterkoude nacht in januari met volle maan en droge fijne sneeuw. Het paard had lang genoeg gerust. De slee woog bijna niets. Ze vlogen over het ijs en ze lag met haar hoofd achterover tegen de met leer beklede rand en zag hoe de sterren hen volgden, hoe snel en ver ze ook reden, ze konden er niet van wegrijden. Het was als het roodborstje, dat altijd zong als ze 's nachts wakker werd en de houtsnip, die zijn strijkvlucht recht boven haar hoofd had, waar in het bos ze zich ook bevond. Frank had haar goed ingestopt, ze lag met haar gezicht naar de ijskoude ruimte maar haar lichaam was warm. Alles ruiste van sneeuw en licht. Misschien dacht hij dat ze sliep, want hij boog voorover en maande het paard sneller te lopen, maar ze was klaarwakker, scherp en doorlicht. Langzamer, dacht ze, want ze wilde dat de tocht zou voortduren. Alsof hij haar had gehoord, liet hij de teugels weer vieren.

Op dat moment scheelde het weinig of ze had hem verteld dat Arvid haar gouden medaillon had gestolen om brandewijn te kopen, het scheelde zo weinig dat ze de zweep uit de houder moest rukken om hem een beetje te laten zwiepen boven de paardenrug om het dier angst aan te jagen. Dadelijk kwam de oever hen tegemoet stormen met scherpe kammen waar de schotsen in elkaar waren gedrukt en ijsbellen rond de rotsen waardoor ze moeilijk te zien waren, en Frank kreeg zijn handen vol aan de slee. Hij vloekte als de ijzers iets raakten en dat was voldoende om haar behoefte te laten verdwijnen, om te verraden en getroost te worden. Ze zette de zweep terug in de houder. Het paard stribbelde even tegen voor een ijswal die gevlekt en stroef was van ingevroren zeewier, toen wierp het zich met een zwaar gesteun voorwaarts en trok hen naar boven.

De volgende dag zette ze om vier uur 's ochtends deeg en bakte achtentwintig ronde broden, kookte gortepap en op de zolder sorteerde ze de ergste met schurft besmette appels uit. 's Middags nam ze twee van de broden en knoopte ze in een handdoek waarop ze Mari's initialen had geborduurd in een krans van blaadjes die ze uit het boek met merkpatronen van de pastorie had. Er lag veel sneeuw in het bos, maar ze had een paar oude laarzen op zolder gevonden die ze had ingevet, en met twee paar sokken erin pasten ze. Ze knoopte haar rok op om te voorkomen dat die door de sneeuw sleepte en stopte haar breiwerk in haar jaszak, het was een want van de wol die Mari met meekrap had geverfd. Tora had als kerstgeschenk voor alle meiden en knechten rode wanten gebreid, maar er was nog wol over.

Het was een heldere en zonnige dag, in de droge lucht hoorde ze het gehak van de bijlen ver weg aan de andere kant van het bos en het gekraak van de dennen die omvielen. Ze ploegde de heuvel op in een spoor dat alweer bijna was dichtgesneeuwd sinds iemand daar de vorige keer had gelopen. Het was de rusttijd na kerst en ze had niet veel werk om uit te besteden aan Mari, behalve de wol, bovendien had ze geen geld meer om haar te betalen.

Ze bleef halverwege de heuvel staan en vroeg zich af waar ze zelf geld vandaan moest halen als ze het nodig had, en of het altijd zo zou blijven dat ze Frank om alles moest vragen of dat er in de toekomst soms een andere plaats was waar ze thuis zou horen en waar al die dingen op een andere manier werden geregeld. Ze probeerde het zich voor te stellen, andere huizen en mensen, andere heuvels om te belopen, andere koeien om over de kop te krabben als ze zich op zomeravonden bij het hek stonden te verdringen omdat ze naar binnen wilden, maar ze kon zich niets anders voor de geest halen dan wat ze altijd had gezien, het was alsof ze blind werd als ze het probeerde. Dacht ze aan huizen dan zag ze alleen haar eigen huis en bos betekende de bomen die rondom Ekornetång groeiden. Een snelle glimp, zoals wanneer je een kamer in kijkt en slechts duisternis ziet, daarna werd de deur dichtgeslagen en ploegde ze verder onder de bomen, die zo anders waren dan alle andere, maar alleen als zij naar hen keek.

Ze droegen hun mooiste winterkronen. Het minste zuchtje wind deed de zachte sneeuw loskomen en in grote dotten naar beneden zeilen. In het weitje stond de gewone engelwortel, die zich als levende bloemen uitstrekte naar het licht, maar rondom het hutje was het donker, want de zon kwam pas half maart boven de berg uit. Het was een stille en verlaten plek. Ze zag de gordijntjes bewegen, vervolgens werd de deur geopend en Mari stapte naar buiten om te kijken of ze eraan kwam. Ze vond het niet prettig als er zo naar haar werd uitgekeken. 'Wat ben je laat,' zeurde Mari toen ze haar voeten veegde op de sparrentakken, die mooi gevlochten op de trapsteen lagen, 'het wordt zo donker.'

'Dat geeft toch niets. Ik vind de weg naar huis toch wel, het is volle maan.'

'Je kunt niet alleen door het donker,' zei Mari en ze sloeg met de pook. Ze rook aan het brood en streek met een kromme vinger over het monogram: 'Dat heb je niet zelf geborduurd!'

'Dat heb ik wel.'

'Dan heeft iemand je vast geholpen.'

Tora keek de kamer rond waar het schaap achter de spijltjesbank in een hoek op droge elzenscheuten stond te kauwen. 's Avonds, als Mari de bank had opgemaakt, lag het schaap naast haar op de grond om haar warm te houden. Het was een kleine donkere ruimte, maar de wanden waren afgedicht met vers mos en op tafel stonden in een koperen kan jeneverbestakken. Er was een nieuw krukje sinds de laatste keer dat ze hier was. De kist lag vol mooi gehakt hout. Boven de bank hing een bobbelige oliedruk van de kroonprins, geschilderd tegen een stormachtige lucht, met wapperende haren en kleine snorpunten.

'Komt Arvid hier af en toe?' vroeg ze toen ze Mari de molen zag vullen met koffie uit een puntzak. Ze herkende het papier, dat uit een kasboek van Frank was gescheurd.

'Soms,' zei Mari en ze klemde de koffiemolen tussen haar knieën.

'Maar Frank zeker niet?'

'Jawel, die komt soms ook langs.'

'Hij is in het bos aan het kappen voor het jacht dat hij gaat bouwen.'

'Het jacht, ja, dat jacht...'

Tora mocht niets doen, ze moest aan tafel zitten en uitrusten terwijl Mari stroop op het brood smeerde en suiker uitpakte en klaarzette. Vervolgens dronken ze koffie en keken naar de schaduw buiten die uitgroeide over het weitje en langs de stammen omhoogkroop tot alleen de allerhoogste kruinen nog zon opvingen. Ze praatten een beetje, over hoe hoog de sneeuw lag en over de koeien, hoe ze het maakten. Tot nu toe was er genoeg voer, maar als het een lange winter werd zou Frank hooi kopen, dat had hij beloofd.

'Het is een beste boer, Tora, ik kan niet anders zeggen.'

Het was tijd om de lamp aan te steken. Tora breide aan haar want en Mari spon. De spintol draaide en haar bruine gekromde vingers trokken de dunste draden, zonder knopen.

Ze hadden veel avonden zo gezeten, ineengedoken onder het zwarte wintergewelf. Mari's armen hielden onvermoeibaar de spintol omhoog, maar Tora liet het breiwerk vaak op haar schoot rusten en keerde zich naar het venster hoewel er niets te zien was. Het kraakte in het hout van het hutje als de temperatuur daalde. Ze dacht aan de vallende dennen en de sneeuw die opstoof, de bijlslagen die wedijverden met elkaar en de roep als het zover was, de luide roep waardoor de kerels maakten dat ze wegkwamen.

'Hij hakt hout voor de spanten,' zei ze. 'Den en eik, om en om, dat is het beste.'

'Als hij eik wil hakken moet hij eerst de baljuw om toestemming vragen. Die eiken zijn van de koning.'

Ze breide weer een paar toeren, maar ze moest verkeerd hebben opgezet, want de want leek wel zo groot als een mannenhand toen ze hem ophield. Het was een goed bosjaar, precies voldoende sneeuw, de sledes kwamen makkelijk vooruit en de paarden hoefden niet te rukken en trekken. Mård en Mörk, de paarden van haar vader, waren oud. Je hoefde ze niets te vertellen, ze wisten precies wanneer ze moesten lopen en halt houden. Nils wreef ze droog met een strowis en gaf hen de appels die zij had uitgesorteerd, en armenvol hooi in de krib onder het vuile raampje waar de maan naar binnen scheen op droge zomerbloemen. Ze draaide haar hoofd en keek naar buiten, en daar was de maan, blauw van de kou in de appelboom.

Toen herinnerde ze zich het medaillon weer en hoe weinig het had gescheeld of ze had het aan Frank verteld, weinig, zo weinig.

'Je breit te vast, kind!'

'Maar anders wordt hij te groot.'

Het was zo'n donker hutje, en zo krap, ze stond op en legde meer hout op het vuur en toen werd het groter, in de hoek begon iets te glinsteren, het was de glazen schaal waarin Mari haar haarspelden legde en een scherf van een spiegel die tegen de wand stond geleund. Op de kist lag een doek met wit borduursel. Ze probeerde zich de dagen hier voor te stellen, ingesloten door de sneeuw, met het schaap dat aan boomschors knaagde en het vuur dat knetterde en siste, het pad naar de waterput en de schuur, armen hout die bonkend in de kist rolden, gevolgd door stilte. Ze zette de koffieketel op het houtfornuis om de koffie op te warmen en Mari legde de spintol weg en pakte de fles uit de kast. Ze proostten op de sprokkelmaand: dat die maar gauw mocht komen en gauw weer voorbij mocht zijn. Ze kregen een vroege lente, dat had Mari gezien. Maar waar ze dat had gezien wilde ze niet vertellen.

Op de bodem van Tora's kopje lag de drab in de vorm van een ster met scherpe punten. Ze gooide het in de emmer en schonk meer koffie in, verdunde het met de fles en legde een klont suiker onder haar tong terwijl ze dronk.

'Wat zie je nog meer?'

'Takken met bladeren. Jullie moeten snijden wat je te pakken kunt krijgen, want de oogst wordt slechter dan afgelopen jaar.'

'En wat wordt er van het jacht?' vroeg Tora, maar daar kreeg ze geen antwoord op. Hoe zal het Arvid vergaan, wilde ze vragen, maar ze durfde niet.

De tijd waaraan ze nooit dacht maakte zich ineens kenbaar, mettertijd zou ze het weten. Iedere vraag die ze zich ooit had gesteld zou de tijd beantwoorden. Over ieder ding waar ze ooit voor had gevreesd had de tijd zich ontfermd en het veranderd in iets wat voorbij was, en dat zou hij blijven doen. Mettertijd zou alles voorbij zijn. De winter zou voorbij zijn en ze zou weten of hij echt zo kort had geduurd als Mari had voorspeld, de zomer zou voorbij zijn en ze zou weten of ze een goede oogst hadden gehad, of het jacht was gebouwd. Uiteindelijk zou alles voorbij zijn, al het moeilijke, al het makkelijke.

178

'Hoe zal het Arvid vergaan?' vroeg ze en ze zette haar kopje neer, maar Mari was bezig een pluisje van haar schort te verwijderen en had geen tijd om te antwoorden.

Het schaap hing met zijn kop over de achterleuning van de bank en in zijn gele ogen flakkerden vlammetjes, het rispte half verteerde schors op en maalde met zijn kaken. Tora vroeg hoeveel lammetjes er dit jaar zouden komen en Mari zei een of twee terwijl ze opstond en gebogen over het vuur met de pook op de grootste brokken sloeg. Het rode schijnsel vulde haar rimpels en maakte haar gezicht glad als gerezen deeg. Ze boog zo diep dat ze bijna dubbelgevouwen stond en de hitte sloeg uit op haar wangen en lange hals, die ze uitstrekte zodat hij nog langer werd en rozenrood kleurde. De hele kamer was rood en Tora vroeg: 'Hoe kun je iemand kwaad toewensen?'

'Wat zeg je, kind?' riep Mari en ze sloeg met de pook zodat er een vonkenregen opspatte.

'Hoe kun je iemand kwaad toewensen?' vroeg Tora weer terwijl de vonkenregen de schoorsteen in schoot en het roet op de zwarte muur begon te branden. Dat betekende slecht weer. Harde wind en meer sneeuw zodat het bos moeilijk begaanbaar en ondoordringbaar werd. Diepe sneeuw met zware bomen die vallen, dichte sneeuw.

De tijd vloog door haar heen, ze was klein, toen werd ze groot, maar ze was toch dezelfde: hier in dit schijnsel van Mari's harsige jeneverbesstokken kon ze zichzelf haar hele leven door zien en ze was altijd dezelfde. De tijd was een wazige stroom, maar zelf was ze zwart als kool en goed zichtbaar: dit ben ik. Iemand viel, maar zij was het niet.

'Dat moet je mij toch niet vragen,' zei Mari. 'Die dingen gaan vanzelf.'

Ze was opgehouden met slaan en ging op het krukje zitten met haar kin in haar hand en haar elleboog op haar knie. Het gloeibed lag stil te ademen onder de deken van as.

'Maar als het niet vanzelf gaat?'

'Als je iemand helemaal niet kan lijden gaat het vanzelf.'

Na een poosje zei Tora: 'Maar het is niet zo dat ik hem niet kan lijden.'

'Ja, dan kan ik je niet helpen. Dat moet je zelf uitzoeken.'

Ze bleven een tijdje naar het gloeibed kijken dat steeds meer inzakte tot het moment was aangebroken de klep dicht te schuiven. Het was zeven uur en de maan scheen helder. Terwijl Tora haar jas en laarzen aantrok, nam Mari de lantaarn van de haak, want ze wilde haar onder geen beding zonder licht door het bos laten gaan. Er zaten wolven in het bos. Uit de tafella pakte ze het laatste kaarsstompje en stak het aan, maar toen Tora door het weitje liep en de maneschijn zag, doofde ze de lantaarn en liet hem achter op het putdeksel, en toen werd het nog lichter, alsof haar ogen gewacht hadden op een schijnsel dat koud, direct en stil was.

Er was geen zuchtje wind en geen enkel geluid, het enige wat je hoorde waren haar eigen laarzen die kraakten en haar ruisende ademhaling die wit werd en vervolgens vastvroor in haar omslagdoek, die ze voor haar mond had geslagen. De schermen van de gewone engelwortel zweefden in de maneschijn. Ze hield van de zachte nachtschaduwen. Het pad door het bos was ermee omzoomd, brede zachte schaduwen in de sneeuw die gedempt glansden en zich in langzame golven over de rotsblokken, boomstronken en omgevallen bomen bewogen.

Ze was alleen, niemand kon haar helpen, ze moest zichzelf redden.

De maan was dun als een oblie met een lichte schaduw

aan de rand, tussen de sparrentoppen door zag ze hem wachten daar waar de bomen dunner werden, en ze versnelde haar pas. Toen ze op de open plek kwam bleef ze met opgeheven gezicht staan en keek recht in het licht tot alles wit licht was en zij zelf slechts iets waar het licht op scheen.

Toen zag ze vanuit haar ooghoek de grijze beweging en liep verder. Hij was als rook tussen de boomstammen en werd opgelost zodra je ernaar keek, maar als je er niet naar keek kon je hem voelen. Ze liep met lange passen en voelde de andere passen die haar volgden. 'Kom, Grijsvoet,' lokte ze. 'Kom, Grijsvoet.'

De laatste week van februari kwam er bericht van een tweedaagse drijfjacht in het bosgebied dat de grens vormde tussen Tång en de buurdorpen in het noorden. Iedereen die vee bezat was op straffe van een dwangsom verplicht deel te nemen, met medeneming van wapens en wolvennetten, nagekeken en in goede staat, vijf el lang en vier el hoog, één voor iedere boerderij. Bij één boer was de waakhond uit zijn hok gesleurd, bij een ander had de wolf zich door de mestvaalt gegraven en twee ooien verscheurd, en de postruiter had een hele roedel achter zich aan gehad die de benen van zijn paard hadden gehavend voordat hij zich in zekerheid wist te brengen. Het was de schaarste in het bos die de wolf naar de kust en de boerderijen dreef, waar hij op zijn achterpoten door het raam stond te kijken naar de mensen die lagen te slapen. De kinderen zagen zijn ogen en werden wakker. Iemand had de wolf als een hond aan de deur horen krabben en kon de kerven van zijn klauwen aanwijzen.

Een stuk of zestig mannen en een handjevol vrouwen verzamelden zich op het erf van rechter Livin voor het oproepen en afvinken van de namen in de rollen, gevolgd door een eerste ontbijt dat werd genuttigd in stallen en schuren terwijl Livin de oldermannen en koster meenam het huis in. Frank zat in de paardenstal met de vangkorf op schoot en naast hem zat Nils te knikkebollen, leunend tegen de samengebonden netten van Ekornetång. Toen de zon opkwam verscheen de rechter op de trap en gaf orders zijn paard te halen, want hij zou het geheel leiden, en de drijvers en jagers verzamelden zich met knuppels, stokken en buksen, donker in hun baaien goed dat hier en daar oplichtte als de glanzende knopen van een soldatentenue een straaltje zon opvingen.

Het was een prima dag voor de wolvenjacht, dankzij het heldere weer en de verse sneeuw waren de sporen makkelijk te zien. Ze trokken oostwaarts, de rechter aan kop op zijn mooie appelgrijze merrie, die hij in verschillende posities toonde, op een heuveltje in reliëf tegen de donkere boszoom, en een keer zelfs licht steigerend toen er een haas vanuit het struikgewas vandoor ging. Hier en daar klonk een roep, af en toe werd er met een stok tegen een boom geslagen, maar niemand dacht serieus dat de wolf zich zo dicht bij de bewoonde wereld ophield op deze tijd van de dag, en er werd vooral over andere dingen gepraat: vis, pootaardappels, het zaaigoed waar je niet van mocht nemen hoe lang de winter ook duurde.

Maar het zou geen lange winter worden, zei een armoedig kereltje, de warme winden waren al onderweg, en hij bleef staan en wees naar de lucht alsof de lentewinden daar zichtbaar waren met vluchten vogels en hagelbuien.

'Hoe weet je dat, Lauritz?' riep iemand vooraan in de rij.

'Dat ruik ik aan de lucht,' riep Lauritz terug en hij stak zijn neus omhoog zodat iedereen kon zien hoe groot die was.

'Dat is niet iets om om te lachen,' zei de boer over wiens grond ze liepen. 'Lauritz heeft meestal gelijk.'

Op dat moment liet een berkje, dat gebukt ging onder de sneeuw, zijn dek vallen en zwiepte in een boog overeind, en een knecht die de buks van zijn boer droeg loste een schot in die richting, zodat de rechter halt riep en verklaarde dat vuren pas was toegestaan als hij bevel had gegeven. Het was trouwens tijd om de groep beter te formeren, want ze hadden de laatste keuterboerderijtjes achter zich gelaten en slechts de grote verlaten berg voor zich; tien el afstand en zo veel mogelijk kabaal maken, hij haalde de hoorn uit zijn zak tevoorschijn en blies erop: 'Nettendragers hierheen!'

'Hebben we de eer om door de koning zelf de berg op geleid te worden?'

'Hij kan zich in ieder geval koninklijk bevelhebber noemen.'

'Dat doet hij dan ook zo vaak hij de kans krijgt.'

De rechter inspecteerde de lange rij terwijl de dragers noordwaarts liepen, zeulend met de netten die zouden worden uitgezet op de oude vangstplaats op de hei waar de berg zich opende als een trechter. Ze hijgden hoorbaar op weg naar boven, want de netten waren geknoopt van het grofste touw. De drijvers begaven zich voorwaarts, de rij in een lichte boog om de wolf te vangen, ze riepen en zongen, bliezen op veldpijpen en sloegen met de stokken zodat de sneeuw uit de struiken stoof en de vogels schetterend opvlogen uit het bos voor hen. Op een zonnige dag was wolvenjacht een spel, alleen 's nachts joeg hij angst aan met zijn gele ogen.

Bovendien was de lente in aantocht, het was waar dat je de geur kon ruiken hoewel de sneeuw zelfs op de zonnigste hellingen nog niet aan het smelten was. Je kon de geur ruiken in het licht dat iedere dag witter werd en in alle andere lentes die lagen opgeslagen in het geheugen en vooral in de vreugde die was verbonden met natte aarde, dunne grassprietjes, zwanen die naar het noorden vlogen. Ze sloegen tegen de boomstammen en joelden, ze boden elkaar de fles aan die eigenlijk bedoeld was voor als het echt koud werd, terwijl de rechter op verkenning ging vanuit een hoog gelegen opening in het dunne bos. Dit was het terrein van de wolf, met oude meilers uit de tijd van de kolenbranders en zwarte bomen waar bosbranden hadden gewoed, rommelbos dat alleen goed was voor steenhopen en holen.

'Waar ben je, Grijspoot,' schreeuwde een kerel en hij ramde zijn pook in een verbrande den zodat de schors in grote zwarte flarden losliet.

Frank liep in het noordelijkste uiteinde van de rij met maar weinig andere mensen. Nils en hij hadden samen het net gedragen, nu had hij alleen nog de buks en de ransel met proviand. Hij droeg een rode muts, want hij vertrouwde niet op het vuursignaal van de rechter. Zijn jaszak zat vol nieuw gegoten kogels. Hogerop in het bos hoorde hij iemand zingen over het meisje en de weerwolf en hij zag een vlucht duiven opstijgen en glanzen als vissenschubben toen ze enkele malen in de lucht sloegen. Hij raakte steeds verder van de rij verwijderd, steeds verder van het geroep. Links van hem liep een kerel met zijn hoofd naar de grond als een speurhond, een eindje verderop zag hij Mari met een stok in haar hand, verder zag hij niemand meer. Algauw zou hij niemand meer zien.

Hij liep langs een berghelling met afgevallen rotsblokken die zich als speren in de grond hadden geboord en boven de sneeuw uitstaken, lichtgroen van haarmos. De bergwand boven hem zat vol ijspijpen. Hij bleef staan om te luisteren naar het geluid dat uit de pijpen kwam, van het smeltwater dat drupte en stroomde. Hij was te ver naar het noorden gelopen en moest de berg ronden in plaats van eroverheen klimmen; toen hij aan de andere kant kwam zag hij een glimp open water tussen de ijsranden, want de fjord was hier breder, wind en stromingen hadden er meer vat op. In het bos onder hem was het een kabaal van jewelste, een rookpluim steeg op.

Tegen het middaguur vond men de eerste twee wolven in een kloof en sloot ze in terwijl het tempo werd verhoogd en er lange fluitsignalen naar de vangplek werden gestuurd. De rechter begaf zich in korte galop naar de zuidelijke flank en verordonneerde meer lawaai, maar daar waren geen gaten gevallen, iedereen verlangde ernaar ze dood tegen de stalwand gespijkerd te zien met de lange klauwen zwaaiend in de wind, de oren afgesneden, de tanden ontbloot, de tong uit hun bek. Ze schudden met de ratels en schreeuwden. Wolvenjacht was een gezelschapsspel met zang, het maagdlijn zij klom er in een woudeik zo hoog, de wolf hij huilde en sloop door het loof, een bloedende arm was al wat er bleef van het maagdlijn.

Het kwaad was een grote grijze hond die door het bos rende. Het aantal verscheurde ooien was opgelopen tot vijf, een oude boer herinnerde zich hoe hij de wolf een schaap op zijn rug had zien slingeren en ermee was weggerend, hij blies op zijn hoorn van berkenschors zoals hij destijds ook had gedaan. En het wolvengehuil in het donker en in looppas door het bos met slechts een teerfakkel als bescherming en de eenzaamheid van de koeienjongen wanneer hij wakker werd in de schemering en de bel van de koe niet meer hoorde, zegt ge wolf tegen mij, vermaledijt zijt gij. Geen ander revier voor zijn plezier, het was de duivel zelf die op grijze poten door het bos rende in het kabaal van de ratels, een toepasselijk einde voor degene die altijd sluipt, een luidruchtige ellendige dood verstrikt in de mazen van het net.

De netten waren sterk, ze hielden het. Toen de drijvers de hei opstormden zagen ze hoe de netten golfden van angst, maar de wolven waren kleiner dan ze hadden verwacht, ruigharige bolletjes, niet groter dan katten en jankend als kinderen onder de knuppelslagen.

Frank stond boven aan de helling toen het wolvenkoppel langs de boszoom kwam aanlopen en de hei opging, de smalle bergtrechter in die zich voor hen opende. Ze zagen de netten nog niet en renden zij aan zij met lange sprongen terwijl de herrie achter hen aanzwol, het leek wel of er een bruiloftsstoet onderweg was door het bos. Het enige in de wereld dat hen bang kon maken waren pannendeksels en fluitjes. Hij zag het moment waarop ze het net ontdekten en bleven staan, de koppen die alle kanten op werden gedraaid op zoek naar een uitweg maar er geen vonden. Ze stonden stil, mager na de winter met rode vermoeide tongen, toen zetten ze af om door het net naar de andere kant te vliegen waar het wolvenbos wachtte met donkere kloven en woest terrein. Hij dacht dat ze hun ogen dichtknepen terwijl ze vlogen, maar hij was het die zijn ogen sloot om niet te hoeven zien hoe de grijze lijven vast kwamen te zitten in het net en veranderden in kapotgeslagen bundeltjes. De eerste drijvers kwamen al uit het bos tevoorschijn.

Hij draaide zich om en liep terug de berg op, hij begon te rennen en toen hij boven was hief hij zijn buks en vuurde één schot recht de lucht in, het andere in de richting van de zee. De echo kwam terugrollen en klonk als een eerste breken van het ijs. Nu zou de drijfjacht opnieuw geformeerd worden en de andere helft uitkammen, ze vingen wolven zoals ze haring vangen, met sleepnetten. Frank liep het bos weer in en vond sporen van de vos die zich door niemand voor de gek liet houden, als hij lawaai hoort trekt hij steeds dieper steenachtig terrein in om zich te verstoppen. Hij bleef staan op een open plek en laadde zijn buks terwijl hij bedacht dat Nils zonder eten zou zitten als hij ertussenuit kneep.

Hij was eerst van plan geweest af te dalen naar zee en via die route naar huis te gaan, maar hij bedacht zich en liep verder het bos in omdat het daar stil was. De sneeuw absorbeerde de angstige ademhalingen en drijfgeluiden die steeds dichterbij kwamen, geen uitweg, geen uitweg hoe hard je ook liep, al liep je sneller dan de wind, er was toch geen uitweg. Hij hing zijn buks terug over zijn schouder en stak zijn handen in zijn zakken om ze te warmen terwijl hij dieper het lichte besneeuwde bos in liep waar het enige wat je hoorde het geruis van vallende dotten sneeuw was.

Lange tijd liep hij oostwaarts, naar de landweg, maar een diepe spleet in de berg voerde naar het noorden en die moest hij noodgedwongen een stuk volgen en daarna nog een stuk totdat hij de richting kwijt was. Toen de zon voorbij het hoogste punt was stond hij in de zurige lucht van veen en zocht naar iets om het licht tegen af te meten. Hij worstelde zich door dicht kreupelhout om de berg te bereiken die aan de andere kant moest liggen zodat hij naar boven kon klimmen om te kijken of hij iets zag dat hij herkende, maar er was alleen een dierenpaadje dat onder oude reuzensparren door voerde met takken als donkere vaandels vol baardmos. Hij liep nog dieper het bos in en voelde hoe hij verdween.

Toen hij bleef staan om te luisteren naar de drijfjacht hoorde hij niets, maar ze konden zich niettemin rondom hem ophouden, in een stille kring. Hij verliet het pad en baande zich een weg naar het zonlicht op de top van een bergrug en daar ontdekte hij dat hij nog steeds noordwaarts ging. De zon stond boven Orust met een laag invallend rood schijnsel, er restten nog slechts een paar uur daglicht. Hij opende zijn ransel en at iets terwijl hij nadacht, toen keerde hij op zijn schreden terug, naar de cirkel. Een vlucht vogels die al een plekje voor de nacht had gezocht, vloog op uit het bosje diep onder hem toen de drijvers op hen stuitten.

Het laatste restje van de dag, de laatste ronde die zich sloot rondom niets, want ze hadden pech gehad en klaagden luidkeels terwijl ze zich voortsleepten over stenen en ontwortelde bomen in het heuvelachtige bos, dat zwaar was van sneeuw. Het was makkelijker op wolven jagen zonder sneeuw. Het was beter verder in het jaar als ze ook de wolvenjongen konden pakken en iets voor de moeite kregen. Twee armzalige beesten met bloederige tongen druppend in de sneeuw, maar de echte wolf was nog in het bos en wachtte op de duisternis die weldra zou invallen. Ze porden futloos in de holen en klitten bij elkaar zodat er grote gaten in de ketting vielen, maar hij had ze allang gehoord en was weggerend. Stille drijfjachten waren beter.

De rechter was afgestegen en leidde de merrie, want hij durfde geen risico te nemen op de helling vol met ijs bedekte stenen. De vangers sliepen hangend in hun net en leunden tegen de spiesen die in de grond waren gestoken.

Een jongen zag de wolf uit zijn hol komen en op zijn achterpoten gaan staan, de vuurrode muil wijdopen en een dikke staart die in de sneeuw sloeg. Hij was helemaal alleen in zijn waarneming, want hij had een hazenspoor gevolgd terwijl hij een lus maakte en droomde hoe hij de haas in zijn sprong zou strikken, maar de wolf was hem voor, hij stond met de haas tussen zijn poten en richtte zich hoger op dan hij ooit zou kunnen, hoeveel hij ook groeide. Hij schreeuwde om hulp en rende dwars door de hazelaarstruiken, die hem zo snijdend geselden dat de mensen dachten dat hij gekrabd was. Dat de jongen bloedde was al erg genoeg, want niets kon de wolf zo lokken; niet het aas met gif en niet het dode varken op een paal boven het wolvenhol, maar een druppel mensenbloed kon hij niet weerstaan.

De wang van de jongen werd gebet met sneeuw en hij kreeg een lap om zijn hoofd.

Ze waren vergeten dat ze stil moesten zijn. Ze schreeuwden om zich te sterken, want ze wisten niet of hij voor of achter hen was, of hij alleen was of in gezelschap, de rij was uit elkaar gevallen en de rechter stond ergens in het bos op zijn hoorn te blazen, maar niemand begreep wat het signaal betekende. Ze meenden overal sporen te zien, zwaar als stierenhoeven, maar dat kwam doordat de zon zo laag stond dat je je ogen tot spleetjes moest knijpen, het was moeilijk om te zien wie er wazig van gele lichtrook achter een boom vandaan kwam, recht op je af, en het werd pas duidelijk als je een hand voor de zon hield.

O, ben jij het, wat doe jij hierboven?

Nee, jij bent veel te laag afgedaald.

Ze waren allemaal het spoor bijster en de wolf was in de cirkel gekomen in plaats van op de vlucht geslagen zoals de bedoeling was, hij wilde zeker dood, nou dat kon geregeld worden. Ze schoten op de berg om de kracht van het geluid te beproeven dat de diepste holen in rolde en ze schoonveegde. Niets mocht zich verborgen houden, ze wilden het hele bos doden.

Alleen Frank zag de wolf. Hij had de bergrug gevolgd om niet te verdwalen en stond op een uitsteeksel ver boven het noordelijkste deel van het gebied toen het onder hem begon te knallen, het klonk als een klein bataljon met de troepen verspreid tussen de sparren en gedempte kreten alsof de roependen al met hun gezicht in de sneeuw lagen. Kleine groepjes rukten wanordelijk op en zwaaiden met knuppels en stokken. Hij zag de wolf, maar alleen omdat hij begreep hoe die dacht, omdat hij zelf net zo zou denken, en omdat de zon de plekken in het bos vond waar hij rende, de grote witte velden die er vanaf de hoogte waarop hij zich bevond glad uitzagen maar waarvan hij wist dat ze onbegaanbaar waren, daarom waren de drijvers genoodzaakt eromheen te lopen en de wolf van de ene zonnige plek naar de andere te laten rennen terwijl ze hem opjoegen zonder te weten hoe dichtbij hij was. Alleen hij zag de schokkerige vlucht van de wolf en het moment wanneer hij bleef staan om zijn neus in de lucht te steken, te luisteren, na te denken, een nieuwe weg te kiezen, maar de wegen werden kleiner en minder, want de wolf kon niet zien wat hij zag, dat de weg open lag naar het noorden en dat hij slechts werd ingesloten door loos kabaal.

De wolf hurkte onder de kluit van een omgevallen boom, alleen in zijn verbeelding kon Frank zien hoe hij ademde. Alleen in zijn verbeelding draaide de wolf zijn kop naar de opening in het bos en ontdekte de netten. Hij greep de top van een jeneverbes en trok die mee toen hij zich naar beneden liet glijden, naar de volgende richel op de berghelling, maar de struik reikte slechts tot halverwege, de rest viel hij en hij belandde met zijn hoofd buiten de rand, precies op het moment dat de wolf zich voorwaarts stortte om het laatste stuk dat hem nog restte over het zonbeschenen open veld af te leggen voordat het bos begon.

Frank was hard terechtgekomen met de buks onder zich, hij wurmde hem voorzichtig tevoorschijn en bleef vervolgens stil liggen om de wolf niet op te schrikken. Hij kwam eraan, rende met de berg mee naar het noorden en Frank zou hem laten rennen, maar toen iemand op de berghelling riep bleef het beest stokstijf staan, maakte rechtsomkeert en rende op de netten af, veranderde nogmaals van richting toen hij het fluitje hoorde, rende heen en weer langs de berghelling, maakte steeds kortere wendingen terwijl het geluid van alle kanten dichterbij kwam en stukje bij beetje de weg versperde tot alles volledig was afgesloten.

Toen zag Frank iets wonderlijks, hij zag hoe de wolf zich rond wentelde en aan de sneeuw begon te krabben, grommend als een jonge hond met een stok, het leek net een spel in de zonneschijn terwijl het kabaal in het bos steeds luider werd en de wolf probeerde zich daarvan weg te graven. Een vrouw stond aan de bosrand te roepen. Met zijn neus wit van de sneeuw hield hij op met graven en tilde zijn kop op, en toen schoot Frank, voordat ze er met de stokken waren, en de wolf wentelde zich een laatste keer en wierp een cascade van sneeuw op die over hem neerdaalde toen hij met uitgestrekte kop op zijn zij landde.

Frank bleef liggen, tegen de berg gedrukt zodat niemand zou zien waar het schot vandaan was gekomen. Hij wilde niets veranderen tussen zichzelf en degene die zonder het te weten recht op hem af was gerend. Het was een stille band. Ondertussen groeide het kabaal onder hem, misschien was het geen echt kabaal maar slechts de echo van het schot zo dicht bij zijn oor, want het verdween snel, de drijvers waren weggetrokken en het werd stil in het bos. Hij ging op zijn knieën zitten en keek naar beneden, het was diep om te springen maar naar boven kon hij ook niet. Hij wurmde de buksriem over zijn rug en liet zich over de rand glijden, kwam slechter terecht dan hij had verwacht en stootte zijn knie tegen een steen.

Grote brede cirkelvormige sporen van laarzen in de sneeuw. Een kleine bloedvlek glansde in het midden, hij liep weg zo snel hij kon en brak een stok af in het bos, dat nu volledig verlaten was, kapotgeslagen en doorzocht.

Hij zou naar huis gaan, zijn buks in de kast zetten, de deur van zijn kantoortje dichtdoen en slapen op het bankbed, de dwangsom betalen voor het verstek laten gaan op de tweede dag van de drijfjacht en flink hout in de kachel stoppen, vervolgens zou hij iemand vragen bij hem te ko-

men zitten, hij wist niet wie, gewoon iemand. Hij zou zoals altijd aan zijn bureau zitten en iemand anders zou een
eindje verderop zitten en met iets bezig zijn, hij wist niet
wat, dat deed er niet toe, gewoon iets zodat ze allebei wat
omhanden hadden. Het was stil in de kamer, maar het geluid van het vuur achter het ijzeren luikje was voldoende
en misschien nog iets anders, een pen die kraste of een roep
vanuit zee. Een glasheldere winterdag met sneeuw en vuur
en vorst op de ruit en de lente op komst en het geluid van
iets, hij wist niet wat voor geluid.

Hij ploegde voort onder de besneeuwde bomen en probeerde zich te herinneren hoe het klonk: een getik als in
een stijf opgespannen weefsel, een geruis of gesuis als iets
door het weefsel glijdt. Iemand die naait, maar maakte dat
echt geluid en wanneer had hij dat ooit lang genoeg gehoord om het zich nu te herinneren?

De deur naar de zitkamer stond af en toe open, hij was
te druk om er aandacht aan te besteden en ze had hem niet
gestoord. Soms was ze opgestaan om hem dicht te doen,
andere keren niet, maar ze was stil, hij dacht dat ze stil was,
maar in wezen was het geluid er altijd geweest, het kleine
puntige getik van de naald, het lange geruis van de lange
draad, en hij had het gehoord zonder zich ervan bewust te
zijn, vaak genoeg om ernaar te verlangen nu hij hier onder
de sparren stond te rillen.

Maar hoe kun je belang hechten aan een geluid dat je
amper hoort, het was niet eens een echt geluid, ze hield
niet van naaien, dat had hij aan haar samengeknepen lippen gezien. Als klein kind had ze de gewoonte gehad haar
naaiwerkje in een hoek te gooien en de benen te nemen.

Een vogel vloog op vanachter een steen en sloeg de
sneeuw uit de takken, 'deksels!' riep Frank, want hij was ge-
schrokken en ineens viel de duisternis in, die was al lang

onderweg geweest zonder dat hij het had gemerkt. Nu pas zag hij hoe alles doofde en samenvloeide. De anderen waren inmiddels ver weg, ze hadden haast gehad binnenshuis te komen. Hij kraakte achter ze aan door het kreupelhout in een poging de bebouwing te bereiken voordat het licht helemaal verdween, maar kwam terecht in een dalletje waar de sneeuw zo hoog was opgewaaid dat die tot zijn liezen kwam. Toen hij aan de andere kant naar boven was geklauterd zag hij de zee en de vensters op Orust die zich in het ijs spiegelden. Hij moest zo recht mogelijk afdalen naar zee of deze zo recht mogelijk naar het zuiden volgen, terwijl hij probeerde tot een besluit te komen ging hij op een rotsblok zitten en keek naar de lichtjes.

Hij liep zuidwaarts, want hij wilde naar huis. Het verlangen om thuis te komen was zo sterk dat hij recht een donker dal in liep met dwergdennen en varens die ritselend boven de sneeuw uitkwamen. Toen hij met zijn stok pookte voelde hij dat de grond eronder stevig was alsof er een pad liep, dat zou hij volgen en dan kwam hij vanzelf thuis. Tegen middernacht zou hij bij het hek zijn waar de koeien altijd stonden en zou hij in de maneschijn over de afrastering klimmen.

Maar de maan was klein en gaf niet veel licht, hij porde met zijn stok en voelde hoe die in zulke verraderlijke kuilen verdween dat hij op handen en voeten naar boven moest kruipen. Achter de kam zag hij de oude houthakkersweg opdoemen, breed en licht, en hij kreeg zo'n haast dat hij het laatste stuk naar beneden gleed en zijn been ergens in bleef steken. Er knapte iets en hij sloeg voorover, daarna veerde hij weer terug en voelde dat hij vastzat. Hij trok een beetje om het zeker te weten en zwaaide met zijn armen om houvast te vinden, het was een grote stommiteit om zo klem te komen zitten tijdens een koude winternacht.

Hij zou er iets op moeten verzinnen, terwijl hij dat deed zakte zijn kin op zijn borst en hij dommelde een paar minuten weg, maar werd wakker van iets wat pijn deed. Het was zijn been. Toen de pijn naar boven was gekropen en zijn mond had bereikt, deed hij die open en schreeuwde. Het geluid verdween ver weg het bos in, botste tegen een kale winderige rotswand en gooide wat sneeuw uit een boom. Hij draaide zijn hoofd en riep nog een keer, zodat de schreeuw over de houthakkersweg naar huis kon, helemaal naar het raam, en op het gele glas kon tikken. Een hand opende de haak zodat het geluid naar binnen kon. Nu was hij gerust, ze hadden hem gehoord.

Hij sliep met zijn kin op zijn borst en zijn handen voor zich in de sneeuw. Zijn vrije been lag gebogen onder hem, het andere was verdwenen, begraven ergens diep tussen stenen en wortels, hij voelde het niet meer. Hij was slechts iets wat omhoogstak uit de sneeuw, een halve man met een rode muts die hij ineens aftrok, want hij verging van de hitte. Hij bevond zich ergens anders nu, het vuur knetterde in de kachel en hij opende het luikje om ernaar te kijken terwijl hij zijn kleren uittrok en om zich heen gooide, ze vlogen door de kamer, en door de deur die op een kier stond hoorde hij het prikken van de naald; maar dat was onmogelijk, een naald kon je niet horen; hij hoorde hem toch, hij klonk als een vogelbek.

De lange draad glansde toen haar hand hem uittrok. De hele kamer was rood en hij hoorde de voetstappen dichterbij komen, harde snelle passen over de vloer van de zitkamer, toen werd hij wakker. 'Wees stil!' riep hij tegen de schaduw van een den, want het was het geluid van de schaduw dat hem had gewekt.

De maan stond hoger nu en scheen helderder, en midden in de grote kring van licht zag hij zichzelf opsteken uit de sneeuw. Hij werd steeds kleiner en kleiner, het was als-of hij op een ijsschots stond en wegdreef. Nee, het was als-of hij vastzat in het ijs terwijl de bosweg wegstroomde als een rivier van licht.

Hij schreeuwde tegen de rivier dat hij moest blijven en hij zette zich opnieuw schrap en probeerde zich los te trek-ken. Zijn handen deden pijn nu, maar hij had zijn wanten zo ver weggegooid dat hij er niet bij kon, zelfs niet als hij voorover ging liggen en met de buks hengelde. Gelukkig is het niet heel erg koud, dacht hij zakelijk en kwam over-eind terwijl hij snel wat berekeningen uitvoerde, ze scho-ten door zijn hoofd als gloeiende strepen: tijd, kou, maan-hoogte, hoe lang de nacht zou duren, toen sliep hij weer. De kou werd iets groots en bols dat in golven door de open plek bewoog terwijl de tijd stil hing, klein als een boorden-knoopje. Hij strekte zijn hand uit en ving hem.

Er is iemand anders, dacht hij tevreden en glimlachte naar de warme adem tegen zijn oor en de lange hijgende tong en de klauw die over zijn rug liep als een druppel ijs-water. De wolf was teruggekomen zoals hij had geweten, hij hoefde zijn ogen niet te openen om te zien hoe groot en mooi hij was. De wolf lachte zijn rozenkleurige lach en had een beetje sneeuw rond zijn neus. Toen er kabaal uit het bos klonk rende hij weg, in lange lichte sprongen. Frank tilde zijn buks op en vuurde het laatste schot af recht in de lucht en even later zag hij de mannen met fakkels aanko-men over de bosweg.

's Nachts hoorde ze hoe het zong en knalde in het ijs alsof er iets doorheen ging. Iedere ochtend liep ze naar het raam, er zeker van dat de zee open zou zijn, maar de kou liet zijn greep niet varen en het ijs lag er nog, volgekrast met sporen en grote donkere vlekken waar de wind de sneeuw had weggeblazen. Een tiental wakken was opengehouden, maar niemand ging meer vissen in de vaargeul, het was te riskant in deze tijd van het jaar, ook al waren de nachten nog koud. Ze zat bij het raam zachtjes de wolvenvacht te kneden terwijl ze het ijs las en leerde hoe de stromingen liepen, ze kon ze zien als schaduwen door het dunne sneeuwdek. Op zonnige dagen werd het ijs lichter en glanzend als water en dan zag ze nog duidelijker waar het hield en waar de stromingen het van onderaf hadden uitgehold, hun bewegingen waren sneller dan die van een school vissen, maar ineens konden ze eindigen in een werveling, zich door het ijs boren en slechts een dun korstje achterlaten. Ze zag alles vanuit haar raam, de sporen en dieptes en vallen en wegen op de grote kaart die steeds lichter werd, want het was al half maart.

Het was de eerste pels die op haar schoot lag, van de wolf die Frank heimelijk had geschoten maar waarvan hij zich niet had weten te bevrijden, want toen ze hem in het bos hadden gevonden praatte hij over niets anders. Nils had de huid de volgende dag naar huis gebracht zodat hij het geld niet zou mislopen. De vacht was heel lichtgrijs, krijtwit langs de hals met een zwarte vlek bij de staartwortel, alsof iemand daar een roetige duimafdruk had geplaatst. Ze kneedde de vacht om recht te zetten, zodat hij net zo zacht zou worden als voordat Frank hem schoot. Toen ze tevreden was spreidde ze hem uit op haar bed en meteen zag ze er een andere vacht naast en de naden die hen zouden verbinden.

Wanneer de knechten binnenkwamen voor het middageten zat ze met haar breiwerk bij het fornuis en vroeg naar van alles: hoe diep de sneeuw lag in het bos, hoe warm de zon scheen op de helling waar de dooi altijd als eerste inzette, wiens koeien de winter het best hadden doorstaan en wie had moeten noodslachten, wie was de beste jager van het dorp? Wie was de scherpste wolvenschutter? Met de sleutel die aan Franks horlogeketting hing opende ze het kistje en pakte zo veel geld dat ze nog twee vachten kon kopen, een van de buren hoger op de helling die geluk hadden gehad op de tweede dag van de drijfjacht, een van een soldaat die een oude wolvin van zijn eigen voordeurtrap had geschoten. Ze betaalde een rijksdaalder meer dan de Coöperatie aan premie en droeg de vachten naar huis in de wolzak zodat niemand vragen zou stellen, vervolgens waste ze ze hoewel ze al geprepareerd waren, en toen ze droog waren ging ze bij het raam zitten en kneedde de witheid in de pels naar boven en de glans van de lange tong, het hardlopen en de nachten in het bos en het gehuil dat zo ver droeg. Ze legde de vachten uit en paste de kanten aan elkaar, maar het naaien zelf moest wachten.

Frank lag op de bank in het kantoortje, telkens als ze binnenkwam had hij het dek afgeschopt. Ze legde het weer over hem heen terwijl hij tegen haar schreeuwde dat ze het raam open moest doen. Zijn ogen staarden wild alle kanten op, totdat ze tegen hem zei dat hij zich rustig moest houden, dan kwamen ze op één lijn en zagen haar staan met de lampetkan. 'Het is Tora,' verklaarde hij tegenover een onzichtbare gast.

Ze waste hem niet, dat moest Mari doen, maar ze kon haar arm rond zijn rug leggen en hem helpen drinken en soms sloeg ze het dek weg om naar zijn been te kijken dat helemaal wit was toen hij thuiskwam maar nu zijn kleur had teruggekregen. Alleen de wond zelf wilde niet helen, maar ze dacht dat het beter zou gaan zodra hij uit bed kwam. 'Je moet opstaan,' zei ze en met haar vuisten duwde ze het dek onder hem, met iedere por verplaatste de bank zich een eindje, hij schrok op toen het onder hem bewoog en zocht houvast bij het kussen, 'het ijs breekt,' riep hij en hij zwaai- de met zijn hand zodat hij haar kin raakte, maar er was geen enkele kracht in de klap, net als wanneer je een vlieg weg- slaat.

'Het ijs ligt er nog,' zei ze en ze ging opzij zodat hij door het raam naar buiten kon kijken. Hij draaide op zijn zij en zijn van zweet glimmende gezicht verdween in het kussen, maar zijn blik volgde haar terwijl ze door de kamer liep, het gordijn een stukje opentrok, water in de waskom goot.

'Wat doe je?' vroeg hij toen ze een doekje in de kom doopte.

'Ik wilde je een beetje opfrissen.'

'Dat kan Mari doen, ik wil dat je gaat.'

'Ik ga niet,' zei ze en ze plonsde met het water, ze maak- te golven met haar handen en rook aan de zeep die ernaast lag. Iedere avond het hele jaar liet hij warm water brengen en had hij zich met rozen en teer gewassen als een pasto- riejuffer.

'Ga weg,' brulde hij en hij begon te schudden, ineens schudde de hele kamer en ze rende weg om meer dekens te halen, want zo mocht hij niet sterven; niet op die manier, dacht ze en ze legde de natte doek op zijn voorhoofd. Hij trok hem meteen weg en schopte het dek weg zodat zijn been vrij lag, het was vlekkerig als vermolmd hout. Zijn ogen waren grijs als haar tinnen beker en zagen van alles wat er niet was, een grote kraai die tegen de ruit tikte en naar binnen wilde en mensen die in de deuropening stonden, de hele tijd was er iemand die naar hem keek en de hele tijd brak het ijs. Ze deed de deur open en riep Mari terwijl Frank naar de boekenkast strompelde en alle boeken eruit trok, hij zocht een boek dat achter de andere moest staan, hij had het daar verstopt zodat niemand het kon wegnemen. Alles stond in dat boek.

'Is het dit?' vroeg Tora en ze hield het kasboek omhoog, maar hij duwde haar weg en begon achter het gordijn te zoeken naar zijn buks om de kraaien weg te jagen. 'Er is niets mis met mijn been,' riep hij en hij viel over het bureau. Toen hij de laden eruit begon te trekken en de inhoud op de grond leegde, pakte Tora zijn arm, en toen werd hij stil en volkomen rustig. Ze leidde hem naar de bank en zette hem neer, hij liet zich leiden en neerzetten en wachtte met zijn handen tussen zijn knieën geklemd tot ze hem het boek zou aangeven waar alles zo in stond dat hij een bezwering over het ijs kon uitspreken. Die moest houden. 'Maar je gaat nergens heen,' zei ze en ze legde haar hand tegen zijn borst, de geringste druk maakte dat hij ging liggen. Een enkel woord en hij werd stil.

'Toen ik in het bos lag dacht ik alleen aan jou,' zei hij en zijn stem was ineens volkomen helder, de kraaien waren weggevlogen en hij legde zijn hand onder zijn wang en keek naar haar.

'Dat geloof ik niet. Je dacht toch vooral aan thuiskomen.'

'Geef me een beetje water, Tora.'

'Dat kan Mari doen,' zei ze en ze riep weer door de deur,

ondertussen viel hij in slaap met zijn gezicht naar de muur en het dek opgekropen zodat zijn hele rug bloot lag, het hemd dat ze had genaaid plakte tegen zijn huid.

'Maar hij slaapt toch,' zei Mari toen ze binnenkwam.

'Zojuist rende hij nog rond. Ik denk dat hij hoge koorts heeft.'

'De crisis,' zei Mari en ze schudde haar hoofd, ze kromp in elkaar van alle angstige voorgevoelens en jammerde toen ze Franks wang aanraakte: 'Heet als een bakoven! Nu zullen we zien wat hij waard is.'

Tora liep naar de keuken, dit keer nam ze niet de moeite haar breiwerk mee te nemen. Toen de knechten kwamen voor het middageten zat ze doelloos op haar stoel te wippen met haar voeten op de haardsteen. 'Wordt het een vroege of late lente?' vroeg ze, maar daar wisten ze niets van, ze wisten alleen dat er hooi gekocht moest worden, want dat was bijna op.

'Ik zal geld pakken,' zei ze en ze liep naar haar kamer zodat ze zouden denken dat ze het daar bewaarde.

De vachten lagen op bed te glanzen. Ze ging zitten om ze nog lichter te kneden. Vanuit de kamer onder de hare hoorde ze het gemurmel van bezweringen onderbroken door lange stiltes; als de stiltes te lang duurden hield ze haar adem in van angst, hoewel ze wist dat het vooral kwam doordat Franks stem zo laag en donker was dat ze die niet kon horen door de vloer heen. Het was tijd de lamp aan te steken, maar ze bleef in het schemerduister zitten met de vachten op schoot en kamde er met haar vingers doorheen.

Nu was het volslagen stil beneden, zo stil dat ze naar de trap moest gaan om te luisteren, en toen voelde ze de ijskoude tocht uit de hal door het trappenhuis naar boven komen en zich om haar heen wikkelen, hij rook naar sneeuw en huilde in de kieren voordat hij verder vloog en de zolderdeur met een klap achter zich dichtsloeg. Ze ging op de bovenste traptree zitten en legde haar hand op de leuning, de zonde is zwarter nog dan rook, dacht ze. En de gedachte vlugger dan een spook. Het was een liedje dat ze geleerd had toen ze klein was, maar wie het haar had geleerd kon ze zich niet herinneren. Misschien haar vader, die haar in zijn armen had gehouden en alle verzen had gezongen terwijl hij haar kietelde met zijn zeemansbaard.

Ze liet zich nog een traptree zakken en hoorde de wind als een vleermuis onder de dakbalken fluiten. Engelen zijn witter nog dan een zwaan. En de donder roept luider dan een kraan. Ze gleed naar de volgende tree en merkte dat haar benen pijn begonnen te doen, er hing een kilte in het trappenhuis die nergens mee te vergelijken viel, hij was net zo oud als zijzelf. Met iedere traptree werd ze kleiner tot ze met het psalmboek in haar ene hand zat en een kamperfoelietak die al was uitgebloeid in de andere. Ze verloor de bloem in de duisternis tussen twee traptreden en hoorde het scheuren toen haar rok achter een spijker bleef haken, iemand zou haar een oorvijg voor die scheur geven. Als je de leuning stevig vasthield kwam er warmte vanaf, ze gleed een paar keer met haar hand op en neer over het afgesleten hout, toen stond ze op en liep naar beneden want ze had geld nodig.

Het was donker in de zitkamer, niemand had opdracht gegeven de lamp aan te steken. Door de kier van de deur naar het kantoortje klonken stemmen, de lage stem die vroeg en de iele besjesstem die antwoordde en geruststelde, maar zodra Tora binnenkwam werd het stil. Het kon haar niet schelen wie van hen zag dat ze de sleutel van de horlogeketting haakte en geld uit het kistje pakte.

Ze pakte genoeg voor zowel het hooi als de vachten, stopte het in haar rokzak en stuurde Mari weg, want nu zou ze zelf bij Frank waken. Ze zat de hele nacht bij hem terwijl hij lag te draaien en dingen riep en zich druk maakte over alles wat hij vergeten was te doen; soms wilde hij opstaan en naar buiten gaan, om hem tegen te houden stopte ze hem steviger in, en dan kalmeerde hij en hij viel weer in slaap terwijl ze met haar kin in haar hand naast hem zat toe te kijken. Ze vroeg zich af waar hij zich bevond als hij zo schreeuwde en de lucht probeerde weg te slaan.

Schoten werden gelost en kogels vlogen door het ijs en verdeelden het in stukken, bijna onzichtbare zwarte naden hielden de schotsen nog bij elkaar. Zij sliep ook, met hangend hoofd als een vermoeide koetsier, maar werd steeds wakker als Frank anekdotes vertelde waarbij hij zelf moest lachen om het slot of eentonig lag te malen als uit een ABC-boek. Ze verstond nooit wat hij zei. Ze moest naar voren leunen en aan zijn hand voelen die over de rand bungelde, die was heet maar niet gevaarlijk heet, het verschil was duidelijk en haar hoofd viel weer naar voren, ze droomde over de nacht in het bos, het was absoluut noodzakelijk dat hij die overleefde. Een snuivend geluid wekte haar en ze vloog overeind om aan zijn hand te voelen, die was gloeiend heet, maar zij was zelf degene die had gesnoven, Frank was in diepe rust. Ze moest hem instoppen want hij lag helemaal bloot, de rest van de nacht bleef ze wakker op het krukje en lette erop dat hij het dek niet afwierp.

Het is niet zijn been, zei Mari 's ochtends, het is iets anders. Hij moet warm drinken en het eruit zweten. Tora zat in de zitkamer te naaien met de deur op een kier zodat ze in de gaten kon houden of hij probeerde op te staan, maar hij lag heel rustig, tevreden met het vuur en de kop suikerwater. 'Wat naai je?' riep hij hees, maar ze nam niet de moeite antwoord te geven, het was slechts een broek die versteld moest worden.

In de keuken zat Jonas, de speelman, koolraappuree te eten en vertelde over de boer die in het bos een lading hout over zich heen had gekregen en over de kapitein van Stillingsön, die was overleden aan een beroerte. Maar eens zien wie zich over de weduwe gaat ontfermen. Tora haalde een priem en ging naar haar kamer, ze begon gaten in de vachten te prikken maar hield er gauw weer mee op, want ze waren zo zacht dat ze er zo doorheen zou kunnen steken. Ze pakte haar grofste naald en maakte een paar steken, maar alleen om te proberen, want de tijd was nog niet rijp.

Vanuit de keuken hoorde je de viool, de speelman speelde als dank voor het eten. De andere armelui konden zelfs dat niet, zij stonden in de deuropening en bogen slechts met hun lege ransels op de rug in de hoop dat iemand ze zou vullen. Onder de sneeuwbesstruiken zaten de vogels doodstil met uitgestrekte kopjes, toen ze zich naar voren boog zag ze de havik in de lijsterbes boven hen. Ze tilde haar hand op om op het raam te tikken, maar liet hem weer zakken, het was zo koud en de kleine havik wilde ook leven. De vogels zaten te wachten met de rode lijsterbesdruppels rondom hen uitgewaaierd in de sneeuw, alles was een groot draaiend wiel van sneeuw en licht met de dood in het midden. Ze trok zich terug bij het raam en ging naar beneden om Frank de nieuwtjes te vertellen, de kapitein van Stillingsön had een beroerte gehad en was overleden, een boer had een lading hout over zich heen gekregen en iemand had berensporen in het bos gezien. Ze had Nils eropuit gestuurd om hooi te kopen, het werd weliswaar een vroege lente, maar daar zouden ze weinig vreugde aan beleven als de koeien het niet haalden. Hij leek tevreden met haar maatregelen, vroeg slechts om meer suikerwater. Ze vond die meegaandheid onbehaaglijk. 'Zo komt dat jacht er nooit,' zei ze en ze keek de tuin in waar zwarte merelveren boven de sneeuw dwarrelden.

'Als het ijs breekt, zal je eens zien,' zei hij, alsof de winter niet de tijd bij uitstek was voor timmerwerkzaamheden. 'Dan glijdt het jacht als een zwaan op de golven,' fluisterde hij en hij morste een beetje toen zijn hand even trilde. Ze haalde een doekje en droogde het op, toen probeerde ze hem te laten slapen, want dan was het makkelijker, maar hij wilde absoluut wakker blijven en kijken hoe ze aan de grijze sok breide. Ze vertelde nog een keer over de berensporen, toen zuchtte hij.

Ze hadden hem in een van de netten naar huis gedragen, in een ijspak. Terwijl ze de koude knopen openmaakten was hij blijven speuren naar iets wat zich tussen de bomen bewoog en op dat moment had zijn gezicht haar geraakt, dat serieuze witte bosgezicht. Nu was het roodgevlekt als dat van een keukenmeid. De dood stond met zijn zwarte ransel voor de deur en klopte aan, ze kon hem niet binnenlaten, ze verschanste zich in het kantoortje en stookte het vuur nog meer op zodat het ijzeren luikje krom ging staan terwijl Frank met alle kussens in zijn rug zat toe te kijken. Om hem zijn nacht in het bos te laten uitzweten ging ze de grootste vacht halen en spreidde die over hem uit, het was zijn wolf.

Ze dacht aan de hare, aan de schaduw die ze tevoorschijn had gelokt, en ze werd bang voor alles wat ze vermocht. 'Wat naai je?' vroeg hij hoewel ze met haar handen in haar schoot zat na te denken. 'Een bontjas voor jou,' zei ze en ze hield de onzichtbare draad omhoog. Ze gaf hem thee van berk en vlier om de koorts te laten zakken en droeg 's ochtends de nieuwtjes aan zoals je gordijnen wegtrekt en het raam opent: Nils had vijf ladingen hooi in Kolhättan gekocht, ze vingen veel wijting op het ijs, maar de beer was niet meer gezien, die was zeker teruggegaan naar Dalsland, waar hij hoorde. In de fjord was een graanschip waargeno-

men. Planken en timmerhout van de oude zouterij in Med-
sund zouden worden geveild.

'Wordt die dan gesloten?' vroeg Frank en hij opende zijn
ogen.

'Er is immers geen haring meer om te zouten, dat weet
je.'

In de keuken zat Arvid met de knechten te drinken, met
een bezemsteel die afbrak tegen de tafelrand joeg ze hen
naar buiten, ze zag ze over het erf rennen, waar het vocht
in donkere vlekken opdroogde als de zon scheen. Maar de
nachten waren nog steeds koud. 'Jullie moeten spanten
hakken,' schreeuwde ze toen ze wegglipten door de schuurdeuren. Ze moest zelf achter brandhout aan, met haar
klompen vol natte sneeuw en de geur van schone lucht die
haar neus in schoot, die was zo zuiver dat het pijn deed, ze
liet de armvol hout op de vloer in het kantoortje vallen en
zette de ramen open om de ziekenlucht weg te krijgen. 'Anders word je niet beter,' verklaarde ze toen Frank klapper-
tandend onder de vacht zat en het vuur door de tocht op
de grond sprong.

'Nu sterft hij,' zei Mari met haar handen in haar schort
gewikkeld, maar Tora maakte een bal van de sneeuw op de
vensterbank en hield die onder zijn neus. Er werd enorm
gekletst in de haag waar de mussen zaten te wachten op de
lente. Frank liet de sneeuwbal tegen zijn voorhoofd smelten en vroeg om een beetje soep, maar de meiden waren er
ook vandoor, alles verliep, de schuurdeuren stonden te
klapperen in de wind en de broodstok was leeg. Ze vond
wat bouillon in de keukenkast en warmde die op, toen ze
binnenkwam met het dienblad zat hij op de bank met een
trui aan en zijn horloge hing aan de gebruikelijke spijker
zodat ze niet meer bij de sleutel van het geldkistje kon komen. 'Waar is Arvid?' vroeg hij.

'Hij is op familiebezoek in Lunden,' zei Tora, dat was het eerste wat in haar opkwam.

'Hij had vandaag thuis moeten blijven om in het bos stokken voor de omheining te hakken en de knechten hout te laten sprokkelen en het schrobnet uit te zetten bij de steiger. Als er zoveel vis is als jij beweert.' Hij tilde zijn lepel op zodat er gele vetdruppels op het laken spetterden en verhief zijn stem: 'De enige dag in tien jaar dat ik ziek ben had hij thuis moeten blijven.'

Tora nam niet de moeite uit te leggen dat hij al voor de derde week ziek lag, 'je moet niet zo veel praten,' zei ze alleen toen hij begon te hoesten en dubbelgebogen teruggleed onder het dek. Ze sloot het raam en raakte heel even zijn hand aan om te voelen of de koorts was opgelopen, maar zijn hand was koel, net als de hare.

Langs de avondhemel vlogen wolkenflarden en de windvlagen deden de bomen zwaaien en schudden de laatste sneeuw eruit. Nu brak het ijs, het klonk alsof iemand grof zeildoek kapotscheurde. 'Hoor je dat?' vroeg ze, maar Frank was in slaap gevallen en snurkte met open mond, ze vond dat hij er dom uitzag met zijn haar zo voor zijn ogen, als bij een paard. Ze pakte de kam van de ladenkast en schikte het zo dat hij meer op zichzelf leek, toen rolde ze de vacht onder haar arm en liep naar de keuken waar Mari modderige laarzensporen aan het wegpoetsen was en de knechten weer bij de deur op eten zaten te wachten en de jongste meid verklaarde dat ze echt de hele dag vrij had gemogen zodat ze op en neer naar haar moeder kon en voor het donker terug kon zijn. Tora kookte pap, handje voor handje van het kostbare meel. Ze at staande bij het fornuis en keek naar de hoofden die zich over de tafel bogen, de lepels die in de papschaal groeven, de grote rode winterhanden met vorstkloven die de benen heften omvatten.

'Morgen moeten jullie staken voor de omheining hakken,' besloot ze. Ze had een beetje pap apart gehouden om voor Arvids deur te zetten, zoals ze altijd deed.

Het was koud in huis want het milde weer perste de kou uit het hout de kamers in, de hare was klam als een kelder, ze ging bij het raam zitten met een deken om haar rug en de brandende lamp op de vensterbank en luisterde naar het druppende water buiten in het donker. Ze zag voor zich hoe de ijsschotsen uit elkaar dreven en steeds dunner werden terwijl het water ertussen opborrelde. Het was de grote zeemuil die zich opende.

Ze nam de vacht op schoot en kamde met haar vingers door de pels. Toen ze een draad had gevonden die grof genoeg was begon ze te naaien, met trage steken.

4

Het was de eerste echte warme zomerdag en Franks nieuwbouw stond met alle spanten gezekerd te zonnen in zijn stutten terwijl de werkploeg op de heuvel erboven zat te ontbijten. Ze zagen hem door de kloof naar beneden komen op zijn zwarte paard met zijn stok over de zadelknop en in een cirkel rond de romp van de boot rijden alsof hij hem inspecteerde, en niemand nam het verkeerd op als hij met zijn stok op de voorsteven sloeg, want ze hielden er zelf ook van op die manier het hout te testen en te voelen dat het standhield, dat het van de beste kwaliteit was, precies droog genoeg en goed gezaagd, gericht volgens het timmermansoog van de scheepsbouwmeester uit Höviksnäs, die in de lach schoot toen Frank naar de achterplecht reed en nogmaals sloeg, alsof het schip een klok was en hij de mannen zo van de heuvel wilde roepen. Maar ze mochten een halfuur zitten, dat was afgesproken.

'Straks slaat hij de boot nog het water in met zijn stok, zo sterk als hij is,' zei de Höviker. Terwijl hij toekeek at hij brood met gebakken makreel, maar zijn kaken maalden steeds langzamer toen Frank was afgestegen en zijn paard met zich meevoerde in de schaduw waar ze niet konden zien wat hij uitvoerde. Ze hoorden het geluid van bijlslagen. 'Wat nu, verdomme,' zei de Höviker en hij legde zijn boterham op de rots. 'We buigen de spanten nadat we de huidplanken hebben aangebracht,' riep hij de kloof in, 'als iemand in het wilde weg gaat lopen hakken kunnen er enorme nawerkingen ontstaan.' Ze hoorden de bijlslagen zich langs de zijde van de boot verplaatsen, toen verscheen hij weer in het zonlicht en rondde de voorsteven waar hij tussen de stutten boog en met zijn stok in de grond peurde. Hij had nog steeds geen woord gezegd tegen de mannen, die op de heuvel in de hei zaten te rusten.

'Heb je iets gevonden, Frank?'

'Er liggen spijkers hier,' riep hij zonder zijn hoofd om te draaien. 'Zijn jullie met spijkers aan het strooien geweest?'

'Isak vergaart aan het einde van de dag alle rondslingerende spijkers, nietwaar, Isak?' zei de Höviker tegen de jongste knaap, die op een lager gelegen uitsteeksel zat. De jongen was te klein om te durven antwoorden, maar de man beneden was zowel de jongen als de spijkers vergeten en stond in zijn zwarte lange mantel uit te kijken over zee terwijl het paard met zijn hoeven in een berg zeewier schraapte. 'Ze zien er hetzelfde uit, Erland Frank en het paard,' fluisterde de jongen tegen de knul die naast hem zat en die twee jaar ouder was en al mocht breeuwen en jeneverbesstokken snijden. De oudere jongen lachte achter zijn hand, maar het was niet als grap bedoeld en Isak zei niets meer, maar die hele zomer moest hij eraan denken dat het gedrongen paard met zijn dikke spiernek en grote zwarte hoeven die zand opschopten op de man leek die in het zadel zat en het dier kon laten doen wat hij wilde enkel door zijn benen stevig om het paardenlijf te sluiten. Hij bewoog zijn handen amper als hij reed.

'En hoe vlug kunnen jullie de huidplanken aanbrengen?' riep de man nu, tegen de zee. Ze waren opgestaan en veegden hun kleren af, op de klokslag, want het halve uur was voorbij en ze wilden allemaal het liefst hier zijn, bij de romp van een boot die afgewerkt moest worden met vers hout. Hoe zwaar het was geweest de bomen te vellen en de zaag door de stammen te trekken waren ze compleet vergeten nu de planken zo mooi opgestapeld lagen te wachten om geplaatst te worden, stuk voor stuk op die plek waar ze het best pasten.

De Höviker was het eerst beneden, hij liep langzaam rond de stapel en dacht na, alsof hij niet paraat had wat hij moest antwoorden. 'In een dag of zes, zeven redden we het wel,' zei hij uiteindelijk en stak zijn hand in de lucht. Het leek alsof hij om meer geld vroeg, maar het was geen geld dat hij wilde maar tijd, tijd om zijn timmermansoog te gebruiken. Vanwege de lijnen. Een mooie boot vaart beter dan een lelijke, dat wisten ze allebei.

'Het is zo lang licht,' zei Frank. 'Wat dachten ze ervan een paar uur langer door te gaan? Geld is het probleem niet.'

'Het is geen kippenhok dat we bouwen. Het moet ook houden op zee, ik wil niet iedere stormnacht wakker liggen en me zorgen maken.'

'Nee nee,' zei Frank en hij boog zich om een platte steen op te rapen die hij over de baai liet scheren. Zeven sprongetjes maakte hij, Isak telde ze.

Hij was alweer aan de slag gegaan na de schaft, er lag wat afvalhout, dat tegen de rots moest worden opgestapeld en daarna de spijkers, die vergaarde hij in een blikje. Hij kroop bijna onder de kiel om erbij te kunnen en wilde dat Frank kon zien hoe driest hij zijn handen tussen de wiggen stak, toch werd hij bang toen hij naar voren kroop en de man daar op zijn stok met de zilveren knop stond geleund en hem opwachtte met zo'n overschaduwende brede hoedrand dat je niet kon zien of hij boos of blij was. Isak stopte het spijkerblikje in zijn zak en kwam overeind, zeven glanzende knopen wist hij te tellen op het vest voordat de man een stap opzij deed en hij de zon in zijn ogen kreeg.

'Isak, zo heet je toch?'

'Isak Bernson, zeven jaar,' fluisterde hij en hij hield zijn hand op tegen het licht.

'Zeven jaar... Dan ben je groot genoeg om achter je vader in de ploegvoor te lopen. En zelfs de teugels vast te houden. Geeft hij je de teugels, Isak?'

'Vader zit op zee. Maar de Höviker zegt dat hij me zal opleren tot timmerman.'

Hij liet zijn hoofd zakken en keek naar de laarzen van de man. Ze glansden. Zijn knopen glansden, de zilveren knop bewoog glanzend door de lucht toen hij zich omdraaide en de teugels die hij had laten vallen met de stok naar zich toe probeerde te trekken, maar de rest was zwart, als rouw en roet.

'Kom hier met dat paard!' brulde hij, maar dit keer werd Isak niet bang, want onder het schreeuwen legde de man zijn hand op Isaks schouder. Die landde iets te stevig en schudde hem zo hard heen en weer dat zijn voeten door het zaagsel schoffelden, maar hield hem tegelijkertijd op de been. 'Jij zorgt voor mijn spijkers, hè, Isak?' zei de zwarte stem vlak bij zijn oor en toen werd de jongen sterk genoeg om de zwaarte van de hand, de arm, het hele grote lichaam dat naar hem vooroverboog aan te kunnen, terwijl de kerels het paard naar Frank leidden en een houtblok aanrolden voor het opstijgen.

'Dat zal ik doen,' fluisterde hij terug. 'Reken maar,' riep hij de man na die wegreed door de kloof.

'Dat met dat houtblok beviel hem niet,' zei de Höviker toen de hoefslagen waren weggestorven.

'Hij ging er toch maar mooi op staan. Volgens mij valt het wel mee met dat been van hem. Hij wil vooral pronken met zijn stok.'

'Ik was erbij toen we hem uit het bos naar huis droegen,'

214

zei Lauritz Bark, een armoedig kereltje maar kundig op alles wat met scheepsbouw te maken had. 'En het zag er niet mooi uit, helemaal niet. Zijn knie was net een rozenbottel.'

'Hij was vandaag naar een begrafenis,' zei een van de knechten van Ekornetång. 'Dan doet hij altijd benauwd.'

'Ik was erbij toen hij zijn gezin begroef,' zei Lauritz.

'Dat was je niet.'

'Ik was in de kerk...'

'In dat geval waren we er allemaal bij.'

'En ik heb gehoord dat hij op het feest na afloop in het geheel niet benauwd deed, hij lachte en zong.'

'Dat is heel best mogelijk. Een mens kan trouwens veranderen. We zijn inmiddels een paar jaar verder.'

'Aan de slag nu, met de boot,' zei de Höviker en hij streek met zijn hand over het middenspant, dat gezaagd was uit een eik met precies de juiste, gebogen groei.

Isak liep met zijn blik te schudden, hij had zeven kromme spijkers gevonden die recht geslagen konden worden en nam ze mee naar de smidse. 'Ze zullen toch weer krom worden,' zei Lauritz, maar hij gaf de jongen de kleinste hamer en keek toe hoe hij de spijkers draaide en ze tegen het aambeeld probeerde te houden waar ze ronddartelden als stekelbaarsjes onder de slagen. 'Hou ze tegen de rand, dan gaat het beter,' zei hij en hij keerde zich naar de werkbank, waar de dissels lagen die geslepen moesten worden.

Achter zich hoorde hij de jongen zuchten en mompelen en de mannen die kwamen voor de dissels, ze vulden het warme kleine schuurtje heel even, want ze hadden haast, ze konden zich niets beters voorstellen dan op een dag als deze te pinken tegen de zon tot ze de lijnen zagen en het spant met korte scherpe slagen de juiste kromming wisten te geven; de wang vlak bij het hout en het oog half gesloten, dan zag je de lijnen in de lucht en wist je precies hoe de hoek moest zijn. Je zag de hele boot in één oogopslag, van lucht en van hout, en er was amper verschil, de luchtboot was net zo duidelijk. Maar het was niet de Höviker die hen had geleerd te zien, zoals hij zelf dacht. Luchtboten hadden ze eerder gezien.

'Waar is de zak met de bijl?' werd er geroepen en Isak schrok op en vloog naar buiten, zeven rechte spijkers stonden rechtop tussen de anderen in het blik, want ieder moment kon Erland Frank terugkomen en vragen: heb je goed voor mijn spijkers gezorgd? De Höviker lag op zijn knieën op de stapel, hij pakte de bijl van Isak aan en veegde oneffenheden van het hout die niemand anders zag, kroop op handen en voeten langs allebei de kanten terwijl de timmerploeg stond te hangen en gezichten trok in afwachting tot ze aan de slag konden. Ze stonden aan weerszijden met drie man en schoven de eerste planken achter de stutten en begonnen, hurkend tussen het zaagsel, aan de wedstrijd wie die dag het hoogst zou komen.

Frank hield zijn paard in op de berghelling en zag het jacht beneden liggen als een notendop, een afgeknaagd bot, een droge bloemkroon met uitstekende voelsprieten. Kleine mensjes sleepten hout aan alsof ze het voerden. Er werd gehamerd en geslagen, maar in het bos was het stil, hij reed tussen de bomen waar de vogels af- en aanvlogen met wormen voor hun jongen, ze zongen alleen nog maar heel kort op een regenachtige avond en hij miste hun gezang, het was zo stil als hij door het bos reed.

Hij was vergeten dat de zomer zo stil was, en dat hij zo groen was, de weiden waren groen, de velden stonden vol gras, nog nooit had hij het gras zo hoog in zijn boomgaard zien staan als deze zomer. Hij reed voorzichtig om zijn appelbomen heen en keek omhoog naar de kruinen, baadde zich in het groene bladlicht en stuurde zijn paard dwars door de sneeuwbesstruiken, baadde in groene regendruppels die van de blaadjes spatten en die hij met zijn stok als een regenbui over zichzelf en zijn paard uit de bomen sloeg toen hij door het groen reed, het natte groen van de junimaand, zo dicht dat alles doordrongen moest worden, waar hij kwam moest hij door gras en bladeren, gras en bladeren dringen, hij liet zich uit het zadel glijden en rukte grote vuistenvol af die hij tegen zijn neus hield.

Het rook naar leven, groen bloed, groene levende lijven badend in het wisselende licht van de junimaand, onweer en regenbuien die snel overdreven en zon die doorbrak terwijl de regen bleef vallen, regenbogen en blauw gerommel in de verte en waterrook die naderhand opdampte uit het bos. Hij hield zijn hand tegen zijn gezicht en voelde het gras nat en groen tegen zijn lippen, toen liet hij alles vallen, zijn stok, zijn hoed, de hele dag, liet alles vallen in het gras en boog zich naar zijn paard, dat naast hem van de klaver stond te grazen. Met zijn arm over de paardennek voelde hij het grote lijf, dat zo mooi langzaam voortgraasde, stap voor stap onder de bomen, in de groene geur van gras.

Vervolgens steeg hij weer op en reed heuvelopwaarts om zijn akkers te bekijken, stuk voor stuk zo goed onderhouden dat er voor hem nauwelijks meer iets te doen viel, heel het grote drasland aan de overkant van de weg was drooggemaakt en in gebruik genomen, de aardappels en het vlas, de erwten en de rogge waar hij veel van verwachtte, het geld dat hij voor de rogge zou krijgen had hij al ingevuld in het boek. Hij drukte iets harder met zijn knie en merkte dat deze het hield terwijl hij het paard onder zich voelde opschrikken en met zijn hoofd gooien. 'Ben je aan het bokken?' riep hij in het zwarte oor en hij dwong het dier door de frambozenstruiken en brandnetels die achter de stal groeiden, maar het was meer een spel, de grond was zacht en modderig na de regen en hij wilde zien hoe rond de cirkels waren die ze konden maken, hij en zijn boerenpaard. De jongste knecht stond bij de hoek dakpannen te stapelen; uit de manier waarop hij dat deed begreep Frank dat het hem nog steeds speet dat hij niet mocht meewerken bij de botenbouw. 'Volgend jaar is het jouw beurt,' riep hij en hij reed de heuvel op vanwaar hij duidelijk kon zien hoe regelmatig de cirkels in de modder waren geworden.

Arvid moet het dak herstellen, dacht hij en hij hield het paard in. Het was alsof die gedachte een smet op de dag wierp, want ergens in dit alles wat zo goed onderhouden en mooi was lag een stukje grond dat slecht was ingezaaid en een voor die te ondiep was omdat iemand te veel haast had gehad. Je zag het nog niet, maar binnenkort zou zichtbaar worden wat Arvid was vergeten toen hij de hak had neergegooid en naar het bos was gerend. Hij rende alsof tijd niet bestond, alsof hij een dier was en niet wist dat de tijd verstreek, maar hij verstreek en ten slotte werd alles zichtbaar, het onregelmatige zaaisel en de grond die niet voldoende was losgemaakt opdat het zaad erin kon ontkiemen.

'Arvid zal dat dak maken,' zei Frank, hij gooide de teugels naar de knecht en liet zich uit het zadel glijden. Hij kwam verkeerd terecht en er ging een steek door zijn knie, hij moest zich aan het zadel vasthouden en even blijven staan terwijl hij deed alsof hij aan een naad trok die had losgelaten.

'Wat moet ik dan doen?' vroeg de knecht.

'De dakpannen afladen en de kar wegbrengen, maar verzorg eerst het paard. En repareer de omheining bij het hek, daar zijn een paar stenen uitgevallen en ik wil geen koeien in de rogge. Als de warmte aanhoudt kunnen we eind van de week de aardappels aanaarden, en dan is er de hop, heb je niet gezien dat de stokken alle kanten opsteken? Welke idioot heeft die in het voorjaar gezet? En kijk naar het zadel, de naad is los.'

'Kom, Zwartje,' zei de jongen mokkend en hij pakte de teugels.

'Laat dat zadel trouwens maar, daar kijk ik zelf naar,' riep Frank hem na.

Hij leunde voorover op zijn stok en probeerde uit te rekenen hoeveel tijd het zou kosten om de plaggen van het dak van de koeienstal te verwijderen. Als je het stukje bij beetje deed was het een eenmanskarwei, afsteken, kijken of het eronder verrot is, betengelen en pannen leggen. Hij rekende in zijn hoofd, zoveel dagen voor de koeienstal, zoveel voor de paardenstal, tussendoor hooien, dan de graanschuur en de schuur en de boot, die klaar moest zijn voor de oogst, want dan had hij iedereen op het land nodig. Al die tijd vlogen de zwaluwen fluitend over zijn hoofd en verdwenen onder het dak van de koeienstal, daar zitten veel muggen, dacht hij. Toen hij een poosje had staan kijken, veranderde zijn beeld: ze vlogen niet voor de muggen maar om te kijken wie het dichtstbij kon komen zonder de stalwand aan te raken en wie het scherpst kon zwenken, ze vlogen omdat het leuk was. Het was een spel. Ze zijn blij, dacht hij verbaasd.

Net zo vlug vlogen ze weg en veranderden in iele onzichtbare kreten in de ruimte. Hij bleef staan met zijn stok in de grond geboord en dacht aan de mannen die zijn boot bouwden, ze bouwden niet omdat hij het van ze vroeg maar omdat ze het konden. Ze kwamen met hun gereedschap en bouwden een boot die recht door de jaargetijden zeilde. Terwijl de boot zeilde stond hij zelf zoals iedere herfst aardappels te rooien en rogge te zaaien die zoals altijd 's zomers geoogst zou worden, maar de boot zeilde er dwars doorheen, de cirkels uit die om hem heen draaiden. Hij hield ervan mee te denken op de koers waar zelfs de wind geen vat op had, de boot zeilde recht tegen de wind en de tuigage hield stand terwijl hij zelf op een novemberdag aardappels stond te rooien met hoge zolen van aardkluiten onder zijn laarzen.

Zoveel dagen voor het dak van de koeienstal. Zoveel dagen voor de schuur.

'Ben je voorgoed hierheen verhuisd?' vroeg hij aan Mari, die in de keuken een schaal bonen zat af te halen.

'Dat is geen overdaad als er tien man extra aan tafel zit,' riep ze hem na toen hij de trap naar boven nam en de deur van de voorkamer opende, hoewel hij wist dat er niemand was. De buks lag op tafel met een vieze lap ernaast, maar de loop zat dik onder het stof. Arvid was ergens anders, in het opkamertje, in het bos, bij de speelman, bij de zigeuners, op zee. Hij was weg.

Toen klonk er gefluit, Frank liep naar het raam en zag hem door het weitje aan komen lopen met een paar vissen aan een snoer en de hond in zijn kielzog. Ze hadden geen haast, dacht hij en hij leunde tegen het kozijn. Arvid was blijven staan om een stok van de grond op te rapen waarmee hij de hond probeerde te lokken, maar de hond was oud, hij was gaan liggen zodra er een pauze ontstond in het gedrentel en tilde amper zijn kop op toen Arvid met de stok voor zijn neus zwaaide en riep: 'Hup. Hup. Ren dan!' Uiteindelijk kwam hij overeind en liep met een grom de stok achterna tussen de struiken. Arvid wachtte voorovergebogen en tuurde tussen de takken, hij klapte met zijn handen tegen zijn dijen en probeerde de hond weer te lokken. 'Hup, hup, kom dan, Hero, breng de stok!'

Frank dacht aan de andere jongen, die kleine beneden op het strand. Hij dacht aan de boot en de jongen en het dak en de hond en de spijkers, allemaal tegelijk, aan het klokgelui en de begrafenispsalmen en de jongen, die met een blikje in zijn hand stond. Ik kom vanuit de bruisende zee, op 't ware vreugdestrand, mijn lijf dat legt men neer in 't graf, maar God aanvaardt mijn geest, uit duister kom ik in het licht, uit armoe in Gods heerlijk zicht, van onrust thuis in vree. Toen hij de deur van Arvids kamer achter zich had dichtgetrokken ging hij naar de zolder en zocht de zak van zeildoek die hij over zijn schouder had gedragen toen hij over het ijs ging en die hij zo ver mogelijk naar achteren had gegooid om te vergeten wat erin zat. Hij nam de zak mee naar het raam en haalde het gereedschap tevoorschijn dat hij op zijn laatste bouwplaats had gestolen, hij kon zich niet meer herinneren waarom, misschien had zijn loon niet geklopt of waren ze gierig geweest met het eten, pap van kaf en zout water om je aardappels in te dopen. Het waren een houten hamer en een ijzer. Hij woog ze in zijn hand.

Aan het einde van de maand was alle betimmering aangebracht en konden ze beginnen met de garnering, een kinderspel vergeleken met het zware werk met de kiel, het spant en de huidplanken. De Höviker ontspande en liet Isak houten pluggen snijden terwijl hij zelf in de romp klom om erop toe te zien dat niemand met de afdichting knoeide, want er mocht geen enkele zwakke plek zijn.

Hij had twee spanten, die al gereed waren, moeten weggooien omdat ze de rot die zich diep in het hout had verborgen niet hadden gezien, voordat ze begonnen te zagen. 'Ik kan niet iedere winderige nacht wakker liggen en me zorgen maken omdat jullie niet begrijpen dat er verschil is tussen een varkenskot en een boot!' Hij floot en zong en nam de maat voor het dek terwijl sommige mannen aan varkenskotten dachten, anderen aan lange zeereizen en een enkeling aan schipbreuken en losse planken dobberend als vuil schuim zo ver je kon kijken, drijvend naar land op de ene golf na de andere, alsof ze slechts door eindjes veter samengebonden waren geweest.

'Ik heb eens een houten hoofd geborgen,' zei Lauritz tegen de jongen die met zijn mes voor de smidse zat. 'Toen ik op het strand kwam dacht ik eerst dat het een steen was, maar het was een hoofd van eikenhout met lange krullen, het had vast honderd jaar op de zeebodem gelegen, zo zwaar en zwart als het was. Het moet ooit aan een echt groot zeilschip hebben gezeten, een viermaster.'

'Wat heb je ermee gedaan?' vroeg de jongen.

'Meegenomen naar het bos en begraven.'

Frank reed iedere dag naar beneden om te inspecteren, de mannen waren er zo aan gewend geraakt dat ze amper opkeken als ze de hoefslagen hoorden. Normaal gesproken kwam hij tijdens het ontbijt, alsof hij een beeld van de boot wilde krijgen zonder mensen die rondklauterden en de lijnen verstoorden. Ze zaten in de hei terwijl hij het gereedschap optilde en omkeerde en de ladder opklom en over de rand keek waar op een gegeven moment de reling zou komen, zelf wisten ze precies waar maar hij zocht houvast en kreeg splinters in zijn handen van de stutten. Hij zei nooit iets voordat hij was uitgekeken en het kon hem niet schelen of ze zagen dat hij de splinters uit zijn handpalm peuterde met zijn mes. 'Wat is dit?' riep hij en hij stak iets in de lucht. 'Een guts,' antwoordde iemand met zijn mond vol.

Hij bleef er lang naar kijken zonder dat hij probeerde zijn onkunde te verbergen.

Of: 'Er liggen hier een heleboel plankresten, is dat afval? Maken jullie zoveel afval?'

'Die gebruiken we voor het schrootdek, Frank.'

Soms vertrok hij nog voor het einde van de schaft, maar

meestal stond hij te wachten tot ze naar beneden kwamen. Hij wilde iets met de Höviker bespreken, het had met tijd te maken. Het leek alsof hij iets terug wilde van de tijd die hij hen had gegeven, maar de Höviker probeerde zo veel mogelijk te behouden omwille van de boot. Ze liepen langs de oever heen en weer te onderhandelen.

Of het ging om geld, nog maar vijf man waren er over van de oorspronkelijke werkploeg, meer waren er niet nodig nu het grove werk klaar was, zei Frank, hoewel ze probeerden uit te leggen dat daar ongeluk in schuilde, alsof er een stuk van de boot meeging met degenen die moesten vertrekken. Hij kon er nog zo heel en mooi uitzien aan de buitenkant, toch was hij onvoltooid. De Höviker geloofde niet in zulke praatjes, maar hij hield niet van al het geloop dat ontstond als de handlangers waren verdwenen, het was makkelijker als ze de dekplanken uitgemeten en gereed aangereikt kregen. Het was bijna juli en aan de tuigage konden ze nog niet eens denken. 'Je wilde toch dat het zou opschieten,' schreeuwde hij en hij plantte de bijl zo in het blok dat slechts een klein stukje van het blad uitstak.

Het was een dag met hoogwater en harde noordelijke wind die zout in hun ogen waaide; de Höviker stond tot zijn enkels in nat zaagsel en sloeg pluggen in de romp terwijl Isak ze aangaf, twee man breeuwden het dek terwijl de derde in de smidse was om het beslag op de vrachtluiken te maken. Ze hoorden allemaal de hoefslagen, maar Isak was de enige die zich omdraaide en zag hoe Frank het water in reed en de landtong rondde om hun baai te bereiken.

Het grote paard sloeg het water met zijn hoeven weg en ploegde een voor in de zee; zoals Mozes, dacht hij. Ze plonsden en kletterden als pannendeksels maar er kwam geen druppeltje op de benen van de man. Dat zo'n groot log paard zo mooi zijn hals kon buigen en zijn hoeven zo hoog kon optillen. 'Allemachtig wat een knoesten hier,' foeterde de Höviker naast hem. 'Kom op met die priem, snotjong.'

De mannen op het dek waren bezig breeuwkatoen in de naden te stoppen maar Lauritz, die met het nieuw beslagen vrachtluik uit de smidse kwam, zag alles: hoe de Höviker de jongen tegen de grond sloeg en hoe Frank op hem af reed en de stok recht op zijn rug liet neerkomen. Het was geen mooie manier om een volwassen man te slaan, vanaf de paardenrug en met een stok met een zilveren knop. De jongen lag onder het paard met zijn hand voor zijn neus en Frank boog voorover uit het zadel en zei iets, 'hij gaf de priem met de punt naar voren,' schreeuwde de Höviker terug. Hij zag er helemaal scheef uit, alsof zijn rug was gebroken. Maar dat kon toch niet, dacht Lauritz en hij kwam dichterbij met het luik, dat hij net zo goed meteen op zijn plaats kon leggen nu het was gaan regenen.

De dekkerels hingen over de rand om alles beter te kunnen zien terwijl ze draden twijnden en naar de verwensingen van de Höviker luisterden, hij ging naar huis en zou de boot naar de hel laten gaan, halverwege was-ie al, met alleen kinderen en oude kerels als scheepsbouwers, arme boot, hij kon net zo goed blijven staan rotten in de stutten, want varen zou hij toch nooit kunnen, zulk knoestig hout als Frank had uitgekozen en door en door rot, net als hijzelf, en alleen waardeloze kwajongens als hulp. Hij zou zinken op zijn eerste vaart, die vervloekte boot.

'Dan ga je toch,' zei Frank en hij liet het paard voorzichtig achterwaarts gaan zodat de jongen vrij lag, maar die kroop erachteraan alsof hij overal bang voor was, behalve voor de zwarte hoeven.

'Ja, ik ga, daar kun je donder op zeggen, maar jij zult nooit meer iets bouwen, daar zal ik voor zorgen. Niemand zal meer zaken met je willen doen en de tuigage mag je zelf in elkaar prutsen, vraag de jongen maar om hulp. Hier met mijn jas!'

'Daar komt-ie,' zei een van de kerels op het dek behulpzaam en liet een bundeltje neer.

'Vaarwel, meester,' riep Lauritz de man na die over de rots wegbeende.

Vervolgens was het even stil, Frank staarde naar de oren van het paard en de kerels wachtten op een beslissing. 'Dat was niet zo mooi,' zei Lauritz ten slotte.

'Ik weet het.'

'Hij was bekwaam, ook al zei hij het zelf iets te vaak.'

'Dat weet ik ook. We zullen het zonder hem moeten zien te redden.'

Isak opende zijn ogen en zag een zwarte buik en de zool van een laars. Toen hij zijn hand optilde zag hij bloed, maar niet veel. Hij lag in een warm paardenhuis met watergordijnen rondom.

'Heb je hem echt met de priem geprikt?' riep iemand tussen de paardenbenen.

'Een beetje maar.'

'Kom tevoorschijn en help me met het luik.'

Het goot, de regen kletterde op het dak van het dekhuis en hing in grijze franjes neer van de reling. 'Nu komt hij nooit af,' zei Lauritz zacht en hij trok Isak met zich mee in de beschutting onder de boot waar de dekkerels al op hun hurken in het zaagsel zaten en keken of ze breking in het wolkendek konden ontdekken.

'Het is maar een buitje,' zei de een. 'In de verte wordt het blauw, de wind is gaan liggen, het warme weer komt terug. Ik heb trouwens nooit iemand boven me nodig gehad om te weten hoe de planken moeten zitten'. Isak harkte in het zaagsel, misschien lag er ergens een spijker die hij was vergeten.

Frank zat nog steeds in het zadel, ze vonden het allemaal vreemd dat iemand zo stil kon zitten midden in een stort- bui en het water zomaar over gezicht en kleren kon laten stromen, hij bekommerde zich net zo weinig om de regen als een boom. Pas toen het ophield en de zon doorbrak trok hij de teugels naar zich toe en reed door de kloof omhoog. Ze dachten dat ze hem die dag wel niet meer zouden zien, maar 's middags kwam hij terug en begon pluggen in te slaan.

De eik hing vol zilverpenningen die zwaaiden en kletterden in de wind, ze rinkelden en rinkelden tot de hele wereld een boomkruin was met het huis in het midden en midden in het huis het bed waarin zij sliep in het geluid van duizend rinkelende zilverpenningen. Maar het was slechts een vlucht spreeuwen, toen iemand het raam van de eetkamer opende om een stofdoek uit te slaan vlogen ze weg.

Toen stond ze op en liep naar de spiegel. Wat gaat er met me gebeuren? vroeg ze het spiegelbeeld, dat over de waskom stond gebogen. Ze keerde zich naar het raam waardoor je het jacht met de dag kon zien groeien: als het klaar is weet ik het. Hoewel de beide knechten van het normale werk waren gehaald om mee te helpen met de botenbouw, was er altijd wel iets wat nog moest gebeuren. Het maakte niet uit, had Frank gezegd toen ze ernaar vroeg, ze zouden het hooi toch pas laat binnenhalen dit jaar. En het was waar, ze hadden een koude zomer gehad.

Ze stak haar haar op met harde speldensteken, het beeld in de spiegel kneep de mond samen als het pijn deed. Wanneer worden raven wit? Wanneer gaat graniet vloeien? Graniet gaat nooit vloeien, nooit. Ze was zo bang voor de boot dat ze 's nachts naar beneden had kunnen gaan om er gaten in te boren en de planken los te trekken zodat ze opnieuw zouden moeten beginnen, maar iedere dag groeide hij weer een stukje. Is hij van mij? peinsde ze. Als het mijn bos is waar hij hem van bouwt? Toen herinnerde ze zich dat het bos niet meer van haar was, niets was van haar, zelfs de haarspelden niet of het water in de kan, en dat het ook nooit van haar was geweest al had ze alles bezeten toen ze als klein meisje onder de appelbomen galoppeerde.

De jongen zat samen met de meiden en knechten in de keuken aan het ontbijt toen ze beneden kwam, dat was omdat hij het thuis zo slecht had. Ze liep de moestuin in om onkruid te wieden, maar bedacht zich toen ze de pas geschaafde boot als een baken tussen de bomen zag glanzen. Even later stond ze op de landweg steentjes in de sloot te gooien. Haar maag knorde, ze kon in de keuken iets te eten gaan pakken nu de anderen klaar waren, maar ze liep door, de heuvel op, voorbij de aardappels van de buren die er slecht uitzagen. De hunne waren veel beter, Frank had drie vrachten wier in de akker geploegd. De buren waren al begonnen met hooien. 'Nee, wij wachten nog even,' riep ze tegen de boer, die bij de omheining stond en ernaar vroeg.

'Waar wachten jullie op? Regen?'

Ze keek naar de lucht en bedacht dat de regen al onderweg was, dat het zijn hooi slecht zou vergaan.

'Een zomer als deze moet je toeslaan als je een sprankje zon ziet,' riep hij haar na toen ze verder liep, ze liep maar en liep maar en wist niet waarheen. Ze zag een wei met dikke paarden en een oud vrouwtje dat hout sprokkelde aan de rand van een kaalslag, een hooiland waar de maaiers dicht opeen liepen te zingen, gekleed in hun fraaie hooikledij. Bij de molen bleef ze lang naar het water staan kijken dat ronddraaide in de schoepen van het rad terwijl de molenaarsknecht zakken leegschudde op de brug. Ineens stond ze bij het hek van de pastorie en ze vond het maar een armzalige tuin: geen klimrozen tegen de muur, geen zandpaden en blauwe bloemperken, alleen een paar magere goudsbloemen voor het stenen fundament. Maar het waaide altijd zo rond de pastorie in Tång.

De oude dominee was lang geleden verhuisd, hij woonde nu bij zijn zuster in Lane-Ryr, waar hij in het prieel zat en zijn voorhoofd bette met gesteven kanten zakdoeken en oude boeken las met een glas kruisbessensap naast hem op de stenen tafel. Rondom het prieel lag een tuin met lanen en bosschages, rondom de tuin lagen gladde gele korenvelden zo ver het oog reikte. Tora hing over het hek en dacht aan de stijfsel die men op de domineeskragen penseelde voordat men ze streek en oprolde in een oude hoedendoos. Het hek was open gegleden, ze zette af met een voet en zwaaide als een kind heen en weer, de tuin in en weer terug naar de weg, het knarste zo luid dat de domineesvrouw naar buiten kwam om te vragen wat ze wilde.

Ze wilde niets.

Wilde ze met de dominee praten?

Nee, dat wilde ze niet.

Was er iemand ziek?

Niet dat ze wist.

Wilde ze binnenkomen en op een roodzijden bank onder een reeks silhouetten zitten met een hondje op schoot en een hand die over haar wang streek?

'Ik wil de dominee misschien toch iets vragen,' zei ze ten slotte en ze werd binnengelaten in de ontvangstkamer. Daar stonden uitsluitend spijltjesstoelen en een bureau, in de tuin aan de achterkant groeide enkel gras. De dominee was een lange zwarte spreekbuis waardoor God sprak. Zijn handen hielden als honden de wacht op het bureau terwijl hij wachtte tot ze iets zou zeggen.

'Wat gaat er met mij gebeuren?' vroeg ze.

'Tora bedoelt in het hiernamaals?'

'Nee, nu. Deze herfst. Of volgend jaar.'

'Ik begrijp niet precies wat je bedoelt, Tora.'

Het ritselde buiten en een zeis wiegde voorbij toen de knecht het gras kwam maaien. Even later leunde de dominee uit het raam en riep: 'Ik heb je verboden te fluiten, August!' hij sloeg het raam met een klap dicht en trok aan zijn toga die omhoog was gekropen. 'Hoe oud ben je ook alweer?' vroeg hij en hij ging zitten.

'Zeventien.'

'Dan ben je oud genoeg om te weten dat je niet vooruit kunt bladeren in Gods levensboek en het alleen regel voor regel kunt lezen. Het is een zonde het zelfs maar te proberen.'

'Maar is het waar dat ik niets bezit?' vroeg ze. 'En als het waar is, wat gebeurt er dan als Frank trouwt met de weduwe op Stillingsön, moeten wij dan verhuizen, Arvid en ik, en waar moeten we dan heen?'

'Rustig aan, Tora,' zei de dominee, die zijn bril op zijn neus had gezet en zijn notitieboek had opgeslagen. 'Pro primo...' begon hij en hij spatte op het inktstel. 'Is er familie?'

'Alleen papa's neven en nichten in Lunden, maar die zien we nooit.'

'Wie heeft er voor je gezorgd, Tora, toen je moeder, hm, overleed?'

'Arvid,' zei ze vlug.

'Aha, ja, maar laten we het nu niet over Arvid hebben, hij is in slecht gezelschap terechtgekomen, zeer slecht gezelschap. Afijn! Er is toch zeker een boedelbeschrijving gemaakt toen je vader stierf?'

'Dat weet ik niet.'

'Iets van het roerend goed zal toch aan de weduwe ten deel zijn gevallen. Die vervolgens een nieuw huwelijk is aangegaan... Dat kan de zaak compliceren.'

'Is er niets van mij?' vroeg Tora, ze voelde zich volstrekt

kalm nu en begreep niet waarom ze zonet zo verontwaardigd had gedaan tegenover iemand die niets wist van haar wereld en de draden die deze bij elkaar hield.

'Natuurlijk krijgt Tora haar vaderlijk erfdeel. Maar nu Arvid zo lichtzinnig is geweest om alles wat los- en vastzat te verkopen voor een buks en een paar laarzen...'

'Wie zegt dat?'

'Beste Tora, dat verhaal kent iedereen. Arvid vertelt het zelf zodra hij de kans krijgt. Een vreemd trekje van de menselijke natuur zichzelf te willen schaden, te willen vallen en lachen terwijl het gebeurt.'

'Het was niet alleen een paar laarzen, hij heeft ook geld gehad, veel geld.'

'Nu praten we niet meer over geld,' zei de dominee, 'de mens heeft een onsterfelijke ziel om voor te zorgen, vergeet dat niet. Als je mijn aannemeling was geweest had ik je daar niet aan hoeven herinneren, maar er is slecht gezaaid in deze gemeente en dan krijg je slechte oogst, maar daarover heb ik naar de bisschop geschreven. Afijn, dat doet er nu niet toe. Maar ik kan je nu al wel vertellen dat Arvid zal worden aangeklaagd voor zijn gedrag tijdens de kerkdienst.'

'Hij lachte alleen maar.'

'Hij was dronken, hij en zijn makkers. Ze zullen alle drie veroordeeld worden en ik zal erop toezien dat ze hun straf ondergaan, al moet ik de veldwachter erbij halen.'

Zijn magere witte handen sprongen rond over het bureau om de papieren te ordenen terwijl zij dacht dat het Arvid niets kon schelen als hij op het boetekrukje moest staan terwijl de dominee preekte over het hellegat waar het zo heet walmde dat een oude man afgelopen zondag was gaan huilen. 'Het lijkt me het beste als je Frank zelf vraagt hoe hij zich jouw toekomst had gedacht,' zei de dominee en hij klapte de poten van zijn bril dicht.

'Nee, dat gaat niet.'

'Ik begrijp niet waarom dat zo onmogelijk is.'

Als ik het hem vraag, dan kan hij weigeren te antwoorden, dacht ze. En dan word ik iemand die tevergeefs vraagt. Als ik eenmaal begonnen ben met vragen moet ik doorgaan tot ik antwoord krijg en hoe meer ik vraag des te halsstarriger hij zal zwijgen. Dan maakt hij zich vrolijk over mij.

'Ik kan me niet voorstellen dat Frank zal weigeren te antwoorden,' zei de dominee.

Jawel, want als ik hem iets vraag dan heeft hij macht over mij. Als hij mij iets vroeg zou ik hetzelfde doen, ik zou zwijgen om macht over hem te hebben.

'Nee, dat gaat niet,' zei ze weer.

'Dan weet ik echt niet wat ik je moet raden, Tora.'

'Het geeft niet,' zei ze en ze stond op. 'Want ik denk niet dat de weduwe op Stillingsön Frank wil hebben.'

Pas toen ze weer buiten stond herinnerde ze zich de openbare afstraffing waartoe Arvid veroordeeld zou worden. Ze kon zich hem heel goed voorstellen daar op het krukje voor in de kerk met hangend hoofd in het diepste berouw waarvan niemand, zelfs zij niet, zou weten of het echt was of een spel dat hij speelde om de tijd te laten verstrijken terwijl de dominee preekte: ten eerste, ten tweede, ten derde, ten vierde. Ze wilde de dans ontspringen zich voor hem te moeten schamen onder het oog van andere mensen. Ze bedacht dat ze weer naar binnen zou gaan om een goed woordje voor hem te doen, maar haar voeten liepen regelrecht door het gat van het hek de weg op, want ze was niet in staat om iemand om iets te vragen.

Je krijgt alleen waar je niet om vraagt, dacht ze. Als je iets graag wilt hebben, moet je er niet om vragen. Dan moet je leren het te ontberen.

De wolken stonden als hoge blauwe oppers boven zee,

'vlug naar huis, want er komt regen,' riep de pastorieknecht die aan de slootkant brandnetels stond te maaien. Je kon de geur van regen al ruiken in de wind. En alle mooie tafellakens die buiten hangen, dacht ze en ze rende de heuvel af, maar er vielen slechts een paar grote druppels. Toen ze bijna thuis was zag ze hoe het weerlichtte boven Orust, maar het bleef stil, want de donder was ver weg boven zee waar hij niemand kwaad kon doen.

Ze haalde toch de tafellakens maar binnen. Er stond een schaduw tussen het wasgoed die een grote schaduwhand bewoog in het weerlicht, het was niet een van de meiden zoals ze dacht maar Arvid die zich had verstopt en met geheven hamer stond toen zij het zomerkleed met korenschoven wegtrok. 'Ik dacht dat het Erland was,' zei hij. 'Zo klonk het rennen in het grind.'

'Heb je schone handen?' vroeg ze, en hij draaide zijn handpalmen naar haar toe. Terwijl ze samen de lakens oprekten en opvouwden keek ze naar de hamer die in het gras lag. 'Was je van plan hem daarmee te slaan?'

'Ik wil hem niet slaan. Ik was van plan hem eerst alleen een beetje bang te maken.'

'Help me de mand naar binnen dragen,' zei ze, maar Arvid drentelde richting fruitbomen, steeds verder bij haar vandaan. Er lag een bundeltje onder de sneeuwbeshaag. 'Waar ga je heen?' vroeg ze toen hij zich bukte om het tevoorschijn te halen.

'Ik ga naar Jonas in Hällycka om zijn dak te maken. Dat heb ik beloofd. Het regent in bij de schoorsteen.'

'De stal regent ook in nu de plaggen eraf zijn. Je hebt Frank beloofd pannen op het dak te leggen.'

'Dat heb ik toch niet beloofd?' zei hij verbaasd en hij stopte de hamer in zijn bundeltje. 'Hier zijn zoveel anderen die het dak kunnen maken, maar Jonas is oud.'

Hij draaide zich om en liep weg terwijl hij de hond floot, maar Tora rende hem achterna, ineens vochten ze met elkaar om het bundeltje, ze probeerde het van hem af te pakken maar hij lachte en hield het in de lucht alsof het een spelletje was terwijl de hond blaffend om hen heen sprong. 'Je mag niets meenemen,' schreeuwde ze en ze sloeg op zijn armen.

'Ik heb alleen gepakt wat van mij is,' zei hij en hij duwde haar met zachte hand terug alsof ze een katje was dat met haar klauwen in de mouw van zijn trui bleef hangen.

'Nee, nee,' gilde ze en ze werd woedend omdat hij nooit begreep wat ze bedoelde, 'je mag nemen wat je wilt, het is immers allemaal van jou, maar het moet hier blijven. En jij moet ook hier blijven. Waarom kun je niet gewoon het dak op klimmen en het afmaken om hem te laten zien dat je het kunt?'

'Omdat ik het niet kan.'

'Ik wil dat je het kunt,' riep ze en ze rende het eikenweitje in waar die wonderlijke windstilte voor het onweer heerste, alle vogels waren weggevlogen, waar vliegen ze heen, dacht ze en ze keek naar het gebladerte dat roerloos boven haar hing. Ze dacht dat Arvid achter de boom op haar zou staan wachten, zoals hij altijd deed, maar toen ze zich omdraaide was hij vertrokken.

Ze zette de wasmand op het putdeksel en bleef een poosje bij de ladder staan die tegen de stalmuur stond. En nu heeft hij Arvid nog het dak opgejaagd ook, zei ze hoofdschuddend.

Het is toch niet te veel gevraagd dat Arvid werkt voor de kost, zei de dominee achter zijn grote zwarte bureau waar hij zijn bril nog een keer extra poetste. Wat is dat voor iemand die jaar in jaar uit genadebrood wil eten?

Maar wat als hij valt? zei ze en ze voelde aan de ladder,

hij stond stevig en ze klom een stukje naar boven om over de rand te kijken. Slechts twee rijen pannen waren er gelegd op de plaats waar de plaggen waren afgestoken.

Een volwassen man kan toch wel een dak op zonder eraf te vallen, zei de dominee met zijn scherpe malende stem, die maar niet wilde zwijgen, een waardeloze kerel die nooit echt werk verzet maar hele dagen een beetje op zee ligt te spelen met een vissnoer. Een slappeling, een worm, een lafaard, een luiwammes, die jou alles laat opknappen en zelf nooit een vinger uitsteekt, wat is zo iemand waard?

Het kan me niet schelen wat hij waard is, schreeuwde ze en ze sloeg met haar hand op tafel zodat alle papieren wegvlogen, hier ben ik degene die beslist en ik beslis dat Arvid de hele dag in het bos mag lopen als hij dat wil. Toen zweeg de dominee en werd klein als een inktpot terwijl zij naar buiten marcheerde en alle deuren achter zich open liet staan ten prooi aan de wind zodat het begon te tochten en de domineesvrouw de keuken uit kwam stormen en begon te schreeuwen toen de gordijnen naar beneden kwamen en een bloempot in scherven viel.

Ik zou het dak zelf kunnen maken, dacht ze en ze klauterde weer naar beneden. Zo simpel is het.

De meiden waren op de akker om de aardappels voor de tweede keer aan te aarden, ze zag hoe slordig ze met de hakken in de weer waren en riep ze toe, maar ze keken alleen sloom de lucht in alsof er een vogel krijste voordat ze verder gingen aarde in het rond te strooien terwijl ze doorpraatten met hun hoofden dicht bij elkaar.

'Je zult zelf moeten aanpakken,' zei Mari, die bij de buitenbank naast de keukendeur vis stond schoon te maken.

'Nee, want ik heb iets belangrijks met Frank te bespreken.'

'Je bent voortdurend de hort op, Tora. We kunnen geen

twee mensen hebben die voortdurend de hort op zijn, want dan weet ik niet hoe het verder moet.'

Ik moet met Frank praten, dacht ze. Ik zal hem vragen... Nee, ik zal tegen hem zeggen... Maar ze begreep niet wat ze zou zeggen, hij wist alles immers al. Ik zal tegen hem zeggen dat hij Arvid met rust moet laten, dat als hij Arvid met rust laat, dan zal ik... Maar ze had niets om ertegenover te stellen, alles was al van hem. Je moet niet iemand om iets vragen, dacht ze. Als je iets wilt hebben moet je op slinkse wijze zorgen dat je het krijgt.

'Het wordt flink wat botergeld dit jaar,' zei ze en ze ging op haar hurken tussen de katten zitten, die zich miauwend om het bankje verdrongen.

'Stop het achter slot en grendel, zodat niemand het van je af kan pakken.'

'Hier zijn toch geen dieven,' zei ze en ze leunde tegen Mari's been, wat gaan we eten, wanneer gaan we eten, van wie hebben we die vis, wil je mijn haar vlechten, Mari? Maar Mari trok haar rok met een ruk naar zich toe en liep met de schaal vis de keuken in.

Ik zal tegen hem zeggen van dat dak, dat hij die pannen mooi zelf kan leggen, dacht ze toen ze naar de zee liep. Dan wordt hij kwaad en schreeuwt, wat duivel! Nee, dan zegt hij: beste Tora, natuurlijk zal ik het dak van de stal leggen als jij dat wilt. Alles wat jij wilt zal ik doen, als je het maar vriendelijk vraagt.

Ze ging op de omheining zitten en probeerde te bedenken wat het eenvoudigst was, als hij deed wat ze zei of als hij dat niet deed. Wat duivel, zei ze stilletjes en ze klom over het hek. Wat duivel, ze was echt niet van plan langs de oever te gaan waar hij haar van verre kon zien aankomen, ze zou de weg over de heuvel nemen zodat zij hem als eerste zag.

Er waren maar weinig mensen aan het werk beneden en ze begreep niet waarom hij zoveel werkvolk had opgezegd als er nog zoveel te doen was. Alles zag er hetzelfde uit als een week geleden, met slechts een halve reling en de mast rustend op bokken tegen de rots, waar het afvalhout in omgevallen stapels lag. Nils en de jongste knecht stonden in de zon het laatste deel van de romp te schaven, maar Frank was nergens te bekennen.

Ze klom hoger de heuvel op naar de noordkant, wat duivel, ze was echt niet van plan het pad naar de kloof te nemen, dan zouden ze denken dat ze met koffie kwam. Koffie brengen doe ik niet! Wat kom je dan doen? Ik kwam kijken of je boot al klaar is, maar daar ziet het niet naar uit. Het ziet ernaar uit dat je moet leveren zonder tuigage en de prijs moet laten zakken. Ze ging op haar buik in de hei liggen en tijgerde naar de rand, toen zag ze dat Frank beneden in de schaduw stond te breeuwen. Hij had zijn stok in het zand gestoken en zijn jas eroverheen gegooid, als een beeld gericht naar de zee, zelf stond hij in zijn hemd te fluiten terwijl hij breeuwkatoen in de naden aanbracht. 'Waar ben je,' riep hij, zijn stem zo dichtbij dat ze op het punt stond te antwoorden, maar in plaats daarvan gaf iemand anders antwoord, het klonk als het geroep van een scholekster, en vervolgens kwam de jongen uit de smidse aandraven met een teerketel.

Ze vouwde haar armen voor zich en liet haar kin erop rusten, ondertussen zag ze hoe hij op de steiger werd getild om op de juiste hoogte te komen en hoe de emmer met breeuwkatoen naast hem werd gezet. 'Je moet voorzichtig slaan, zodat je het hout niet beschadigt,' zei Frank en raapte het ijzer op dat de jongen had laten vallen. 'Je zult het snel leren,' zei hij toen de hamer wegleed.

'Maar blijft het dan zitten?' zei de jongen en hij draaide

zijn lichaam om de slaghoek te vinden.

'Hierna gaan we pekken. Dan wordt het alsof je een kurk in een fles stopt.'

Het was warm in de hei waar ze lag, het onweer was ver weggetrokken maar de lucht was nog net zo benauwd en de onweersvliegjes kropen over haar handen en prikten. Ze sloeg er voorzichtig naar. Frank had zijn pijp uit zijn jaszak gepakt en stond aan de oever te roken in het onrustige licht, dat over het water sprong en stuiterde, een valse zon die van het ene op het andere moment zwart kon worden als nieuwe wolken kwamen opzetten boven Orust alsof alles daarachter in brand stond. Ze vond hem kleiner worden als er geen anderen om hem heen waren waaraan ze hem kon afmeten.

Hij stond zo stil, alleen zijn hand met de pijp bewoog een beetje en de kleine rookpluimpjes die uit zijn mond-hoek kwamen, het leek alsof hij de boot was vergeten en al het andere dat zich achter zijn rug bevond, alle mensen en dingen, alle geluiden, en haar, en de kleine jongen die steu-nend probeerde bij de bovenste huidplank te komen. Ze boorde haar hoofd in de hei, die in haar huid kraste en prik-te, het ritselde van geheimen tegen haar gezicht van alles wat rondkroop in het dunne laagje aarde.

'Dat doe je goed,' zei de donkere stem onder haar. 'Je wordt vast een goede timmerman, Isak.'

Ze boog naar voren, ze zag hoe Frank met de pijp in zijn mond aan een los draadeindje in de naad stond te peute-ren. Haar arm had een steentje losgewoeld dat naar bene-den rolde, maar ze beukten er weer op los en hoorden niets.

Eind juli voer Frank naar Stillingsön en huurde twee oude matrozen in voor het aanbrengen van de tuigage. Ze veranderden de bootkolos die zo lang op de wal had liggen groeien in een jachtgetuigde vrachtboot die weliswaar niet aan de eisen van de douane voldeed wat betreft snelheid, maar prima deugde voor zijn doel: het vervoeren van hout, zout en vis tussen Göteborg en Strömstad. De schipper was tevreden en betaalde bijna het volledige bedrag, met aftrek voor tijdverlies, en nam de helft van de drank voor zijn rekening van het inwijdingsbier, dat maar kort duurde want het was midden in de hooitijd.

Het hooien was bewerkelijk dit jaar, ze moesten het nat opsteken en weer neerhalen als de zon tevoorschijn kwam, de natte plukken harken, kammen, ontwarren en luchten in de wind als fijne was. Tora en Arvid hadden samen al het gras rondom het huis, in de boomgaard, langs de slootkanten en in de drassige weiden gemaaid en waren begonnen met het snijden van de bladertakken, hoewel dat aan de vroege kant was. Rijen takkenbundels hingen al te drogen tegen de schuurwanden, want Tora herinnerde zich Mari's woorden over de slechte oogst. 'Zie je niet hoe prachtig het gras erbij staat,' zei Frank, maar ze nam altijd de sikkel mee als ze naar buiten ging.

Het was zo afgegraasd in het bos dat ze de koeien moesten verplaatsen, maar er was geen aanwas waar ze ze naartoe konden brengen nu de hooioogst zo laat was. Ze hadden alles in de verkeerde volgorde gedaan dit jaar, dat kwam door de botenbouw. De velden moesten uitgebloeid zijn voordat ze begonnen aan de grote oogst, dan kon hij met eigen ogen zien hoe dun het gras was zo laat in het jaar, ze wist dat er minder kracht in zat en sneed esp en els, esp en els, Arvid ging mee uit snijden en ze bouwden een kleine tent van twijgen tegen de miezer en aten hun proviand in de zoete geur van verleppende bladeren.

Arvid zei zelden iets, maar hij was vriendelijk tegen haar. Ze liepen naast elkaar de boszoom te maaien met de oudste zeisen, die tegen stenen en stronken konden, hij maaide altijd nog even door als zij was gaan zitten om uit te rusten. Ze hadden de belkoe moeten slachten omdat ze haar poot had gebroken op een stenige helling, en hij had voor Tora een kruithoorn gesneden van de ene hoorn en een lepel van de andere. Ze had niet geweten dat hij hoorn kon snijden.

'Daar ligt hij,' zei hij en hij wees naar een kolossale steen die gewelfd als een boot tussen de bomen lag. Toen hij wees met zijn mes zag ze heel even het goud blinken door het mos. De vogels spraken met elkaar in de regen, ze kon bijna verstaan wat ze zeiden, nu vertrekt hij, dacht ze, maar hij zette de ladder rechtop en begon bladeren naar beneden te gooien die zij bij elkaar moest binden. 'We kunnen de koeien naar het braakland brengen, dan kunnen ze daar een paar dagen grazen,' riep hij vanuit de boomkruin.

De schipper voer weg en ze maaiden bijna de hele nacht, al het werkvolk behalve Mari die te oud was, al het hooiland in één haal. De volgende dag keerde Tora de schoven en richtte ze naar de zon, waar die ook stond, zodat ze beter zouden drogen. 's Avonds kregen ze alles op de hooiruiters zonder dat er een regendruppel viel en Frank bracht in zijn eentje al het hooi van de draslanden binnen, niemand sliep dat etmaal en laat op de avond zaten ze zwaai-end aan de keukentafel oogstpap te eten met lepels die soms in de lucht bleven hangen. De volgende dag haalden ze de koeien van het braakland en egden het en harkten al het groen dat over was bij elkaar en spoelden het in de sloot voor voer, de koeien mochten in de boomgaard grazen met de jongste meid als koeienmeisje, de anderen begonnen met de erwten, want nu was het ineens goed weer om te dro-gen.

Het leek of Frank altijd zijn zin moest krijgen, daarover praatten ze terwijl ze de akker maaiden waar de erwten en bonen samen groeiden en in elkaar klommen, maar hij hoorde hen niet want hij liep helemaal vooraan en sloeg met grote brede slagen. Zijn zeis leek twee keer zolang en pakte twee keer zoveel, hij maaide als een windmolen, zo-als je maait als je nog niet hebt geleerd dat je op die ma-nier gauw moe wordt, maar hij werd nooit moe, hij maai-de altijd de regel uit voordat hij zich oprichtte.

Ze kregen een paar zonnige dagen en haalden al het hooi binnen voordat de regen terugkwam. 'Zie je nou wel,' zei Frank tegen Tora toen ze de hooizolder vol hadden, daar-na liep hij naar buiten en keek naar het braakland, dat niet naar behoren was onderhouden, dat kwam omdat hij zo-veel andere dingen te doen had. Hij haalde de paarden weer tevoorschijn en ploegde het en stond in de regen diepe ste-nen los te wrikken, toen egde hij nog een keer en ze hark-ten alle witte onkruidwortels weg en vulden er het gat op de loopbrug mee. Het hooiland begon alweer bij te komen in de regen. De schapen liepen op de erwtenakker en aten het afval. De koeien stonden tegen de appelbomen te schu-ren terwijl de meid uitrustte onder de eik met de dichtste kruin, Tora pakte haar bij haar vlecht en leidde haar rond om te laten zien hoe slecht de fruitoogst zou worden dit jaar nu de lijsterbes amper had gebloeid en er mot in de appels zat, ze konden het zich niet permitteren dat de koeien aten van het weinige dat overbleef.

Vervolgens haalde ze een emmer en begon aalbessen te plukken, de jongste meid joeg de koeien weg en kwam af en toe met een handjevol bessen, dat ze in de emmer gooide. Op het erf werd gehamerd en getimmerd; Nils was een kuip aan het bouwen, want het moest afgelopen zijn met het drenken van de koeien bij de waterput in de winter met sneeuw en gladheid, ze zouden het water de stal in brengen en lauw laten worden voordat de koeien het mochten drinken. Frank was op het dak de plaggen aan het afsteken, ze durfde hem niet te vragen waar Arvid was. Ze wuifde met een rode hand naar de jongen, die rondrende en de plaggen in manden verzamelde, 'waar is Arvid,' vroeg ze en hij wees alle kanten op, naar de zee en het bos, omhoog naar de hemel alsof Arvid een sprookje was dat iemand hem had verteld. 'Hij heeft de buks meegenomen,' fluisterde hij en hij schoot weg voor een regen van plaggenkluiten. Ze droeg de emmer naar de keuken en gooide de bessen op bladen om ze te drogen bij het fornuis. Mari bakte makreel en kookte er saus bij van groene kruisbessen.

Na het middagmaal ging ze naar hem op zoek, dat deed ze vaak, het was een soort onrust waarvan niemand mocht weten. Ze moest zien dat het goed met hem ging. Het gebeurde heimelijk, in lange stille kronkelingen door het bos tot ze hem ergens op een open plek zag, en als ze zich per ongeluk kenbaar had gemaakt moest ze altijd een reden hebben, dat ze op zoek was naar vossenbessen, of ze veinsde verbaasdheid en zelfs een beetje boosheid dat ze elkaar overal tegen het lijf liepen. Dat een mens nergens rust had! Ze stopte de sikkel tussen haar ceintuur en volgde de vogelsporen, ze voerden in de miezer naar de kam van de heuvel en daarvandaan zag ze het hutje dat zo klein was dat er slechts plaats was voor één gast, een enkele gast die naar de rode viool mocht luisteren.

Ze sneed wat espenbladeren die zo diep in een bramen-struik groeiden dat de schapen er niet bij konden en nam ze mee naar huis. 'Heb je Arvid geld gegeven?' vroeg ze aan Frank, die op het erf stond en de jongen liet zien hoe hij plaggen op de loopbrug moest leggen en het gat bij de waterput moest vullen waar het altijd zo nat werd. De rest zouden ze gebruiken om de aardappelkelder mee te dich-ten, zodat ze geen bevroren aardappels hoefden te eten in de nawinter.

'Ik heb hem een paar schelling gegeven toen hij erom vroeg,' zei Frank, hij stapelde de volle manden op elkaar en tilde ze met een ruk op, zijn vieze hemd bolde naar alle kanten van de inspanning. Ze liep naast hem naar de aard-appelkelder terwijl de jongen voor hen uit rende en het dak op klom waar hij de plaggen begon uit te leggen zodra Frank de eerste mand had geleegd.

'Hij drinkt het alleen maar op,' zei ze. 'Maar dat is na-tuurlijk wat je wilt. Het gaat hem slecht, je wilt dat het hem slecht vergaat.'

'Ik wil dat hij gelukkig is,' zei Frank en hij begon te hoes-ten van het stof, hij stond dubbelgevouwen en spuugde en maakte met zijn mouw een vieze veeg over zijn gezicht voordat hij de andere manden leeggooide. 'Put een emmer water voor me,' zei hij en hij rechtte zijn rug.

'Nee, want ik moet de schoven te drogen hangen,' zei Tora. Ze liep terug en liet hem zelf alle manden dragen. Ze vond de wereld klein worden omdat ze nooit kon doen wat hij van haar vroeg. Toen ze hem boven de waterput zag ruk-ken aan het touw om de emmer te laten zinken nam ze het van hem over, mikte en gooide zo dat de emmer meteen volliep. 'Buig voorover,' zei ze en ze goot de emmer langzaam leeg over zijn nek terwijl hij zich waste, hun gelach weerkaatste tegen de stalwand, het was het vreemdste geluid dat ze ooit had gehoord. Maar ze had het niet kunnen laten mee te lachen toen hij zich kronkelde onder het ijskoude water en jammerde dat het onder zijn kraag liep.

Toen ze al het vlas hadden uitgetrokken en in de rootput hadden gelegd, wilde Mari terug naar haar eigen bedoening, al hadden ze haar gevraagd tot na de oogst te blijven. Ze deed het schaap aan een touw en trok het de beboste heuvel op terwijl Tora naast haar liep en een zak gezeefd meel en een mand zomerappels droeg. 'Nu ben jij de vrouw des huizes, Tora.'

Onderweg naar huis plukte ze een mand vol bosbessen, die ze mengde door de pap, de meiden zaten bij de keukendeur toe te kijken en ze liet ze uitrusten want ze hadden de hele dag erwten gedorst. Zelf at ze haar pap staande bij de gootsteen met de lepel die Arvid haar had gegeven en die niemand anders mocht aanraken.

Frank liep iedere avond over de akkers en rolde het graan tussen zijn vingers terwijl hij naar de lucht keek, waar de wolken dik, in flarden, waaiervormig of vlokkig als zure melk waren. De zonsondergangen werden steeds roder, de maneschijn was geel als boter, de avonden waren als zwartfluwelen grotten waar vleermuizen in en uit vlogen en met scherp gefluit jaagden. De lucht was vol muggen en de bomen vol wormen, de vogels kregen drie broedsels zulke zomers, maar het blad was slecht, dun als oud kant. Hij rolde de aar tussen zijn vingers en proefde aan het graan, proefde aan de lucht die naar regen smaakte.

De winst op het jacht was niet zo hoog als hij had begroot. Het nieuwe dak van de koeienstal schaterlachte tussen de bomen, geen druppel kwam de hooizolder binnen, maar het regende op de rogge, de gerst lag plat. Toen ging de zon rood als Johannesbloed onder en de maan kwam op en gleed over het bos, hij werd die nacht niet wakker van de regenbui en de volgende ochtend dampte de grond zich droog. Hij liep over de akkers en smeekte ze weer overeind te komen, smeekte om vergeving omdat hij ze aan anderen had overgelaten die niet zagen hoe de wind de lange pluimen van de gerst zilverglanzend streelde en vervolgens omdraaide en alles weer ruw en groen streek, de lange golf van gewaterde schaduwen waar geen einde aan kwam, die zich door heel Tång bewoog in een zee van gerst. Hij vond de gerst het mooist.

Tegen het einde van de maand kwam er een hittegolf. Ze waren met z'n vijven voor de haver en met z'n zessen voor de rogge, ze begonnen in de dageraad en maaiden onafgebroken tot het melktijd was en de meiden vertrokken. Arvid legde zijn zeis weg om Tora te helpen met het binden van de schoven, het was al zo warm dat de dunste kleding aan je lichaam plakte en ze rukte haar hoofddoek af en gooide hem over de omheining en knoopte haar bovenlijfje zo ver mogelijk open. Toen het melken klaar was kwamen de meiden met koffie en ze gingen onder de hazelaars zitten en aten wat, hoewel het voedsel hen tegenstond in de hitte. Het liefst wilde je alleen drinken, maar het water ging als een steen in je maag liggen en dan kon je moeilijk vooroverbuigen.

Ze bleven een kwartier liggen met hun armen over hun ogen tegen de zon, die zich door de takken van de hazelaars boorde, toen werd Frank wakker en ging weer aan de slag, hij was altijd als eerste klaar met zijn regel en hoe vlug Tora ook bond, ze was altijd ver achter. De andere bindsters hadden het makkelijker, want de jongste knecht was pas vijftien en niet bepaald groot voor zijn leeftijd en Arvid sloeg onregelmatig, een paar snelle passen, een paar langzame en dan draaide hij zich om en streek traag met de strekel en wachtte op degene die achter hem liep te binden. Frank draaide zich nooit om. Hij sloeg hard en bij iedere slag kwam er een geluid uit zijn keel alsof hij iets zwaars optilde of iets deed waar hij een hekel aan had, brandnetels vol luis maaien of een mestvaalt afgraven, maar ze wist dat het was omdat hij haast had. Ze waren de laatste van allemaal dit jaar.

Ze boog zich voorover en schoof het graan naar voren, rolde het tot een gelijkmatige bos, stootte de wortelkant tegen de grond en bond het met een handvol strootjes, die steeds harder werden, want hoe hard haar handen ook waren, het graan was nog harder als je honderd schoven had gebonden. Isak kwam in een wolk sprinkhanen aanlopen over de akker en redde haar met de volle emmer, die tegen zijn benen stootte en water morste. Ze richtte zich op en dronk zo slordig dat het water over heel haar buik en onder haar rokband stroomde, langs haar dijen en tussen haar benen, toen nam ze nog een scheplepel en dronk op dezelfde manier terwijl ze zich zo ver naar achteren boog als ze maar kon om haar rug te rechten.

'Zo is het genoeg,' riep Frank, die in de berm zijn zeis stond te slijpen, maar ze moest een derde scheplepel nemen al kon ze niet meer drinken, ze liet het water door haar mond en over haar kin naar beneden lopen terwijl ze naar Isak keek die aan het eind van de akker aren in kleine bosjes verzamelde. Het was net of hij bloemen plukte.

De zwaluwen vlogen dicht over de stoppels op jacht naar muggen, ze streken zo vlak langs haar hoofd dat ze de luchtverplaatsing van hun vleugels kon voelen. Ze bukte zich en schoof bij elkaar, pakte op, bond, legde opzij, bewoog zich met kleine stapjes langs de strook die er gelijkmatig en mooi gemaaid bij lag. De halmen waren makkelijk te snijden als ze niet platlagen. Toen ze bij het eind van de regel kwam was Frank weer van vooraf aan begonnen. Hij was al bijna halverwege en ze rende om hem in te halen, hij had twee bindsters achter zich nodig, ze zou iemand moeten hebben die haar hielp. Op de lager gelegen haverakker werd gezongen. Ze bukte zich en schoof het graan naar voren, maar ineens had de strook zich omgedraaid en moest ze alle halmen zo schikken dat de aren boven lagen. Het kostte meer tijd zo. Ze besloot zich niet meer op te richten voordat ze aan het einde van de strook was. De zon brandde op haar hoofdhuid, nu had ze haar hoofddoek nodig maar er was geen tijd om hem te gaan halen, eerst moest ze het einde van de strook bereiken. Toen ze de laatste schoof had gebonden en zich oprichtte voelde ze haar rug weer, stukje bij beetje rechtte hij zich en ze drukte haar vuisten erin als stutten, het was als het glad leggen van een kleed dat lange tijd opgerold in de kast had gelegen.

Drie brede straten in de gele rogge waarin de mannen zich bewogen als een wig met Frank als spits, de vrouwen gebukt achter hen met het water klotsend in hun magen en rode gezichten glanzend van het gutsende zweet dat vliegen aantrok, maar ze hadden geen hand vrij om ze weg te slaan. Tegen het middaguur was bijna de hele akker gemaaid en Frank bond de laatste schoven voor Tora zodat ze het eten op tafel kon zetten. Nu er niemand was die kookte moesten ze zich behelpen met haring en koude aardappels, maar ze had een rond tarwebrood opengesneden en er bessenmoes tussen gedaan. Zoiets lekkers hadden ze nog nooit gegeten, zeiden ze en ze tilden het brooddeksel op om eronder te kijken.

Rustpauze in de boomgaard met blote voeten die onder de aalbessenstruiken uitstaken en hier en daar een hand die naar de vliegen sloeg. De keuterboertjes sliepen onder hun zwarte hoeden. De oudste had zijn dochter meegebracht als bindster, zij had het mooist gezongen beneden op de akker, maar toen Tora probeerde een praatje aan te knopen kroop ze in haar schulp en begon aan het gras te plukken. 'Je mag nooit iets zeggen tegen haar,' fluisterde Arvid en hij trok Tora opzij, 'ze is verlegen. Dat komt omdat ze doodsangsten heeft uitgestaan toen ze klein was. Ze is een wolvenkind. De wolf heeft haar op de drempel gepakt en naar het bos gedragen en onder een spar gelegd, en daar heeft ze de hele nacht gelegen voordat ze haar vonden. Je ziet wat een grote ogen ze heeft gekregen van het staren naar de maan.'

'Nu lieg je.'

'Ja, ze is zo geworden toen hun schuur in brand stond.'

Ze gingen onder de eik zitten en deelden een handje aalbessen die Arvid had geplukt en sloten hun ogen tot Frank het raam van het kantoortje opende en riep dat het tijd was weer aan de gang te gaan, straks werd het donker, ze hadden uren geslapen, dit was maar een halve dagtaak. Arvid en hij zouden samen de tweede roggeakker maaien terwijl Tora en de meiden schoven bonden, de rest zou de derde roggeakker doen en ondertussen zou de jongste knecht de vogelverschrikkers naar buiten rijden.

De tweede roggeakker was kleiner maar heuvelachtig en lastig te maaien, en slecht drooggemaakt zodat er drassige plekken in het midden waren. Tora merkte dat Arvid achterraakte. Dat was zijn eigen schuld, want hij maaide zoals een kind op een stelletje uitgebloeide paardenbloemen slaat om het pluis weg te laten vliegen.

'Je bent geen matten aan het kloppen,' zei ze en ze greep hem bij zijn arm toen ze zij aan zij kwamen. 'Sla fatsoenlijk.'

'Dat kan ik niet.'

'Eerst kon je het wel.'

'Ik kan hem toch niet bijhouden, het heeft geen zin het te proberen.'

Ze keken de brede rug na die zich door de rogge wentelde, toen hij achter de heuvel verdween deed Arvid een poging en maakte een paar snelle slagen. Hij laat erg hoge stoppels staan, dacht ze en ze bukte zich, verzamelde, bond, legde opzij terwijl ze luisterde naar het geluid van de zeis naast haar. Zolang ze gelijk op bleven gaan was ze rustig. Alleen daarom al bond ze langzamer, maar dat maakte niet uit nu Frank twee bindsters achter zich had.

'Je bent flink, Margret,' riep Frank tegen de kleine meid die vijf schoven bond tegen Tora drie en al ver de heuvel op was. Hij was klaar met de regel en begon aan een nieuwe, het was alsof je een groot kauwend dier achter je had dat gras uitrukte, enorme kaken die hapten en maalden. 'Nu heeft hij me zo ingehaald,' zei Arvid en hij bleef staan om zijn zeis te wetten. Hij wreef de stok als een strijkstok tegen het blad, zo zacht en langzaam. Ze wilde haar hand op zijn schouder leggen om hem aan te sporen. 'Ik snij je in je hielen als je niet uit de weg gaat,' riep Frank en ze gingen allebei opzij toen hij langs hen tolde, een wiel dat door de rogge rolde en stof deed opwaaien. Arvid keek naar de hemel, waar de zon als een witte vlek stond te branden. 'Naar de hel ermee,' zei hij en hij gooide zijn zeis neer.

Toen vertrok hij, onder de hazelaars door en over het hooiland de donkere schaduw in waar het bos begon. Tora pakte de zeis en begon te maaien, het was makkelijk na al die uren dat ze gebogen naar de grond had gestaan. Toen ze op de kam was, bleef ze staan en blikte terug, de strook die ze had gedaan was mooi en recht. Het bos lag er groen en stil bij, de zee was glad met een lichtrimpel onder de zon. Ga dan, ga dan, ga, ik kan niet langer voor je zorgen. Ze stopte de strekel in haar rokzak en maaide zich een opening in de rogge, stapte erin en opende een nieuwe terwijl Frank passeerde. Hij zei niets over Arvid en ze keek niet eens op, zoveel was er haar aan gelegen dat alle halmen dezelfde kant op vielen, uit de weg voor de volgende slag die net zo kolossaal werd, een mooie halvemaan van gele stoppels, dicht boven de grond afgesneden.

Hij was achter haar, maar maaide langzamer en liet haar een stukje voorsprong houden. Dat maakte dat ze haar tempo moest verhogen. Nu zal hij ook zijn tempo verhogen, dacht ze en ze gluurde opzij, maar hij was blijven staan en stond met zijn hoed diep in zijn nek naar Orust te kijken waar een wolkenbank tegen de berghelling bleef hangen. Tora stopte pas toen ze de sloot had bereikt, daar viel ze op haar knieën en drenkte haar hoofddoek in het water en knoopte hem om haar nek om de koelte vast te houden. Toen Frank haar had ingehaald stonden ze een poosje te luisteren naar de keuterboeren die zongen terwijl ze de ruiters in de grond wrikten en de haverschoven erop te drogen zetten.

'Je bent zo verbeten, Tora,' zei hij toen ze de heuvel af liepen. 'Je slaat te hard, daarom word je moe. Je moet maaien, niet rukken.'

'Ik ben niet moe.'

Ze draaiden zich om en begonnen weer heuvelopwaarts te maaien, toen ze de kam bereikt hadden was ze vlak achter hem. 'Nu ben jij moe,' zei ze hoewel ze wist dat hij daar op haar had staan wachten terwijl hij deed alsof hij zijn zeis sleep. Hij hield haar in toom als een paard.

'Ja, nu ben ik moe.'

Ze probeerde te maaien, niet te rukken.

De zon stond aan de hemel geplakt, de rogge viel en

richtte zich weer op, viel en richtte zich voor haar op als een deining. De linkerkant van haar lichaam zwol van verbazing iedere keer dat ze zich ernaartoe wendde. Toen kwam er een briesje en ze rechtte haar rug zodat het haar overal kon raken en door haar natte kleren waaide en ze losmaakte waar ze zaten vastgeplakt, maar Frank hield zijn hand voor zijn ogen en keek naar Orust, waar de wolkenbank bleef hangen. 'Dat is regen, daar.' Isak was onder aan de akker stuiken aan het bouwen van de schoven.

Ze moest alleen de smalle buitenregel nog, maar die was zo lang. Toen ze op de heuveltop kwam en hem afmat duurde hij tot in de nacht. Franks hemd was een witglanzende stip en ze maaide met haar armen om daar te komen, aan de andere kant waar de zon al laag stond en zwermen kriebelmugjes ronddarden in de lichtbaan. Hij had zijn zeis terzijde gelegd en was begonnen met binden en merkte niet dat ze voortkroop over de akker door de starende rogge die omboog en terugsloeg als ze dreigde met haar vuist. Het was het allerlaatste stuk en ze moest het klaren voordat ze haar rug mocht rechten en uit de scheplepel mocht drinken. Ze zat een tijdje aan de slootkant, toen ging ze de zon weer in om Frank te helpen met binden. Ze legden de schoven altijd met de aren naar het noorden, waarom wist ze niet, maar zo moest het zijn.

De meiden kwamen hen tegemoet over de top, en toen Tora zag hoe moe ze waren zei ze tegen hen dat ze vast naar binnen moesten gaan. Frank stond aan de rand van de akker met een schoof in zijn armen en keek naar de wolken, die in beweging waren gekomen en opzwollen aan de hemel boven Orust. 'Komt er regen, denk je?' vroeg ze en ze bleef naast hem staan, maar hij balde zijn vuist en schudde die tegen de wolken. 'Waag het niet te regenen op mijn rogge,' schreeuwde hij en Tora schoot in de lach omdat hij zo serieus was, dat hij wilde heersen over de regen als over zijn akkers en viswater. Alles moest doen wat hij wilde, en zijn wil was als een grote steen die van een berg rolde. Uiteindelijk belandde hij in het dal en kwam tot rust.

'Ik denk het niet,' zei hij en ook hij lachte een beetje, 'ze hebben zich vast al van regen ontdaan. Ik denk dat het een mooie, warme nacht wordt.'

'Dan kunnen we morgen de gerst doen.'

'Kom,' zei hij, 'ik zal je iets laten zien,' en ze wilde geen nee zeggen. Nee, nee, nee. In plaats daarvan zei ze ja, maar vlug dan want ze moest nog voor het eten zorgen.

Hij legde allebei de zeisen over zijn schouder en ze liepen de helling af en over de haverakker, waar alle schoven op ruiters stonden en losse aren netjes geharkt in rijtjes ertussen lagen. Toen ze over de sloot waren gesprongen en een stukje langs de gerstakker hadden gelopen trok hij haar mee de heuvel op waar de berg nagenoeg kaal was op het mos na en waar in het voorjaar viooltjes groeiden. Hij zei dat hij haar wilde laten zien hoe mooi de gerst was, gewaterd en glanzend: 'Als een zee.'

Hij wees naar de beboste heuvel aan de andere kant waar de eiken helemaal tot aan de akkerrand groeiden met kort gegraasd gras tussen de bomen en een oude steenhoop vanuit de tijd van de ontginningen: de oever waar de zee tegenaan beukte.

Ze probeerde te zien wat hij zag, en zag de gerst wiegen alsof er iets doorheen stroomde. Zijn lange aren naar de oever strekken, zachtjes het gras en de witte stenen beroeren voordat het zonk en terugstroomde naar de andere oever, waar zij stonden.

Frank omringde haar pols met zijn duim en wijsvinger, zijn hand was droog en warm en stroef als zand toen hij naar beneden gleed en zijn handpalm tegen de hare wreef en zijn vingers door de hare stak die zich als vanzelf om de zijne sloten. Uitgerekend op dat moment kon ze voelen wie ze was, iemand die bestond omwille van zichzelf, gescheiden van al het andere dat op dezelfde manier bestond. Die vreemde hand maakte dat duidelijk. Het bos was vol vogels en vossen, de lucht trilde van doorschijnende vleugels, het veld vol woelmuizen, de grond vol wormen. Kleine kaken knaagden aan de takken die in het mos lagen. Alles leefde en bewoog, zoals de gerst die nog een avond en een nacht had om te leven en in het duister te stromen met de aren ruig van de dauw.

De bomen begonnen te gloeien aan de overkant toen de zon onderging en rode lichttongen vloeiden langs de stammen omhoog. De oever die hij had verzonnen verbrandde. Ze streek met haar duim over zijn hand, toen zuchtte hij en ze dacht dat ze doodging van verveling, want het waren slechts een paar oude bomen en een steenhoop die leemkleurig werd toen de zon verdween in de wolkenbank. Ze rukte zich los van de hand waarvan ze dacht dat hij haar vasthield, maar zij was het die had vastgehouden, want toen ze hem afschudde liet hij meteen los, en kon ze de heuvel afrennen en schreeuwen dat ze wilde dat ook hij zou doodgaan.

Frank rende door een dicht zwart bos waar geen einde aan kwam, telkens als hij er aan de andere kant uit-kwam ging het door. De takken raakten hem met natte sla-gen en hij boog zijn hoofd en vocht zich erdoorheen, maar er kwamen steeds nieuwe zwarte twijgen in het pikdonker die hem geselden, of was hij het die zichzelf ermee gesel-de. Hij rende sneller zodat ze hem harder zouden raken, maar wat hij ook deed, zijn lichaam ging mee, het was on-mogelijk weg te rennen van dat zware onbeholpen lichaam dat struikelde en hijgde. Het geluid van zijn ademhalingen was het ergste, dat die maar doorgingen. Hij wilde wegren-nen van zijn hart en zijn mond, die zich wijd opende en lucht naar binnen zoog, wijd opende en lucht naar binnen zoog. Hij rende en tegelijkertijd was hij ergens anders en zag zichzelf rennen terwijl hij lachte naar het grote blinde dier met piepende ademhaling dat door het struikgewas daverde.

Ergens onderweg viel hij en hij boorde zijn handen diep in de natte aarde. Liggend op zijn knieën zag hij iets glan-zen aan de andere kant, een opening waar hij heen moest, maar zodra hij overeind kwam, was het verdwenen. De kwelling was iets scherps, gewikkeld in vele ellen doek, een zilveren speld in een doosje, een maansikkel achter de wol-ken, een zeisblad dat was blijven liggen op een nevelig veld, hij rende verder om eraan te ontkomen, zonder om te kij-ken, een heuvel op en een dichter duister in. Toen het tegen zijn voorhoofd sloeg werd hij wakker en was de hele kamer vol piepende ademhaling.

Hij zwaaide zijn benen over de rand van het bankbed en zette ze stevig op de grond, hij liet zijn gezicht in zijn handen rusten en met zijn vingers voelde hij hoe lelijk het was. Zijn lichaam hing zwaar als een klomp leem om hem heen. Hij rukte zijn hemd uit en pakte het pennenmes van zijn bureau, in één haal sneed hij het lichaam open dat niemand wilde hebben en ontdeed zich ervan als van een mantel, wierp het in een hoek en liep weg, de keuken in om water te drinken. Hij was zuiver en licht als een geschilde wilg maar voelde nog steeds de oneffenheden van de haardstenen onder zijn voetzolen en zag de contour van zijn hand die de scheplepel vasthield, een zware grijze hand van leem. Het is alleen deze nacht, dacht hij. Alleen deze nacht die moet eindigen.

Nu lag ze boven te slapen met haar gezicht hard en glanzend in de maneschijn, haar vlecht ineengekronkeld als een slang naast zich op het kussen. Boven haar hoofd bloeide de kamperfoelietak in het hout. Haar handen met witte knokkels gevouwen om de rand van het laken.

Het was alsof hij brak als hij daaraan dacht. Hij wilde door de kamers stormen en schreeuwen en het hele huis wakker maken, maar in plaats daarvan sloop hij terug naar zijn kamer en fluisterde door het raam tegen de appelboom die tegen het raam klopte: morgen wordt het beter, begrijp je dat, boom.

Hij liet zich op de bank vallen en sliep meteen, viel als een steen door de tijd, die gestreept was als de lagen aarde en leem als je een put graaft: bruin, zwart, een beetje zand dat glansde, dan een streepje rozenkwarts in de grijze rots. Het was de frambozenstruik die rond de steen groeide waar de koeienjongen lag te slapen. Toen hij wakker werd was het donker in het bos en hij hoorde de bel niet meer, hij ging op de steen staan en riep en toen ging hij ervandoor, eerst naar het noorden waar het moeras lag, toen terug naar huis terwijl hij riep, koetjes, koetjes, koetjes, maar het enige wat hij hoorde waren zijn bange voeten die renden en zijn handen die tegen het struikgewas sloegen en zijn mond die bad terwijl hij verdwaalde in het bos en ophield met zoeken en uiteindelijk alleen maar rende om eruit te komen, maar het bos was betoverd zoals iedere nacht en opende geen uitwegen.

Zodra hij er aan de andere kant uit kwam begon het bos opnieuw en nu wist hij niet meer of hij ergens van weg rende of ernaartoe, of dat wat achter hem was hem angst aanjoeg of was waar hij in de wereld het meest van hield. Hij rende in het gebons van zijn hart dat sloeg en zijn bloed dat klopte, rende om er aan de andere kant uit te komen, maar daar was het struikgewas nog dichter en scheurde hem aan flarden en hij verhoogde zijn tempo tussen de rijen geseldragers die stil in het duister richtten terwijl hij voorbij struikelde. Als ik de andere kant maar bereik, dacht hij, maar het was altijd hetzelfde bos en altijd dezelfde nacht.

5

Tora zat in de zitkamer een broek te verstellen toen ze stemmen op het erf hoorde, de lichte die schreeuwde en de donkere die met lange tussenpozen antwoordde. Ze rende de keuken in om te kijken maar zag enkel Frank die alleen op de deel stond te roken terwijl de kat rond zijn benen draaide en kopjes gaf tegen de laarsschachten tot hij zich bukte om hem over zijn rug te aaien. Ze haalde haar sjaal uit de hal en reeg haar laarzen aan, toen ze terugkwam stond hij daar nog steeds. Hij keek om zich heen alsof hij wachtte tot iemand hem orders zou geven. Je moet de na-oogst maaien, dacht ze, je moet tien spint rogge zaaien. Uiteindelijk ging hij de graanschuur in waar de knechten gerst dorsten en toen glipte ze de deur uit en rende over het erf de heuvel af tot ze uit het zicht van het huis was en haar pas kon vertragen tot normaal tempo. Alles om haar heen was geel, de stoppelakkers en de boshellingen en de bladeren van de es die zacht begonnen te worden en opkrulden. De eerste vorst had de randen van de varens geschroeid, licht aangeraakt in het voorbijgaan. Op de omringende boerderijen waren ze bezig met het herfstploegen en ze commandeerden de paardjes, die rondbuikig en eigengereid waren na de zomer.

'Nu ga ik weg,' had de lichte stem geschreeuwd, en: 'Ik doe het nooit, nooit!' Ze moest weten wat die woorden betekenden, maar achter iedere bocht was het even leeg. Toen ze de oude aardappelkelder en de hengstenwei en de plek met de klagende dode pijnboom was gepasseerd, restte haar nog het lange stuk door het bos, en daar was hij, diep in de gele tunnel met de zak en de buks op zijn rug en de hond die naast hem voortsukkelde. 'Arvid,' riep ze, hij bleef staan en draaide zich om, maar hij was niet blij haar te zien. Dat was nooit eerder gebeurd, hij was altijd blij geweest haar te zien, maar dit was een ander gezicht en toen ze het niet herkende werd ze bang en stopte abrupt. Het was bijna een vreemde man die daar stond en een beweging met zijn hand maakte die kon betekenen: ga weg, laat me met rust.

'Ik werd ongerust,' riep ze. 'Toen jullie zo schreeuwden.' Daarna begon ze weer te rennen en haar sjaal schoot los en gleed van haar schouders zodat ze over de franje struikelde, ze was gewoon een klein meisje dat bang was en naar de enige rende die haar kon troosten.

'Er is niets om je zorgen om te maken,' zei hij en hij ving haar op. 'We bespraken gewoon iets.'

'Wat dan?'

'Dat gaat je niet aan,' zei de vreemde man en hij wendde zich af. Toen werd ze nog kleiner en klaagde: 'Iedereen loopt bij me weg!'

'Je bent volwassen,' zei hij en hij verschoof de zak op zijn rug een stukje. 'Je hebt niet langer iemand nodig die voor je zorgt.'

Ze liepen een eindje, ieder aan een kant van de weg met de hond in het midden die gromde tegen blaadjes en hopen paardenvijgen en de eksters die schaterend voor zijn neus hupten. Tora keek het bos in terwijl ze liep en ze merkte pas dat Arvid was gestopt toen hij geluid maakte, ze draaide zich om en zag dat hij zijn bepakking had afgedaan en op het hek was gaan zitten. Nu kon ze niets meer vragen, ze liep terug en ging naast hem zitten wachten tot hij iets zou vertellen, een verhaal over heel andere dingen dan waar ze allebei aan dachten, want van zulke verhalen hield hij het meest. Zodra ze samen waren werd de hond rustig en sliep met zijn knokige kop in een streepje zon.

'Als je die hond niet doodschiet doe ik het,' zei Arvid.

'Wat?'

'Dat zei hij, Erland.'

'Daar hoef je niet bang voor te zijn, want dat zal nooit gebeuren.'

'Maar ik wil daar niet langer blijven. Ik heb bedacht dat ik wel bij Jonas kan gaan wonen. Hij is zo oud, hij kan wel iemand gebruiken om zijn aardappelveldje om te spitten.'

'Daar kun je niet wonen. Er is amper plaats voor één.'

'Ik heb bedacht dat we er een stukje aan kunnen bouwen,' zei hij en hij tekende een beetje in de lucht, wanden en een dak en een schoorsteen die eens zo hoog was als het hele hutje, hij stak een flink stuk de lucht in en Arvid verloor zich in de schoorsteen tot het huisje er op dezelfde manier omheen begon te groeien, met twee verdiepingen en een trap in de hal.

'En Hero kan voor de haard liggen,' vervolgde hij en hij aaide de hond, die met zijn staart op de grond sloeg zonder zijn ogen te openen. 'En jij kan op bezoek komen en ik kan gaan vissen in het meer.'

'Er zit geen vis in dat meertje.'

'Ik heb ze zelf zien springen.'

Hij opende de zak, haalde een mes tevoorschijn en sneed een vorktak, vervolgens pakte hij een stuk vissnoer en begon het om de vork te wikkelen. Tora probeerde te begrijpen waarom hij dat deed, hier midden op de weg in de zon, een oktoberdag waarop hij net de deur achter zich had dichtgeslagen, dat hij uitgerekend nu aan die kleine vishengel dacht. Ze keek naar hem van opzij en probeerde te begrijpen waarom de vishengel zoveel belangrijker was dan zij, was het omdat hij graag aan de avonden op het meer dacht en aan de vissen die hij zou vangen, of was het om niet te hoeven nadenken dat hij lostrok en omwikkelde. Ze wist zo weinig. Hij werd alsmaar smaller, de opening waardoor ze bij hem naar binnen placht te kijken.

Ze pakte het mes, dat hij op de grond had gelegd, en sloot haar ogen terwijl ze haar hand stevig om het warme houten heft sloot. Toen was het alsof het mes heel de zonnige dag kapot sneed zodat er alleen donkere schilfers overbleven. Ze zag hem vallen en weg wervelen en opende vlug weer haar ogen, hij was tevreden met de hengel en stopte hem in de zak.

'Maar ik heb niet al mijn spullen meegenomen, kun jij die voor me inpakken, Tora?'

'Dat denk ik wel,' zei ze en ze gaf hem het mes.

'Het is heel belangrijk dat je mijn vest inpakt, want dat wil ik aan als er dans is. Soms lijkt het me zo leuk te kunnen spelen als Jonas, en de mensen te laten dansen.'

Hij is zo sluw, dacht ze. Hij weet alles, maar doet alsof zijn neus bloedt. Zo komt hij ermee weg. Maar dat kan ik ook.

'Dat het zo warm kan zijn in oktober. Je hebt toch nu geen vest nodig? Kijk, er rent een haas door het veld.'

'Soms denk ik dat het komt doordat ze is overleden,' zei Arvid. 'Toen ze stierf... Weet je nog dat ze stierf? Ze had niet dood moeten gaan.'

'Ze is toch niet opzettelijk doodgegaan!'

'Want sindsdien zijn we nooit meer blij geweest.'

Hij ging liggen en boog zijn arm voor zijn ogen tegen het licht. 'Nee, sindsdien zijn we nooit meer echt blij geweest, en dat is doodzonde.'

Ze dacht dat hij een dutje wilde doen maar hij praatte door, over bomen, takken, vertakkingen, een weg die door het bos gaat en in drieën splitst, welke moet je nemen? Je kiest een weg en vervolgens vraag je je af wat er was gebeurd als je een van de twee andere had genomen, misschien ga je terug of je bedenkt dat je nu al zo ver bent dat het niet meer de moeite is, dat het beter is door te gaan op de gekozen weg. Maar je kunt het toch niet laten het je af te vragen en in gedachten maak je de tocht opnieuw, maar dit keer kies je een andere weg, en terwijl je de eerste weg volgt loop je in gedachten op de tweede weg en zie je andere dingen, alles is zo anders daar dat je een heel ander mens wordt door daar te lopen. Je moet dus tegelijkertijd de mens zijn die op de eerste weg loopt en aan de tweede denkt en over de derde droomt. En als je het einde hebt bereikt, begin je weer opnieuw, of je gaat terug en zoekt naar de plek waar je hebt gekozen om te kijken of je die kunt vinden.

Nee, dacht ze. Zo is het helemaal niet. Op het moment dat de dag ten einde is slaat hij achter me dicht. Hij verdwijnt.

'Er zijn honderd verschillende wegen,' zei Arvid, 'en elk daarvan voert naar een nieuwe plek. Dan zou je ook honderd levens moeten hebben, zodat je niet hoeft te kiezen. Als ik terugkijk, dan wou ik dat ik het over mocht doen, overdoen en een ander worden.'

Maar ik kijk nooit terug, dacht ze, en ik wil geen ander worden. Ik zal nooit een ander worden.

'Want ik denk dat het leven zoveel meer kan zijn, begrijp je, Tora?'

'Meer, meer! Wat bedoel je?'

'Ik weet het niet.'

Hij begon weer over haar moeder te praten, maar het was slechts een verhaal over een meisje dat altijd schelpen op de tuinpaden legde en de fles koffie voor hem in een sok stopte als hij 's winters het ijs op moest. Ze was erg gesteld op het bloemperk aan de zuidzijde waar pioenrozen stonden en iets geels waarvan hij de naam niet wist: dat moest altijd dik worden afgedekt met dennentakken. Ze maakte glijbanen op de deel, voerde de hond onder tafel, at de bramen op in plaats van ze in de emmer te doen en kreeg een oorveeg als ze thuiskwam, duwde hem omver in het gras, lag in zijn bed zodat hij zijn koude voeten kon warmen, trok aan zijn haar en dwong hem uit de drenktrog te drinken, vervolgens haakte ze haar armen door de zijne en ze dansten rug aan rug de kraanvogeldans en bonsden tegen de koeienstal en gilden tot de knecht naar buiten kwam om hen tot rust te manen, want hij had een koe die moest kalven. En alles was zoals het moest zijn.

En later, toen ze was getrouwd met Tora's vader, was het ook zoals het moest zijn. Netjes en schoon zaten ze aan haar gedekte tafel en aten brandnetelsoep, gebakken wijting, rabarbermoes. En hoewel ze stiller werd naarmate ze opgroeide, was het geen treurig stilzwijgen, dat kon hij haar verzekeren, maar Tora herinnerde zich alleen iemand die gebogen in een hoekje zat te naaien en de draad zo hield dat zij hem kon doorknippen, Tora moet naast haar hebben zitten wachten met de schaar in haar hand, maar er was geen bijzondere vreugde verbonden met de herinnering, alleen rust. Haar moeder was een schaduw, gebogen over haar naaiwerk.

'We waren toen toch niet blijer? Dat kan ik me niet herinneren.'

'Jij was vrolijk, Tora.'

'Daar herinner ik me niets van.'

'Ze heeft je leren lezen.'

'Dat weet ik, maar ik herinner het me niet.'

Haar moeder draaide zich zwaar en langzaam om op de

bank tot ze naar zee gekeerd zat, en in de andere hoek van
de bank deed Tora precies hetzelfde, ze trok haar voeten
op en legde haar arm over de rugleuning. Ze tuurden naar
het onweer terwijl ze zo zaten.

'Nu ben ik verlaat,' zei Arvid en hij gaapte zodat de bleke herinnering verdween.

'Heb je zo'n haast dan?' vroeg ze. 'En wat ga je doen als
je daar bent?'

'Sloten graven,' mompelde hij. 'Hout hakken, stenen rijden, boomstronken uithalen.'

'Dus je doet liever herendiensten voor de boer in Hällycka dan dat je bij ons thuis werkt. Dat begrijp ik niet.'

'Het is vanwege de hond. Het is omdat ik me elke avond
kan laten vollopen en op de vloer kan slapen. Nee, alleen
vanwege de hond.'

Hij kwam overeind en begon de zak met stevige rukken
aan het snoer dicht te knopen, zijn hele wezen was een harde, ongeduldige vreemde man die was opgehouden en nu
haast had aan te komen waar hij op weg naartoe was, een
heel andere plek waar mensen zoals zij niet thuishoorden.
Ze moesten daarom bruusk langs de kant van de weg worden achtergelaten zodat ze het niet in hun hoofd haalden
achter je aan te komen.

'Ik ga een eindje met je mee,' zei ze, maar dat wilde hij
niet, hij zei dat hij het laatste stukje langs het meer het liefst
alleen aflegde. 'Maar ik ben het toch maar,' zei Tora en toen
begreep ze ineens dat dat voor hem het ergst van alles was,
alleen al haar aanwezigheid. Hij wilde door het bos lopen
en rustig in de zon zitten met de hond, die niet oud kon
worden.

'Ik loop zo snel, je zou toch maar achteropraken,' zei hij
en hij stak zijn arm door de buksriem. 'Het is beter dat je
nu naar huis gaat, Tora.' Hij draaide zich naar haar toe om

afscheid te nemen en toen zag ze hoe verdrietig hij was, ze pakte zijn hand en die was helemaal koud van eenzaamheid, en tegelijkertijd dat vreemde gezicht dat zei: ga weg. Toen liet ze zijn hand los, en hij liep verder in de ringen van licht, gele hoepels geslagen rond de weg waar de zon tussen de bomen scheen, maar ineens was hij over de omheining gesprongen en verdwenen tussen de rietkragen. 'Vergeet mijn vest niet,' riep hij. 'En mijn horloge, dat bij het bed hangt.'

Tora liep terug naar huis, naar de lap op de broek die ze van zich af had gegooid toen ze hem hoorde schreeuwen en die ze met haar mooiste steken vastnaaide omdat het Arvids broek was en ze zou hem voor hem inpakken zodra ze had gekeken of alles goed was met het lammetje en met de meiden die aan het pekelen waren. Maar ze waren al klaar in de voorraadschuur en met de vloerkleden naar de beek gegaan, dus ging ze verder met haar verstelwerk waarvan ze nu zag dat de lap toch niet zo goed paste als ze had gedacht, ze zocht een poosje in de verstelmand en vond een donkerder lap, en terwijl ze tornde bedacht ze dat het Arvid niets uitmaakte of zijn broek met een lichte of donkere lap was versteld, het was maar een werkbroek die gauw weer kapot zou gaan en die hij dan zelf zou moeten verstellen.

Hij komt gauw terug. Dat zou ze tegen Frank zeggen. Hij komt gauw terug en er wordt hier niets doodgeschoten.

Maar Frank was op zee, want de boot was weg en zijn hoed had niet aan de haak gehangen toen ze binnenkwam. Als hij zijn hoed op zee opzette, was hij weg voor zaken en kwam hij niet voor de avond terug. Ze liep naar het kantoortje en net als toen ze klein was raakte ze alles aan, maar zonder het vies of kapot te maken, ze ordende het alleen een beetje beter en legde de pen op het inktstel en trok het vloerkleed glad dat in een hoek was opgekruld. Hij kon met brandhout naar Stillingsön zijn gevaren of met staken naar Klädesholmen. Het was een triest huis waar niemand wilde zijn, waar alle deuren hen in verschillende windrichtingen uitlieten en waar ze met tegenzin terugkeerden, om zwijgend bijeen te zitten. Het zou nog stiller worden nu Arvid weg was, ze kon geen koffie drinken samen met Frank, ze zou tegen de meiden zeggen dat ze een blad bij hem in het kantoortje moesten brengen 's zondags na de kerk, want zelf zou ze in het vervolg naar haar kamer gaan om in de catechismus te lezen.

Ze pakte zijn pen van het inktstel en keek ernaar, hij schreef zwart, zwarte letters. Honderden avonden had ze zitten luisteren naar het geluid van de pen, dat op dat van het vuur leek, van het spinnewiel, van de regen, of daar in ieder geval mee verbonden was. Het geluid van de pen, het geluid van de naald en de draad, licht suizend als je hem door de stof haalde, hoorde er ook bij. De naad die ze voor zich zag was onverslijtbaar sterk.

'Ja,' riep ze toen er op de deur werd geklopt, het was Margret die om het hoekje keek en zei dat de schoolmeester was gekomen om met Frank over het armenhuis te praten. De schoolmeester was een man van in de zestig, zijn haar krulde net als dat van de koning bij zijn slapen, een oude kreupele houtvester die heen en weer reisde tussen de slecht verwarmde kamertjes in de omtrek waar hij de kinderen leerde lezen. Nu was er besloten een armenhuis te bouwen en hij hoopte dat hij daar een fatsoenlijk schoollokaal kon krijgen. Het was alleen een kwestie van timmerhout.

Tora vroeg hem op de spijltjesstoel plaats te nemen. Ze had nog steeds de pen in de hand en wees ermee. 'Hoeveel hout moet het zijn?' vroeg ze.

'Vier stammen en vier anderhalfduims planken de man was er afgesproken, plus een rijksdaalder en twaalf schelling per stam. Maar om het voldoende te laten zijn voor een klein schoollokaal...'

'Dan doen we er een stam en een plank bij. Maar niet meer geld!'

'Dat had ik ook gedacht,' zei de man voorzichtig. 'Al komt baar geld altijd goed van pas. Is meneer Frank uitgegaan?'

'Frank is op zee. Maar ik zal het hem zeggen van het timmerhout.'

'Dan is er nog de kwestie van de plaats. We hebben een perceel dicht bij de kerk ... Maar als de school in hetzelfde gebouw komt moet het midden in het dorp liggen, voor de kinderen, zodat ze niet zo ver hoeven te lopen. En dicht bij de weg voor de bereikbaarheid, denk aan de sneeuw, als die komt.'

Tora dacht aan de sneeuw, ze dacht snel om te begrijpen waar hij op uit was.

'Het gaat om het noordelijke weitje aan de landweg...' zei de schoolmeester. 'Ik heb het nooit voor iets zien gebruiken. Behalve een sporadische vechtpartij op zaterdagavond.'

Ze dacht aan de grond. Als die nog steeds van haar was geweest zou ze er geen are van hebben weggegeven, maar zoals de zaken er nu voor stonden kon ze het best zonder die noordelijke hoek stellen waar alleen bosbessen groeiden.

'Ik kom wel terug als Frank thuis is,' zei de schoolmeester, alsof hij zich er ineens van bewust werd wie er in de bureaustoel zat: een klein meisje dat nergens op kon antwoorden.

'Dat is helemaal niet nodig,' zei ze toen en ze doopte de

pen in de inkt. 'Vijf stammen, twaalf el lang, klopt dat?'

'Jawel.'

'Vijf planken, tien duim breed en anderhalve duim dik, plus vijf rijksdaalders in contanten.'

'Ja.'

'En dan dat stukje grond. Ik zal het met Frank bespreken.'

'Dat was het dan,' zei de schoolmeester gedwee.

'We hebben een zoon van een keuterboertje hier bij ons,' zei Tora en ze leunde achterover in de stoel zodat het hout kraakte. 'Ik vind het hoog tijd dat hij een beetje onderwijs krijgt, maar ik geloof niet dat zijn moeder zich dat kan veroorloven.'

'Acht schelling in de week voor kinderen van keuterboertjes, staat er geschreven. Maar in bijzonder schrijnende gevallen kan de vergoeding uit de gemeentekas komen.' Hij liet zijn stem dalen: 'Als ik de naam van de jongen weet kan ik de kwestie zelf onderzoeken.'

'Dat is niet nodig,' zei ze vlug, want ineens zag ze Isak voor zich, hoe hij achter de knecht in de ploegvoor liep en de achtergebleven aardappels in een mand verzamelde. Hij raapte alles op, tot het laatste restje, klein als een erwt. Het moment was voorbij dat het kantoortje van haar was en zij hier wilde beslissen. Ze liep met de schoolmeester mee naar buiten en gaf hem zijn stok, 'wat geld kunnen we ook wel missen,' riep ze toen ze hem de heuvel af zag hinken. Ze had geld, grond en planken en ook bijna het jongetje weggegeven, ze zou het aan Frank moeten vertellen.

Maar er was nog iets anders, iets belangrijkers. Het bedrukte haar terwijl ze de schoolmeester uitzwaaide die was blijven staan om een kamperfoelietak te plukken en daarmee terugzwaaide. Toen hij het takje in zijn knoopsgat stak

269

en verderliep schoot het haar weer te binnen: Arvid was weg.

Ze deed de deur van het opkamertje open zodat de bruine geur van aarde naar buiten kwam stromen, klom over de steile kapotte ladder naar boven en keek naar wat er nog lag, het was bijna niets, alleen een paar oude zakken en een opgebrande pit op een aardewerken schoteltje. Toen ze het huis in liep naar zijn kamer boven was het daar hetzelfde, en ze begreep niet hoe het mogelijk was dat er zo weinig achterbleef van een mens. Een hemd, een vest, een verstelde broek, een horloge aan een spijker.

Er moest meer zijn en ze zocht in haar geheugen; de winterjas, dacht ze, die hing op zolder, maar die kan blijven hangen want voor de winter is hij terug. Er moest ergens een pennendoosje zijn met Arvids initialen in het deksel, en zijn oude laarzen van zeehondenbont moesten ergens liggen, hoewel ze een en al gat waren, en de rode wanten die ze vorige winter voor hem had gebreid. Wat bezit een mens, dacht ze. Wat heeft een mens nodig?

Hij moet een psalmboek hebben gekregen toen hij is aangenomen. Een zilveren speld in zijn luier als bescherming tegen boze machten, een lepel bij de doop, een leitje om met zijn zuster te delen, een jong katje, een plaats aan tafel, een bezigheid, een mooi zadel als hij meereed in het ruiteronthaal, schoten in de lucht en rode strikken in de paardenmanen, een scheermes en een scheerriem en een spiegel die je kon uitklappen. Ze pakte het horloge van de spijker en liet de lange ketting van bruin gevlochten haar door haar vingers glijden. Ze wist niet van wie het haar was. Toen ze Arvids spullen bij elkaar op het bed legde was het maar een heel klein stapeltje.

Ze stak haar hand onder het matras en uiteindelijk vond ze er iets, een dichtgeknoopte zakdoek met een paar muntstukken erin. Arvid dacht misschien dat ze er nog wat bij zou stoppen voordat ze het hem gaf. Hij vertrouwde op haar.

Als ze naar Frank ging en zei dat ze geld nodig had, zou hij het haar geven. Als hij vroeg waarvoor en ze weigerde het te zeggen, dan zou hij het haar alsnog geven.

Hij was weer thuis, ze had de deur beneden horen openslaan op die hardhandige manier van hem. Iedere dag kerfde het een iets dieper gat in de muur waar de deurkruk tegenaan sloeg. Ze keek naar Arvids oude horloge, het stond op vier uur en dat stond het al heel lang, maar als je het met de stand van de zon vergeleek, klopte het. Een hele dag had ze verdaan terwijl de anderen ploegden, voeren, kleden wasten in de beek.

Hij ging weer naar buiten, en ze rende naar het zolderraam om te kijken, als hij zijn paard pakte kon het laat worden, maar hij had zijn werkkleren aangetrokken en liep naar de graanschuur om te dorsen. Ze hoorde hoe snel en hard er geslagen werd daarbinnen hoewel hij allebei de knechten naar buiten had gestuurd. Ze stonden het kaf van zich af te kloppen op de loopbrug en laadden vervolgens brandhout op de handkar. Door de open schuurdeuren zag ze Frank die als enige was overgebleven en sloeg, stampte en dampte alsof hij in brand stond. Alleen zij deed niet wat ze moest doen.

Morgen, dacht ze. Ga ik gerst mouten, vlas braken.

De knechten liepen met de handkar naar zee om de boot te laden, en ze dacht aan het geld dat Frank zou krijgen voor het hout, gekapt van de bomen die wortel hadden geschoten en waren gegroeid in de grond voordat die van hem was, die bomen waren ouder dan zij en konden aan niemand toebehoren. Ze zou naar beneden gaan en hem om een beetje van het geld vragen. Nee, ze zou hem vertellen dat ze een stuk grond had weggegeven en dat hij daarmee in moest stemmen. Ze zou zeggen dat Arvid snel terug zou komen en dat de hond vanzelfsprekend onder tafel mocht liggen als zij zaten te eten.

Ze trok haar klompen aan in het schuurtje en rende over het erf, want dit kon niet wachten tot hij was opgefrist en uitgerust, ze moest het tegen hem zeggen als hij op zijn ergst was en bedisselen over hem als hij liep te zweten in de kriebelende lucht met zijn neus vol kaf. Ze bleef staan op de loopbrug en zag hoe hij zich krabde onder zijn hemd en vloekte. 'Frank!' riep ze en ze bleef bij de deur staan want ze was een beetje bang, maar hij hoorde haar niet, verhoogde zijn tempo en zwaaide om zich heen met de dorsvlegel zodat die soms tegen de wand, soms in de hopen al gedorste halmen sloeg, hij dorste en dorste maar tot er alleen nog stof restte, dorste de korrels door de vloer heen.

Ruggelings trok ze zich terug uit het grote stoffige licht-vlak toen ze hem zag. Een andere keer, dacht ze.

Het was trouwens tijd om aardappels te gaan halen, ze pakte de emmer uit de keuken, maar toen ze bij de aardappelkelder kwam stonden daar twee volle manden die ze eerst moest sorteren zodat er geen rotting in de kist kwam. Het waren de restjes die Isak had verzameld en veel was beschadigd door de ploeg. De kapotte aardappels deed ze in haar emmer en de rest leegde ze in de kist, in die laatste manden zat net zoveel grond als aardappels en ze bleef op de terugweg bij de waterput staan om haar armen te wassen, maar het schort dat ze die ochtend schoon had aangetrokken was helemaal zwart geworden toen ze over de kist gebogen stond.

Ze wilde dat de dag ten einde was. Het voelde alsof ze op honderd plekken was geweest.

Toen ze in de keuken de aardappels stond schoon te

schrobben kwam Frank binnen en hij ging op de bank bij de deur zitten waar de knechten moesten eten als ze echt heel vuil waren. Hij leek niets anders te willen dan daar een poosje met zijn hoofd tegen de muur te rusten en toe te kijken terwijl zij de pan vulde. De langzame keukenbewegingen en de kleine keukengeluiden, de plons van iedere aardappel die in de pan viel, en het gebaar na afloop als ze haar natte handen langs haar middel over haar schort naar achteren streek, schenen hem te bevallen.

Ze had net het fornuis aangemaakt en hij keek naar de pan alsof hij wachtte tot die zou gaan koken, hoewel het maar een klein vuurtje van aanmaakhoutjes was. Ze schoof een blok hout onder de ijzeren plaat en blies.

'Wat wilde je zojuist?' vroeg hij toen het water onder het deksel begon te sissen.

'Het ging over Arvid,' zei ze. 'Ik wilde zeggen dat hij gauw weer thuiskomt.'

'Dat is wel te hopen.'

'En ik wil niet dat je zijn hond doodschiet!'

'De hond is bijna blind, Tora.'

Ze legde er nog een houtblok bij en verplaatste de pan naar de zijkant zodat hij niet zou overkoken, vervolgens trok ze een stoel bij, want ook zij was moe, ze wilde ook met haar hoofd tegen de muur zitten en naar het vuur kijken en wachten op de avond. Maar die was al ingevallen. De anderen zouden zo komen om te eten.

Franks stem klonk als de herfst, net zo donker en ietwat hees van al het stof op de dorsvloer: 'Het is voor zijn eigen bestwil.'

Zijn stem was donker met goud erin, als berkenblaadjes op een bosvennetje.

'De hond is oud. Maar ga Arvid maar achterna, zeg tegen hem dat hij naar huis komt, dat kun je gerust doen. Die

hond zijn tijd is gekomen, dat kun je ook zeggen. Ga waarheen je wilt. Moet je niet gaan?'

Ze zette haar ene voet tegen de muur, met de andere
peurde ze in een opgebrand houtblok onder de ijzeren
kookplaat. 'Misschien doe ik dat wel,' zei ze en ze luisterde naar de vermoeide stem die zei: ga dan, ga dan, ga waarheen je wilt.

Op een ochtend toen Frank het bos in was gegaan om korhoenders te schieten, zag hij dat het donker was in Mari's raam en dat er geen rook uit de schoorsteen kwam. Hij ging naar binnen en vond de oude vrouw in elkaar gekropen op de keukenbank liggen naast het schaap dat de halve strozak had opgegeten en hem met zijn gele ogen aankeek terwijl het zijn wangen spande en half verteerd halm opgaf.

Hij nam Mari in zijn armen en tilde haar op, ze woog niet meer dan een armvol hout. Hij bedacht dat hij haar naar huis zou dragen zodat ze op Ekornetång kon sterven. Het schaap rende als een hond achter hem aan door het bos en blaatte, en de hele weg praatte hij kalmerend tegen het beest, maar tegen Mari zei hij niets want ze kon hem toch niet horen. Het leek alsof ze sliep en het prettig vond te worden gedragen. Hij had haar ooit weggestuurd, nu moest hij haar naar huis dragen en het rimpelige gezicht leek te lachen in haar slaap. Hij vond het zelf ook grappig.

Ze maakten een bed voor haar op in haar oude kamer en Tora legde hete pannendeksels in bed en kookte kamille zodat Mari de geur zou ruiken ook al kon ze niets drinken. Ze zagen allebei dat ze glimlachte toen de heerlijke dampen over haar gezicht streken. Ze stonden ieder aan een kant van het bed te wachten tot ze zou sterven, maar ze ging niet dood, glimlachte slechts en bewoog haar hoofd van de ene kant naar de andere op het mooiste kussensloop zodat het linnengoed tegen haar wangen streek, toen boog Tora zich over het bed en streelde haar wang daadwerkelijk en fluisterde tegen haar stil te liggen, anders zou haar haar zo gaan klitten in haar nek dat ze het moesten afknippen.

Ze maakte een boterham met gebakken spek en zette die naast het kussen, dat was om Mari te verleiden achterom te kijken en terug te komen. Zo'n sterke geur moest door de dichtste slaapnevelen heen kunnen dringen. Frank ging aan het bed zitten om naar de dromende oude vrouw te kijken die snuffelde met haar neus, haar wenkbrauwen fronste, af en toe snurkte en dan bloosde alsof ze zich schaamde. Als je naar haar keek bekroop je het gevoel dat de dood een lange slingerende weg was waar ze heel langzaam over voortging. Hij liet zijn kin op zijn hand rusten en boog zich over haar heen alsof er een bericht voor hem op het witte kussensloop lag, en toen opende ze ineens haar ogen en keek hem aan. Hij vond haar blik vriendelijk. Nu sterft ze, dacht hij. Tora boog zich aan de andere kant over het bed en schudde Mari aan haar schouder heen en weer, want terwijl Frank haar liet gaan verstevigde Tora haar greep, ze kon Mari niet laten sterven al wilde ze zelf, uitgerekend hierin mocht Mari niet zelf beslissen; maar ze ging niet dood, ze draaide zich op haar zij en tastte met uitgespreide vingers in de lucht alsof ze naar iets zocht.

Ze gingen een eindje bij het bed vandaan en praatten zachtjes met elkaar, het is het schaap, zei Frank, dat wil ze bij zich hebben, maar Tora dacht dat het iets anders was, de schaal met haarspelden zodat ze er niet haveloos hoeft uit te zien, want daar heeft ze altijd een hekel aan gehad.

Ze konden hoe dan ook het schaap bij haar laten, vond Frank.

'Als we het schaap naar binnen halen denkt ze dat haar laatste uur geslagen is, want er zijn in dit huis nog nooit schapen binnengelaten en dat weet ze.'

'Misschien weet ze niet dat ze hier in huis is? Misschien denkt ze dat ze thuis op de bank ligt en dat het schaap weg is, dat het is weggelopen en dat ze naar buiten moet om het te zoeken. Moet ze zich in haar laatste momenten zorgen maken alleen omdat jij geen schaap in huis wilt?'

Ze moesten de kamer verlaten en de deur sluiten, Mari zou toch niet kunnen sterven in de korte tijd die het Tora kostte om uit te leggen waarom ze het schaap niet binnen wilde hebben, dat het zou zijn alsof ze de dominee lieten halen, net zo beladen en angstaanjagend. Schaap, dominee, dat was hetzelfde.

Iets viel aan diggelen en ze renden terug de kamer in, maar het was slechts Mari's hand die de tafel had afgetast, het kopje had omgegooid en de boterham gevonden. Ze nam net een hap toen ze binnenkwamen en viel vervolgens in een soort sluimer met de boterham voor zich op het lakenmonogram. Ze stonden ieder aan een kant van het bed en wisten niet wat ze ervan moesten denken.

'Ze is zo bleek,' zei Frank.

'Ja, maar het ziet er niet naar uit dat ze ergens pijn heeft.'

'Haar hand is koud, misschien moeten we die maar onder het dek stoppen.'

'We kunnen de boterham niet van haar afpakken. Ze heeft misschien honger.'

'Kun je geen soep koken en haar die geven?'

Ze keken naar het verschrompelde gezichtje, dat als een winteraardappel uit de kussens omhoogstak. Nu gaat ze dood, dachten ze toen haar gezicht grijs werd, maar het was slechts de zon die achter de wolken verdween. Toen hij weer tevoorschijn kwam werd het bijna rozig, alsof Mari een heilzaam dutje deed in het schone vrouwenhemd, in de warmte van de pannendeksels. Ze smakte een beetje met haar lippen bij de smaak van vet.

'Doe je ogen open,' zei Tora en ze schudde haar heen en weer. 'Doe je ogen open, Mari.'

'Nee,' klonk het dreinerig uit de kussens, er werd gewoeld tot alleen het achterhoofd met de dunne vlecht nog zichtbaar was.

'Laat haar met rust, Tora.'

'Ik moet haar eraan herinneren, anders vergeet ze het misschien.'

'Je loopt zo hard van stapel.'

'Ja, want anders vergeet ze het misschien.'

Ze stonden een eindje bij het bed vandaan te kijken, ze wisten verder niets te verzinnen. Er was misschien ook niets meer. 'Haal het schaap,' fluisterde Tora en hij ging naar buiten om de oude ooi te vangen die aan schors stond te knagen bij de houtstapel waar hij haar had achtergelaten. Ze legden Mari's hand op de vette dikke wol, maar ze aaide slechts heel even voordat ze haar hand terugtrok en de ooi met haar hoeven op de vloerplanken klepperde en wegleed, totdat Frank haar in zijn armen nam en weer naar buiten droeg.

Mari gromde iets, 'wat zeg je?' vroeg Tora en ze boog over het bed.

'Het stinkt. Doe de deur open.'

'Wat stinkt er?'

Maar dat kon ze niet zeggen. 'Tutie,' probeerde ze en Tora liep naar de hal waar allerlei soorten luchtjes hingen, van koolsoep, gedroogde appels, een licht zurige lucht van de harington, visserskleren en natte wol die hingen te drogen. Toen ze terugkwam zat Mari overeind in bed haar boterham te eten. Tussen de happen door liet ze hem op het laken rusten, zonder zich druk te maken om vlekken. Haar kleine droge hand, die op een bosje wortels leek, wenkte Tora en tekende koffie die uit een tuit stroomt, zo krachtig dat er geen vergissing mogelijk kon zijn.

'Bedoel je dat met tutie?' vroeg Tora en Mari keek haar vermoeid aan en maalde met haar kaken, net als het schaap. 'Koffie,' corrigeerde ze alsof Tora een klein meisje was dat moest leren goed te praten. 'Ko-ffie!'

'Ze wil koffie,' fluisterde Tora tegen Frank, die binnenkwam met een gestikte deken die hij in zijn kamer was gaan halen. Hij leunde tegen de deurpost en keek naar de oude vrouw die terugstaarde over de rand van het laken en vervolgens wegzonk in haar droom, omdat dat makkelijker was. Ze gaat niet dood, dacht hij.

Hij verlangde naar de ochtend, de bomen, de buks, de korhoenders, de smaak van winterlucht. De donkere bladeren lagen ingevroren in de ijskorst onder je als je het pad omhoog liep en de gewone engelwortel zweefde boven het veld als een luchtschip. Hij zou teruggaan, maar dit keer zou hij voorbij het hutje het bos in lopen terwijl de rijp smolt en als lange witte speren door het lover viel als de zon hoger kwam te staan en het oktoberbos werd opgewarmd tot het begon te tikken in de naalden en te ritselen op het pad waar de mieren renden. Hij zou op een boomstronk gaan zitten met zijn buks op schoot en wachten op de korhoenders.

Tora was binnengekomen met koffie, die ze op tafel had gezet om Mari overeind te helpen en kussens rondom haar in te stoppen. Hij hoorde ze met elkaar praten over de kussens, waar ze precies moesten komen, en over de koffie, was die sterk, warm, zoet genoeg? Hij had een hond moeten hebben om met zich mee te nemen het bos in, maar het was nog niet te laat, hij kon altijd nog een welp nemen en hem africhten.

'Het is goed zo, Frank,' zei Tora en ze knikte dat hij kon gaan.

Het hutje van de speelman lag op de helling naar het meer, het werd een meer genoemd maar was in feite een moeras met een paar diepere gedeeltes in het midden waar je met een platbodem kon komen en misschien iets kon vangen. Maar het was vooral riet en modderige oevers waar de koeien rondplasten om te drinken. Als je te kort afstak door de velden, kon je in een watergat belanden. Ze had de weg aangehouden en kwam met droge voeten aan. Het hutje was gebouwd van staande planken, maar met dwarse planken gerepareerd, het dak zadelde licht door en de schoorsteen balanceerde als een stapel borden, want de metselspecie was zo uitgesleten dat de stenen los op elkaar lagen. Een ruitje in het raam was kapot en iemand had er een stuk jute in gestopt. Achter het hutje groeide een grote spar en hoger op de helling, naast de voorraadkelder, stonden een seringenstruik en een appelboom, maar verder was het open rond het hutje en droog en schraal met alleen bosgras, frambozen en hei. Ze hadden wel mooi de avondzon daar op hun stek boven het meer, dat naarmate je hoger kwam steeds meer op een meer begon te lijken.

Maar toen ze er was wilden ze haar niet binnenlaten, ze zeiden dat het te krap was, te donker, te klein, het was beter buiten op de trap te zitten. Ze klopte aan met de mand aan haar arm terwijl ze van de andere kant van de deur tegen haar praatten, de haak zat vast, ze konden geen vuur in de lamp maken en zien wat ze deden, uiteindelijk ging de deur open, maar slechts op een kier, want het was nog steeds beter buiten te zitten op zo'n prachtige dag met rode zon en geen vlokje sneeuw.

'Beste Arvid, laat me binnen,' smeekte ze en ze liet hem zien wat ze allemaal bij zich had, de zak met zijn kleren en de mand met eten, en toen deed hij eindelijk open en mocht ze naar binnen terwijl het achter hem fladderde en ritselde alsof iets er vlug vandoor rende, maar het kon nergens heen in dat ene kleine kamertje waaruit het hutje bestond. Het was binnen zo vies dat het leek alsof je ondergronds ging. Het was net een graf. Daar stond Arvid te rukken om de zak open te krijgen waarin ze zijn jas en laarzen, vest en trui had gestopt, en het hemd dat ze had genaaid in afwachting dat hij weer thuis zou komen. Ze had gedacht dat als ze lang genoeg wachtte hij wel naar huis moest komen om zijn spullen op te halen, maar er verstreek een maand zonder dat hij kwam. Hij vouwde het schone nieuwe hemd open met zijn zwarte handen en hield het voor zijn smerige lichaam zodat ze kon zien dat het paste, en ze stond op het punt het uit zijn handen te trekken. Maar ze pakte het voorzichtig en keek om zich heen naar een plek om iets op te hangen waar je zuinig op bent, alleen bestond zo'n plek niet in het hutje van Jonas. Ze bezaten wat ze droegen. Ze aten van wat er op tafel stond tot het op was. Ze stopte het hemd terug in de zak en keek naar de tafel waar papklonten en aardappelschillen in lagen vastgekoekt tot het hout niet meer te zien was. Een gekookte koolraap dreef in een plas vet en een afgekloven vis lag ernaast, graat voor graat, met Arvids mes als kop. Ze zocht naar een lege plek om de mand neer te zetten, en Arvid pakte het stuk jute dat in het kapotte raam zat en veegde vlug een hoek van de tafel voor haar schoon, maar alleen om plaats te maken voor de mand. Ze schaamde zich over hem, dat hij niet begreep dat hij de hele tafel af moest vegen als hij toch bezig was, maar hij had haast de lap terug te stoppen, want het tochtte koud.

Ze zette de mand neer en haalde een voor een de pakjes eruit om aan hem te laten zien, koffie, stroop, spek, brood, vetkaars. 'Moeten jullie het fornuis niet aansteken?' vroeg ze en ze keek naar de hoek waar de speelman met de viool op schoot met zijn vingertoppen op de snaren sloeg. 'Moeten jullie geen koffiezetten en kopjes pakken?' De oude man begon meteen as weg te harken en in het gloeibed te blazen, zelf bleef ze met de pakketjes voedsel in haar handen staan, want er was nergens plek om ze neer te leggen; ze kon het prachtige stuk gerookt spek niet in de viezigheid leggen waar de ratten hadden gelopen.

'Waar bewaren jullie het eten?' vroeg ze en ze liet Arvid zien dat ze met haar handen vol stond, en hij wees, daar, daar, voor haar op tafel, dat was hun provisiekast. Hij nam het pakje spek en de puntzak koffie van haar aan en hield ze even vast, toen legde hij de koffie in het raam en het spek op de plank boven het fornuis en begon de oude man te helpen in het vuur te blazen en het te voeden met mos.

Nu ze niet keken gooide ze alles van tafel op de grond, schoof en schuurde met de rand van de mand om het ergste weg te krijgen en veegde vervolgens met haar hand, want die was het makkelijkst te wassen. Ze pakte het papier waarmee ze de mand had bekleed, spreidde het uit op tafel en begon nogmaals uit te pakken. 'We hebben geen koffie,' zei Arvid en hij liet haar de lege binnenkant van een blik zien en ze wees op de puntzak die hij in het raam had gelegd en alweer vergeten was. Toen ze het mes lostrok viel de visgraat boven op de hond, die jammerde in zijn slaap en probeerde weg te lopen. Het vuur brandde, de speelman tokkelde vier schorre tonen met zijn vingertoppen terwijl hij het vuur in de gaten hield, vier tonen die rondsprongen en van plaats wisselden in een deuntje waar geen einde aan kwam. De hele tijd dat ze met Arvid praatte hoorde ze het.

Ze hadden twee kopjes maar geen schoteltjes. Tora sneed het brood direct op het papier en opende het pakje spek en de puntzak met suiker zodat ze hun gang konden gaan, maar de speelman bleef in zijn hoekje zitten en at alleen wat Arvid hem bracht. 'Heb je dat gezien!' riep Arvid en hij hield de stukken spek omhoog met de punt van zijn mes om Jonas te laten zien hoe vet ze waren. Hij klakte met zijn tong als tegen een klein kind toen hij de belegde boterham aanreikte.

De oude man at netjes zonder te kruimelen, met een vinger op het stuk spek zodat het niet zou wegglijden en de kop koffie naast zich in de haard waar hij hem kon pakken zonder zijn viool los te laten. 'Zodra hij is waar hij moet zijn, vrolijkt hij op,' zei Arvid zachtjes. 'Je moet hem naar het feest brengen, de trap op, de zaal in, maar dan speelt hij net zo goed als vroeger.'

De hond was wakker geworden en zat naast Arvid te bedelen, hij gaf het dier dikke plakken spek en brood met stroop. Hij ging als een mens op zijn achterpoten staan met zijn grote grijze kop naar het raam alsof hij probeerde naar buiten te kijken terwijl Arvid hompen brood in zijn bek stopte, maar het was niet genoeg, hij zuchtte diep op hondse wijze en viel met een bons terug op de vloer, legde zijn kop op Arvids knie en bleef naar het bleke grijze vierkant staren waardoor de zon naar binnen scheen terwijl hij de broodhompen doorslikte.

Tora zag het vuil in de plooien van Arvids handen en in iedere lijn van zijn gezicht alsof iemand een zwarte naald had gepakt en het erin had gegrift. Aarde, roet, rook en zweet maakten zijn handen zo donker en zijn gezicht zo oud. Nooit eerder had ze de groeven rond zijn mond gezien en de rimpels in zijn voorhoofd en de lange plooien over zijn wangen als hij glimlachte. Hij had zijn baard laten groeien en zag eruit als een oude man die naar alcohol stonk daar in zijn aardhol met zwarte nagels, alsof hij zich daarmee in de duisternis had ingegraven.

De speelman had zijn boterham op en ze maakte een nieuwe voor hem, hij pakte hem netjes met beide handen aan en smulde tevreden terwijl Tora koffie bijschonk en suiker in zijn kop deed. Arvid gaf de hond het laatste spek. De hond zuchtte en zocht met zijn troebele ogen naar het raam. Ze ging weer zitten en haalde het horloge uit haar zak, Arvid pakte het aan en keek blij toen hij de ketting door zijn vingers liet glijden. 'Het is moeders haar. Zij had hetzelfde bruine haar als jij. Dat horloge wil ik niet graag kwijt.'

Dát heb je niet verkocht, dacht ze en haar hand gleed naar haar hals, waar ze het gouden medaillon placht te dragen, echt goud uit het buitenland, waar haar vader het had gekocht in een donker winkeltje of van een koopman in de haven, hij had allerlei verhalen verteld en ze was ze allemaal vergeten. Ze kon zich hem helemaal niet meer herinneren. Ze wist alleen nog hoe het medaillon eruit had gezien, met het mooie patroon van bloemranken in het deksel gegrift.

Arvid boog zich naar haar toe zodat ze het vuil rond zijn neusvleugels zag en in de plooi van zijn oogleden, ze bespeurde de stank van een rotte kies, die moet worden getrokken, dacht ze, kan hij niet een beetje water warmen om zich te wassen, de volgende keer moet ik zeep meenemen, hoeveel eten zullen we hierheen moeten sturen? De oude man met de rotte kies streek zijn hand over zijn gezicht en veranderde in een jongen met blauwe ogen die naar haar opkeek liggend in het bos terwijl hij een vlinder aanwees met de tekening van een gezichtje op zijn rug. Ik moet hem weer thuis zien te krijgen. Ik moet zien dat ik hem thuis krijg. Ik ben degene die hem thuis moet zien te krijgen.

'Het was een meisje uit Dalarna,' begon hij zijn verhaal. 'Ze kwam langs om om een goedkope passage te vragen.'

Hij zweeg een poosje totdat Tora vroeg: 'Waar wilde ze dan heen?'

'Naar Engeland. Om kettingen en broches en armbanden te vlechten van Engels haar en daar goed voor betaald te krijgen. Maar mijn moeder, zij had jarenlang al het haar uit de kam opgespaard en in een doosje gelegd, en het meisje bleef die lente bij ons, dat was haar betaling voor de overtocht. Vlecht een horlogeketting en we varen je naar Hull. Maar toen de ketting klaar was moest ze terug naar Dalarna om te helpen met de oogst. En ik kreeg de ketting en het horloge.'

'En het meisje dan?'

'Ze kreeg passage het jaar erop, toen ze terugkwam.'

Tora keek door de deur die hij had geopend, daar stond haar oma, die lange bruine haren in een doosje legde terwijl de meiden een laken op het gras uitspreidden tussen de aalbessenstruiken, die dieprood waren en vol met lijsters, die opvlogen met gekneusde bessen in hun bek, de bessen vielen als ze vlogen, kst, kst, ze aten niet alleen de bessen op, nu maakten ze nog vlekken op het laken ook! De twee schoorstenen en veertien ramen waren hetzelfde, de struiken en de eiken waren ook min of meer hetzelfde, de ketting was bruin en glanzend en zo knap gevlochten dat er geen haartje uitstak. Ze raakte het aan. 'Maar mijn haar is donkerder.'

'En de meisjes uit Dalarna komen niet meer hierheen,' zei Arvid. 'Het is lang geleden dat we ze hebben gezien, Jonas,' riep hij naar de hoek waar de speelman zat te tokkelen.

Vervolgens pakten ze de fles uit de kast om de koffie aan te lengen. Het brandhout was op, maar Arvid haalde een stammetje van buiten dat hij op een stoel legde en stukje bij beetje het vuur in schoof. Zo brandde het ook. In de walm van nat hout en valse trek in de schoorsteen pakte Jonas zijn strijkstok en begon echt te spelen met de viool onder zijn kin en een voet stampend op de vloer.

Iemand zeilde het meisje naar Engeland, dat was Tora's vader. Kapitein Peder Torson stond aan het roer in de deinende groene zee. Als het rustiger werd mat hij de hoogte van de sterren. De klare heldere nacht met fonkelende sterren en vuren op de oever, het trage donkere geknars als de schuit op de rede over zijn ankerketting reed om de zonsopgang te begroeten. 'Is het niet mooi, het wijsje?' vroeg Arvid en hij schoof de kop naar haar toe. Al haar herinneringen in zijn hand met zwarte vorstkloven.

Ze keek om zich heen in het schijnsel van het haardvuur naar de sporen van zorg die nog zichtbaar waren door het vuil en de vergetelheid: een paar mooi gesneden houtjes die boven de deur in de wand waren geslagen om buksen en kruithoorns aan op te hangen, een plankje onder het raam, de platte stenen die mooi in elkaar geschoven voor de haard lagen. Je moest goed kijken om de overblijfselen van de kamer te zien in het aardhol dat verrees uit de vloer waar de planken vermolmden en verkruimelden, rood van verrotting. Dag na dag zaten ze daar te hoesten in de rook en schoven het stammetje stukje bij beetje het vuur in terwijl ze dronken en naar de muziek luisterden.

Er lag een stapel vodden in een hoek, dat was Arvids bed. Hij had zijn horloge er al boven gehangen en de zak neergelegd als hoofdkussen. Zijn hoofd zou in ieder geval een schoon plekje hebben tot ze een manier had bedacht om hem weer thuis te krijgen, maar ze wist niet hoe als hij niets wilde hebben. Ze kon hem nergens mee lokken. Alles wat hij bezat had hij weggegooid, alsof hij zijn handen vrij wilde hebben om ermee te zwaaien. Hij was groen in de zonneschijn en balanceerde met uitgestrekte armen op een mossige boomstam, zijn handen lagen op de lucht als rustende roeibladen en hielden hem een eeuwigheid drijvende, voordat hij een besluit nam, ze diep onderdompelde en verdween in de bosbessenstruiken.

'Dus je doet nu herendiensten voor twee,' zei Tora en ze knikte naar de akkers van de boer van Hällycka aan de overkant van het meer. 'Ben je daartoe in staat? Wij gaan een armenhuis bouwen, Frank heeft ze een stuk van de noordelijke weide gegeven, ze mogen ook hout uit ons bos halen voor de vierde wand, er is plaats voor minstens tien armlastigen, en dan heb ik met niet meer dan vijf per kamer gerekend, er is plaats voor het dubbele.'

'Sst, sst, hij kan je horen!' zei Arvid.

'Hij hoort me echt niet.'

Ze keerden zich allebei naar de hoek met het fornuis, waar het oude mannetje op een driepoot zat en met zijn voet de maat stampte, het bromde in zijn keel als hij zichzelf aanspoorde en de lange melodie in zeven achtste volgde die door de schoorsteen naar boven klom en wegvloog, niet als rook maar als een harde ijzerbruine sliert over het bos.

De kachel in het kantoortje brandde en de lamp was aangestoken. De kleine lichtkring was voldoende voor de twee daarbinnen, voor hem die over het bureau gebogen zat te schrijven en voor haar die zat te naaien met de vachten op schoot. De wind blies de laatste blaadjes van de bomen en sloeg de takken van de appelboom tegen de ruit, dan keken ze allebei heel even op, twee gezichten gekeerd naar het geklop tegen het glas voordat ze zich weer over hun werk bogen. Het was laat in november en de wind kwam uit het westen, grijs van het zout dat de ruiten spikkelde en de rode verf verweerde, hij drukte de dode bladeren als handen tegen het glas voordat hij verder trok. Ze negeerden hem. Zij verplaatste haar stoel alleen iets dichter naar de lamp en hij draaide de lont op zodat ze beter licht kreeg om in te naaien.

Zo zaten ze iedere avond terwijl de vachten aan elkaar groeiden tot een bontjas waarvan alleen de ene mouw nog ontbrak. Die bewaarde ze voor het laatst en ze tornde eerst de zilveren knopen van zijn oude wintermantel om ze over te zetten. Haar gezicht vlamde van de warmte van de wolven op haar schoot, maar het bureau stond in de tocht van het raam en hij stond op om meer hout in de kachel te gooien. De vlammen schoten met een brul de schoorsteen in waar de wind vat op ze kreeg en ze staakten hun bezigheden even om naar de dansende luikjes te kijken, toen sloeg hij zijn pen twee keer tegen de rand van het inktstel en trok een streep onder de kolom en zij legde een knoop in de draad en begon de tweede knoop aan te zetten.

Rondom hen lag het huis met de ene na de andere duistere kamer, lege kamers waar niemand meer kwam. Zelfs de keuken was zwart, met een beetje verloren gloed onder de asdeken die iemand zou aanblazen als het ochtend werd. De gedachte aan al die duisternis deed haar de kachelluikjes openen zodat het rode licht in de hoeken viel, de kamer groeide maar het vuur was bijna opgebrand en nam snel af en nu restte slechts de kleine lichtkring rond de lamp die op zijn bureau stond. Ze verplaatste haar stoel een pas dichter naar de kring en vergat alle verlatenheid om haar heen, alle gesloten deuren en de weggehangen kleren van de doden, die hun mouwen bewogen als het door de kieren in de zolderwand waaide. Ze beet de draad af en stak een nieuwe in de naald terwijl hij een slip van de pels optilde die op de vloer hing en er met zijn duim over streek. Toen ze naar de derde knoop reikte die op het ladenkastje lag, liet hij los en schreef verder in het boek, dat niet langer een geheim was, want ineens tikte hij met zijn vinger op de opengeslagen bladzij zodat ze wel die kant op moest kijken. Hij was niet volgeschreven zoals ze zich had voorgesteld, slechts twee kolommen voor lentezaad en herfstzaad en hoeveel ze hadden opgeleverd per graansoort, ze keek vluchtig over zijn arm en ging door met naaien, maar hij wilde iets meer.

'Dit zou je moeten leren, Tora.'

'O ja?'

'Ja, ik dacht dat de tijd misschien rijp was.'

Hij boog over het boek en schermde het af alsof hij het toch niet helemaal zeker wist, toen schoof hij ineens zijn stoel opzij zodat ze de gelegenheid kreeg het beter te zien en ze legde de pels op de bank en boog naar voren. 'Kijk,' zei hij en hij wees op de kolom, bladerde vervolgens vlug terug naar het begin van het boek waar een vergelijkbare rij stond, alleen geschreven in een kleiner en mooier handschrift. 'Dit was de eerste berekening die ik heb gemaakt toen ik naar Ekornetång kwam. In het jaar 1811 leverde het geoogste zaaisel een vijfvoud op, dat was een slecht jaar. Dit jaar leverde het een zevenvoud op, zie je? En vorig jaar meer dan een achtvoud, het was een goed jaar met precies genoeg regen. Dit jaar was het iets te nat.' Zijn wijsvinger gleed weg over de bladzij toen hij aan alle regen dacht.

Op dat moment kwam de wind terug en kletterde het water uit de eiken op hun vensterbank en sloeg een schuimende stortzee over de halve ruit. Ze wendden zich allebei naar het raam en probeerden door het duister te kijken, maar het was een dicht nat novemberduister dat niets anders doorliet dan het geluid van de beweging die door de boomkruinen ging en daarachter het geluid van de zee die dichterbij kwam, omdat het hoogwater was.

'Een slecht jaar, 1811,' zei Frank. 'Maar de grond was ook slecht, die hadden ze uitgeput. En ze waren te lui om nieuwe te ontginnen. Ze zeiden dat het niet mogelijk was de draslanden te bebouwen, maar ik heb het gedaan, meer dan twintig nieuwe bunders. Kijk eens hier, Tora?'

Hij tikte weer met zijn vinger op de bladzij en ze draaide weg van het raam en keek zoals hij wilde. 'Nu krijgen we tweehonderdtachtig tonnen graan in een middelmatig jaar en honderdvijftig tonnen aardappels.'

'Dan hebben we dus winst.'

'Dat hebben we inderdaad, zelfs in middelmatige jaren,' zei hij en hij opende de la van het bureau met de sleutel die hij aan zijn horlogeketting droeg en haalde een stapel papieren tevoorschijn die hij voor zich op tafel legde.

Tora schoof haar stoel een stukje naar achteren en raapte de pels bij elkaar die uitgespreid op de bank lag. Hij gleed over haar schoot en werd naar beneden getrokken, zo zwaar en glad was hij, als een school vissen in een sleepnet. Ze moest nog vier knopen doen en een mouw, maar dat kon tijd kosten, want ze naaide zo langzaam. Het moest trouwens duren tot de kou kwam. Hij had de bontjas nog lang niet nodig. Het moest duren tot hij zei: ik loop hier te bevriezen, ben je dan nooit klaar met die jas?

Voorlopig spetterde de regen buiten en hij had de stapel papieren uitgespreid als een waaier zodat ze de mooi geschreven aandeelbrieven kon bewonderen met de stempels handtekeningen. 'Dit is de Frater,' zei hij en hij hield ze een voor een omhoog, 'en dit is de Nordstjärnan. Dit is de Flygaren, die helemaal in het zuiden vaart en de grootste winst oplevert, maar van haar bezit ik slechts een zestiende.'

'En dit?' vroeg ze en ze wees op de laatste brief waarop hij zijn hand had gelegd.

'Dat is de Delfin, die schipbreuk heeft geleden bij Skagen. Een verliesgevende zaak.'

'Dat verdien je zeker terug op iets anders?'

'Het kost tijd om een schipbreuk te compenseren.'

Hij had de papieren weer bij elkaar geraapt en was bezig ze te ordenen zodat er niets uitstak, de randen moesten recht zijn en hij legde de stapel gelijk met de rand van het bureau en stootte met kleine vingerbewegingen. In het raam zag ze zijn gezicht geconcentreerd op het scheppen van orde. 'Maar alles staat in het boek,' zei hij en hij beroerde haar in het glas met zijn ogen voordat hij een nieuwe bladzij opsloeg waar hij alle gegevens over havens, routes, vrachten en winsten had opgetekend. Ze boog zich over zijn schouder en zag hoe het handschrift in de loop der jaren was gegroeid, zwarter en dikker was geworden met weelderige uitlopers, die naar boven slingerden alsof er niet genoeg licht in de kamer was geweest. 'Het was anno 1818 dat de Delfin verging,' zei hij en hij wees op een inktvlek. 'Met zulke zaken moet je je niet inlaten behalve als je heel goede adviezen krijgt.'

'En je eigen botenbouw?' vroeg ze.

'Dat is voorbij.' Hij draaide zijn stoel en strekte zijn benen naar de kachel, wreef de laarsschachten tegen elkaar en hield zijn handen naar de warmte en zuchtte alsof dit alles was wat hij nodig had nu: een beetje warmte, een beetje licht. Het bonkte en klapperde buiten in de wind alsof er ergens een deur stond te slaan. De donkere stem zei: 'Ik had een jacht kunnen bouwen en het naar jou kunnen vernoemen, maar de lust verging me.'

'Ik zei nee.'

'Misschien. Dat ontnam me alle plezier.'

'Ik kon het niet helpen, Frank. Ik kon niet anders.'

Ze pakte de laatste knoop en begon hem aan te zetten, als het echt winter werd zou de bontjas klaar zijn. Ze streek over de vachten en bedacht dat de warmte van de dieren er nog in zat en er altijd in zou blijven zitten, omdat alles wat leeft iets achter moet laten. De tarwekorrel gaat dood, dacht ze, en de mus valt op de grond, als de tarwekorrel in de aarde valt en sterft kan hij opnieuw leven. En als God een mus ziet die valt kan ik de wolf zien die midden in de sprong wordt doodgeschoten, zijn neus, zijn ogen, die half dichtgeknepen zijn.

Frank strekte zijn voet uit en wurmde de kachelluikjes nog wat verder open. Ze keken naar de gloed en luisterden naar de regenbuien. Het water steeg en stroomde rond het stenen fundament, ze zaten op een eiland. Het huis dreef weg. De kamer was een klein bed van gloed omringd door zwarte watertongen en zijn stem kwam aandrijven in het duister: 'Je moet nooit naar een ander luisteren. Beslis zelf. Wacht niet om te zien wat anderen doen. Doe eerst zelf, en als de anderen hetzelfde doen, laat ze hun gang gaan, maar laat ze niet binnen. Beslis alles, dat is het belangrijkste, dan kun je achteraf nooit iemand de schuld geven. Dan is het je eigen fout en dat is het beste, te weten dat je zelf alle schuld draagt. Luister niet, snij je eigen patroon. Het maakt niet uit of anderen het lelijk vinden.'

'Ja,' zei ze. Ze beet de draad met een kleine knap af en liet het hem zien: 'Nu hoef ik alleen de mouw nog.'

'Dat is mooi, want binnenkort is het winter.' Hij strekte zijn hand uit en streek over de pels, die in haar schoot lag.

Toen stond hij op om in het gloeibed te porren en hij trok de la open om de laatste papieren te pakken die hij aan haar overhandigde. 'Dit is het geld dat ik heb geleend. En dit zijn de namen van de borgstellers,' zei hij en hij wees onder aan de bladzij. 'Het zijn allemaal oude vrienden van je vader, op een na, dus het zal wel goed gaan.'

'Wat moest je met al dat geld?' vroeg ze en ze volgde de vinger tussen de handtekeningen.

'Ik wilde deze boerderij vrijkopen van de stichting, en dat heb ik gedaan. Hij is nu van mij.'

'Als je schuldenvrij bent is hij van jou,' zei ze.

'In tien jaar zal ik het bedrag kunnen afbetalen,' zei hij, maar zijn stem klonk vermoeid. Het klonk alsof hij in hem was weggezonken en zwakker werd, alsof iets langzamer sloeg, maar misschien was het alleen omdat hij de hele dag mest had gereden en de wagen kapot was gegaan en hij hem in de regen had moeten maken.

'Het is bijna tweehonderd rijksdaalders per jaar wat je moet opbrengen.'

'Vijfentwintig tonnen rogge. Vergeet niet goed voor de rogge te zorgen, Tora.'

Het was tijd om de schuif dicht te doen, maar geen van beiden bewoog. Ze zaten ieder op een spijltjesstoel in het donker te waken terwijl de anderen in diepe slaap waren op de uittrekbanken. Ze had haar naaiwerk weggelegd en hij had niets meer te schrijven, toch bleven ze zo zitten, hoorden kleine stukjes metselspecie door de schoorsteen naar beneden vallen als de wind hem heen en weer schudde en de takken tegen de ruit geselen en de muizen tegen de wanden op rennen en piepen van angst. Het was een ongewoon onstuimige en stormachtige novembernacht met hoogwater en stortbuien uit het noordwesten.

Het was eenvoudig om er een einde aan te maken, gewoon opstaan en welterusten zeggen, maar ze bleven zitten in het gesuis van de lamp, die matter brandde naarmate de olie daalde. Voordat hij dooft moet ik gaan, dacht Tora toen de lichtkring begon te flakkeren en slinken, maar ze bleef zitten, want ze wist niet zeker of er wel iets buiten de kamer bestond. Niets was echt werkelijk behalve het warme kantoortje. Ze was zo slaperig dat alles samenvloeide, toch bleef ze zitten en ze hoorde hem gapen in het donker.

'Eén keer heb ik een knecht geslagen,' zei hij, 'en dat was met mijn blote hand. En nu heb ik de naam een mensenbeul te zijn. Dat is toch niet eerlijk?'

'Nee, dat is allemaal onzin.'

'Jij vindt het ook onzin?'

'Zeker weten, Frank.'

Hij mompelde iets, en zij boog naar voren om hem te horen: 'Want dat met die scheepsbouwer telt niet.'

Het was zo schemerig in de kamer dat ze elkaar amper zagen, hij gaapte en lokte haar met zich mee en ineens hoorden ze dat de deur van de houtschuur stond te klapperen, zo hard en heftig dat het scharnier los zou slaan. Iemand was vergeten de steen ervoor te leggen.

'Ik ga wel,' zei hij en hij strekte zijn benen uit naar de laatste kachelwarmte. 'Ik ga zo,' zei hij en hij wreef zijn laarsschachten tegen elkaar.

Twee mensen liepen over het ijs op de ochtend van tweede kerstdag. Het had die nacht gesneeuwd en het ijs was bedekt met poedersneeuw die wegslipte onder hun voeten waardoor ze moeilijk vooruitkwamen. Het meisje droeg een donkerblauwe mantel en een muts afgezet met eekhoornbont, de man had een bontjas die zo lang was dat hij de schacht van zijn laars raakte. In zijn hand hield hij een stok waarmee hij bij iedere stap in het ijs prikte, als met een priem. Zij liep in zijn voetsporen en zag hoe het ijs in lange repen ontbloot werd als zijn voeten weggleden, zo helder dat je de ingevroren luchtbellen kon zien. Ineens raakte haar voet iets wat weggleed en de rots aan de overkant raakte met een glasgroene toon. Ze waren onderweg naar Stillingsön, naar het derde kerstfeest, het vierde zouden ze zelf geven op Driekoningen en dan zou ze pudding met rumsaus koken zoals ze in de pastorie had geleerd, want zoiets hadden ze hier nog nooit gekregen, wist ze. Ze tekende een donkere scheur met haar hak en dacht aan de pudding overgoten met haar rode saus van aalbessen en rum toen hij iets riep, ze bleef staan en keek op en zag dat hij wees naar een kleine wervelwind die hen over het ijs tege-moetkwam en die de droge sneeuw deed opstuiven in een glanzende spiraal, een slakkenhuis van sneeuw. Ze wuifde terug terwijl de werveling de engte in vloog en verdween. Er was een donkere streep daar bij de vaargeul waar het ijs pas het allerlaatst was dichtgegaan. Aan de overkant scheen de zon op de rij ramen van het kapiteinshuis en de lange steiger leek zich uit te strekken en hen tegemoet te komen, maar ze wist dat het een luchtkasteel van sneeuw was, want in feite hadden ze niet meer dan een derde van het traject afgelegd.

Het sledepaard was vanmorgen mank geweest, hij had gelachen en gezegd dat ze een heks was die het dier had betoverd. Het was waar dat ze wilde dat de paarden hun kerstrust zouden krijgen en niet over het ijs hoefden in de strenge kou. Frank was de box van zijn zwarte rijpaard binnengegaan en had gezegd dat ze die dan maar moesten nemen, maar had zich vervolgens bedacht en het paard laten staan. Het dier had zijn grote kop omgedraaid om naar de bezoeker te kijken die alleen kwam om een praatje te maken en Frank had het een verschrompelde appel uit zijn jaszak laten opvissen. Alle paarden waren opgehouden met kauwen en hadden naar hen gekeken toen ze het tuig terughingen aan de wand.

Ze bleef staan en zag de schoorsteenrook die thuis omhoogkringelde tussen de kale kruinen van de eiken en de slingerende lijn van voetsporen langs de oever hoewel ze dacht dat ze kaarsrecht waren gelopen, toen verhoogde ze haar tempo. De droge sneeuw vloog op rond haar schoenneuzen en haar mond in met zijn koude zilversmaak, hij stak als speldenprikken in haar ogen zodat ze haar wanten moest uittrekken om met haar vingers te wrijven. 'Wacht even,' riep ze naar de grijze gestalte die al half verdwenen was in de sneeuw, want het waaide harder daar en hij liep in een kleine wolk waarin alleen zijn zwarte hoofd echt duidelijk te zien was. Hij was ver voor, maar dit keer stopte hij niet om op haar te wachten. De wind kwam huilend aanzetten, noodgedwongen moest ze haar hoofd wegdraaien en haar ogen sluiten terwijl hij haar geselde met sneeuw.

Aan land had het niet gewaaid, maar hoe verder ze het ijs op kwamen des te harder werd de wind, die in een lange onafgebroken beweging over de fjord naar Noorwegen waaide.

Toen ze de vaargeul overstaken waarvan de ijsranden in een stekelige kam tegen elkaar op waren gedrukt hoorde ze het weer, een schot dat door het ijs vloog en tegen de rots aan de overkant sloeg met hetzelfde geluid als wanneer er een stag breekt. Het was de strenge kou van de laatste weken die het ijs te snel in elkaar had gedrongen waardoor het lichtgeraakt was. Ze stampte en hoorde het zingen helemaal tot op de bodem en stelde zich de duisternis voor die daar onder haar lag, schommelend in golven die niemand zag. De stromen bleven stromen, de golven bleven deinen, de vissen zwommen en de waterplanten bewogen zich in de stroom, de zeesterren klommen traag over de stenen. Ze werd bang voor het ijs dat haar in zo'n lichte greep hield terwijl daaronder alles leefde en bewoog. 'Frank!' riep ze en ze wuifde met haar rode wanten, hij draaide zich om en hief zijn stok als antwoord.

Ze kon niet anders dan met hem mee. Ze kon niet anders dan de paarden in de stal laten staan. Ze kon niet anders dan hem in de bontjas helpen en zeggen dat die hem goed stond. Vervolgens moest ze hem de hele weg volgen zonder ook maar een zijstap te maken. Ze moest sneller lopen zodat ze hem inhaalde, vlak achter hem lopen zodat ze zijn witte ademhaling kon zien, net zulke grote passen nemen zodat haar spoor in het zijne verdween. Haar rijglaarsjes pasten ruimschoots in zijn laarzen. Zijn schaduw liep voorop en prikte met een schaduwpunt in het ijs, dat rinkelde als antwoord.

Ze kon hem amper nog zien in het scherpe licht, toch wist ze precies hoe hij eruitzag toen hij met zijn hoofd licht gebogen naar oneffenheden in het ijs zocht. Hij fronste zijn voorhoofd en zette zijn voeten voorzichtig neer, dat was omdat hij zo bang was te vallen terwijl zij keek. Nu richtte hij zich op en keek naar de wal en zij wist waarnaar en in welke volgorde: eerst naar de steile helling waar de sneeuw de onzichtbare uitsteeksels waar de valken hun nesten plachten te hebben tevoorschijn had gepoederd, vervolgens naar de kleine haven beneden en de huizen en de ochtendzon in de ramen en de rook uit de schoorstenen, de rook die opsteeg en de vogels die zweefden en de schoongewassen hemel, hij legde zijn hoofd in zijn nek en keek er lang naar.

Hij zag er eenzaam uit, alsof hij alles vergeten was. Hij was niet meer dan een pluisje op de scheidslijn tussen het ijs en de hemel.

Zijn bontjas, die grijs was geweest toen ze hem naaide, was helemaal wit van de stofsneeuw, de pels van een winterwolf om zich in te verstoppen. Hij was bezig te verdwijnen en ze verhoogde haar tempo, maar hoewel hij volledig stilstond slaagde ze er niet in ook maar een fractie dichterbij te komen. Ze riep maar hij moest buiten gehoorsafstand zijn, want hij draaide niet eens zijn hoofd om en als hij haar had gehoord zou hij hebben geantwoord, dat wist ze zeker. Ze kon niet anders dan haar tempo nog meer opvoeren. Ze kon niet anders dan hem roepen, keer op keer. Ze moest zo dichtbij komen dat ze de witte rookwolkjes uit zijn mond kon zien. Ze moest dezelfde kant op als hij.

Hij was begonnen zich richting land te bewegen, maar het was te vroeg, er was daar iets wat ze zich herinnerde, een schaduw die alleen van grote hoogte waarneembaar was. De vogels zagen die schaduw ongetwijfeld als ze zich lieten meevoeren op de luchtstromen. Ze vulde haar longen om nog harder te roepen, maar het leek alsof haar mond was dichtgevroren, het enige wat er uitkwam was een droog iel geluid, als het gekras van een kraaienjong, en toen ze aanstalten maakte het op een rennen te zetten was haar veter losgeraakt, ze moest hem eerst vastknopen maar de verijsde veter liet zich niet naar haar hand zetten. Toen ze overeind kwam stond hij al naar zijn voeten te kijken en sloeg met de stok alsof hij het water probeerde weg te jagen. 'Frank,' riep ze en het was zo'n enorme kreet dat de sneeuw van de berg stortte en hei en jeneverbesstruiken en losse stenen met zich meevoerde, zelfs de vissershutjes op de oever, alles dreunde door het ijs, en het geluid deed stukken van de berg loslaten, de hele overstek die de nesten van de valken beschutte viel met een dreun, en een golf sloeg over de huizen en de steiger en sleurde ze mee het water in, alle kerstgasten zonken terwijl de vogels in een boze zwerm wegvlogen en zij rende naar de kleine cirkel van stil ijs dat bezig was te wijken.

Toen ze er bijna was draaide hij zich om. 'Ga weg,' riep hij en hij zonk. Het zwarte water bewoog amper waar hij was verdwenen. Aangezien hij er zojuist nog was, bleef ze staan in afwachting dat hij terugkwam, net zo makkelijk boven zou komen als hij was gezonken, als een kind op een schommel. Ze keek naar de ijsbrij, die zich alweer begon te sluiten.

Hij zonk door het duister, recht en zwaar als een lood. Hier en daar, waar de zon bij kon komen, glansde sporadisch groen daglicht, maar het meeste was duisternis, een koude zwarte ruimte met wervelende stofdeeltjes in stromen. Het water zoog de wanten van zijn handen en streek het haar over zijn voorhoofd, ontnam hem zijn ransel, stok, en sjaal maar liet hem zijn laarzen houden en zijn bontjas, die hem steeds sneller naar beneden trok. De laatste lucht vloog uit zijn mond, een glanzende band van witte belle-

tjes die opstegen en barstten tegen het harde oppervlak terwijl de stromen hem wegvoerden van het vasteland, dieper
onder het ijs. Hij was al ver weg toen Tora op haar knieën
viel en met haar nagels begon te graven. Hij was gezonken
en onderweg naar het noorden, en al die tijd dat ze krabde in het ijs en riep, voelde ze de koude duisternis om zich
heen stromen, alsof zij het was die zonk.

6

De laatste week in maart kwam de ergste voorjaarsstorm die men zich kon heugen, met zulk hoog water dat bijna alles was verdwenen toen ze de volgende ochtend beneden bij de oever kwamen, de stenen steiger en de twee kleine boten en het timmerhout dat opgestapeld had gelegen bij de scheepshelling en het kleine schuurtje met de scheepssmidse, alleen het aambeeld stond er nog. Het boothuis had het ook gered, maar de wind had beide deuren losgerukt.

De storm was om twee uur 's nachts begonnen, een zuidwester die de laatste restjes van de winter had meegenomen en snel verder was getrokken, tegen het middaguur was de wind bijna gaan liggen en Tora zat in de zitkamer en leerde Isak zijn naam schrijven op het leitje terwijl ze naar de ruisende regen tegen het dak luisterde. Het was een lenteregen, er was lentelicht aan de hemel. 'Nee, niet zo,' zei ze en ze legde haar hand over die van de jongen om het schrift op te richten dat als een ziek paard op zijn zij was gaan liggen toen zij even ergens anders was met haar gedachten, haar hand kwam en maakte het weer beter.

Buiten brak de zon door de wolken, ze draaiden zich naar het raam en zagen een kleine regenboog boven Orust staan. De jongen wilde meteen naar buiten vliegen maar ze greep hem in zijn kraag en leidde hem naar de bank om te laten zien dat er niet meer was dan dit, alleen het kleine stukje waaraan het raam plaats bood, en dat eveneens bezig was te verbleken en te verdwijnen. Hij ging op zijn knieën zitten, trok het gordijn weg en tuurde tussen de balsemienpotten door naar buiten, want hij geloofde haar niet.

'Hoe oud ben je, Isak?' vroeg ze.

'Acht jaar,' mompelde hij.

'Schrijf maar op het leitje.'

'Gaan we nu ook nog rekenen?'

'Hoeveel is acht plus acht?' vroeg ze en ze hing het gordijn recht terwijl ze luisterde naar het humeurige geschraap toen hij de stoel achteruit trok en naar het geknars op het leitje toen hij zijn grote ronde cijfers schreef en ze in zijn hoofd veranderde in spijkers en aardappels, zoals ze hem had geleerd. Zonder het raam te openen kon ze de geur van de zee ruiken, de rauwe bloeiende geur van de lentezee, die de wind had omgespit en ondersteboven gekeerd. Aan de oever rolde een zwarte boomstam af en aan.

'Ik ben klaar,' zei de jongen, ze ging weer bij hem zitten en gaf hem een moeilijker som op. Op dat moment ging de deur open en Mari kwam binnen in haar mooiste schort en met de kanten muts, die ze was gaan dragen sinds ze was terugverhuisd naar Ekornetång, gesteven en rond als de bol van een paardenbloem.

'De knecht van Lars uit Näs is hier,' zei ze en ze bleef over de drempel staan.

'Wat wil hij?' vroeg Tora terwijl ze de jongen liet zien hoe hij moest onthouden en naar boven verplaatsen.

'Hij zegt dat ze een lijk hebben gevonden. Hij zegt dat het Frank is.'

'En waar hebben ze het lijk gevonden?' vroeg Tora zonder op te kijken.

'Bij de landtong van Tång.'

'Het kan iedereen zijn.'

'Het kan niet iedereen zijn als het Franks kleren aan-

heeft,' zei Mari en ze kwam verder de kamer in. Ze steunde met haar knokkels op tafel, boog voorover en zei: 'Er zit
niets anders op dan dat je erheen rijdt om poolshoogte te
nemen.'

'Dat moet dan maar.'

Ze schreef een nieuwe som op en zette er een dikke
streep onder voordat ze haar nek rechtte en naar Mari keek.
Ze keken elkaar vorsend aan, maten, waardeerden, vergeleken, herinnerden zich, keken weg. Toen hoorden ze een
zachte zucht en ze draaiden zich tegelijk om naar de bevende jongen en riepen in koor: 'Isak! De jongen!'

'Hij kan bij mij in de keuken blijven,' zei Mari en ze sloeg
haar schort om zijn hoofd alsof ze hem wilde verbergen
voor de wereld.

'Zeg tegen de knecht van Lars uit Näs dat ik kom,' zei
Tora en ze stond op. 'Maar hij hoeft niet te wachten want
ik rij zelf.'

'Je zou iemand mee moeten kunnen nemen,' zei Mari en
ze wiegde de jongen in haar armen met haar handen voor
zijn oren, 'je zou iets beters moeten hebben dan alleen kinderen en oude vrouwen.'

Er was een jammerklacht in haar stem die toenam toen
Tora de kamer had verlaten, ze kon hem de hele trap op
naar boven horen. Ze dacht dat het vanwege de jongen was,
zodat hij niet alleen hoefde te zijn. Nu waren er twee die
rouwden. Ze sloot haar deur, pakte de jurk met het bladpatroon en legde hem op bed, de zijden sjaal over haar
schouders, de rijglaarzen op de grond ervoor. Ze legde zichzelf daar neer terwijl iemand anders voor de spiegel haar
haar stond te schikken.

De pluk die Frank had afgesneden was zo lang geworden dat ze hem naar achteren kon trekken en vastspelden
met de rest. Ze doopte haar hand in de lampetkan en streek

hem glad, toen trok ze haar kerkjurk over haar hoofd, als laatste pakte ze de speld uit het doosje en stak die boven-aan in haar kraag, zodat iedereen de kop van de speld, zo groot als een kruisbes, kon zien die Frank haar op zijn trouwdag had gegeven.

De ogen in de spiegel volgden al haar bezigheden. Het was iemand anders die op het bed zat en de laarzen dicht-reeg terwijl ze zelf toekeek, iemand anders die weg zou rij-den, zelf zou ze blijven. Iemand anders die eraan dacht haar kousen op te halen en het lijfje recht te trekken voordat ze naar de spiegel liep voor een laatste inspectie van het beeld daarin. Toen gleden ze in elkaar, ze waren één, ze moest naar de stal om het paard te zadelen. Niemand anders kon deze rit maken. Ze keek de kamer rond alsof ze er nooit meer terug zou komen.

Vijftien traptreden kraakten in het zwarte trappenhuis, ze bleef staan en telde ze stuk voor stuk. Ze kneep in de leuning net als toen ze klein was terwijl de wind langs haar heen vloog, fluitend als een zwaluw. Een zomerzwaluw bo-ven een roggeakker. Er was niemand op het erf, niemand te zien op de akker, het was leeg in de stal. Ze hadden zich allemaal verstopt. Ze pakte het zadel van de haak en ging de box in naar het zwarte paard waarop drie maanden niet meer was gereden en die het wit van zijn ogen liet zien toen hij haar hoorde, maar toen ze het zadel had opgelegd be-daarde hij meteen, haar vingers waren niet langer onhan-dig en vonden het juiste gat in de singel. Het was alsof een grote hand hen allebei beroerde.

Ze herinnerde zich wat Frank had gezegd, dat het grote zwarte paard een zachte mond had en maar weinig teugel-druk behoefde. Toen ze het erf af reed zag ze dat het be-woog achter de ramen, nu stonden ze daar allemaal te kij-ken, maar ze had niet langer behoefte aan hun gezelschap.

Het paard liep en voerde haar mee, als ze licht met haar knieën drukte liep het sneller. Toen ze haar voet bewoog, week hij van de landweg af het bos in en ze bond de teugels aan de zadelknop en ging liggen. Eén keer had ze Frank zo zien liggen, met zijn hoofd naar de staartwortel terwijl het paard van pol naar pol drentelde en graasde. Ze keek op naar de boomkruinen die langzaam boven haar passeerden, het was een droom, een soort sluimer die duurde tot ze pijn in haar onderrug kreeg en rechtop moest gaan zitten en het hoofdgebouw van Näs op de heuvel zag liggen. Toen trok ze zo heftig aan de teugels dat het paard zijn hoofd naar achteren gooide en bijna haar neus raakte en vervolgens roerloos bleef staan met zijn hoeven in de grond gedrukt. Het dier was bang, maar niet voor haar. Ze probeerde het te troosten met haar hand onder de zweterige toom terwijl ze praatte en erin slaagde het stap voor stap de heuvel op te laten lopen. De hele weg dacht ze alleen aan de zwarte oren van het paard die zich spitsten, de gebouwen die klein en slecht onderhouden waren, de vruchtbomen die in een mooie rij stonden, de duiven die op de akker waar de laatste sneeuw die nacht was weggesmolten naar spilzaad zochten, de modder waarin ze haar pas gepoetste laarzen zou moeten zetten. Ze boog haar hoofd onder de poort en gleed uit het zadel in een modderplas, keek op naar de boomkruin waar de eksters een oud nest aan het herstellen waren en dacht aan de lente die onderweg was, als een lichtpijl.

Een man stond haar onder de boom op te wachten. Ze herkende hem, want hij had meegedaan met de botenbouw, een armoedig kereltje waarvan ze zich de naam niet kon herinneren. Ze zocht ernaar terwijl ze de teugels over het hoofd van het paard wurmde, ze wilde niet aan iets anders denken, maar hij strekte zijn vinger en wees en toen ze zich omdraaide zag ze de mannen die in een zwarte rij op de loopbrug stonden te wachten, hun hoedranden druppend van het water. 'Lauritz,' zei ze zacht bij zichzelf terwijl ze hen met het paard aan de teugel over het erf tegemoet liep. Ze voelde de angst via het dier, de paardenangst voor vuur, roofdieren, bloed, plotseling geweld, de ontzetting van anderen. Maar er was niets van dat alles hier, alles was weg. Hier was alleen het bleke licht dat op de vloer van de schuur viel toen de mannen opzij gingen zodat zij naar binnen kon.

Ze had het paard losgelaten en was hen voorbijgelopen, de zoete lucht van kaf en oud hooi in. Het licht viel in een streep die breder werd en bijna in de hoek kwam toen ze de tweede deurhelft openden. Het werd steeds witter naarmate ze dichterbij kwam. Toen ze zag dat hij het echt was die daar lag werd het zo stralend licht om haar heen dat alles verdween behalve dat bed van sparrentakjes en de lange lijnen van het lichaam en in de achtergrond de contouren van enkele tonnen, die stonden opgestapeld achter een balk. Dit alles vormde een klein wit eiland waar geen geluid kon komen.

Iemand had haar een lantaarn gegeven die ze aan een haak boven zijn hoofd hing. Hij was veranderd, maar ze kon nog steeds heel duidelijk de contouren van zijn gezicht onderscheiden en wat er mooi aan was geweest. Zijn gezicht was zacht en glad en oneffen en warm geweest als het loopkussen van een grote kat, een grote warme poot slaperig opgerold met alle nagels ingetrokken. Glad met schuine oogspleten. Ze strekte haar hand uit en beroerde het om zeker te weten dat hij het was en dat hij nooit meer terug zou komen. Zijn wang was koud als ijs. Zijn oor was weg, ze leunde voorover en fluisterde iets.

'Ja,' zei ze vervolgens en ze richtte zich tot de mannen, die in de deuropening stonden, 'het is mijn stiefvader, dat

weet ik, want deze bontjas heb ik zelf voor hem genaaid.'
Als om het te bewijzen spreidde ze haar beide handen uit
in de vacht, die was opgedroogd en bijna warm leek, maar
dat was misschien omdat haar vingers zo koud waren dat
ze niet goed meer konden voelen. Eén van de mannen
opende zijn mond, maar ze kon nog steeds niet horen en
draaide hen weer de rug toe, slechts heel even om vaarwel
te zeggen, maar toen was Frank al verdwenen en was het
iets vreemds wat daar op de sparrentakken lag; ze stond
vlug op en voelde hoe alles terugkeerde, het bloed in haar
vingers en de geluiden en de alledaagse grauwheid en alles
wat gewoon zou doorgaan.

De witheid veranderde in een kamer, ze liep erdoorheen
op verdoofde benen, naar een paar bebaarde gezichten in
een hoek en een deur die openstond. Iemand praatte tegen
haar en ze antwoordde, maar het enige waaraan ze kon denken was de deuropening en wat ze daardoor zag, een be-
wolkte voorjaarsavond met motregen, een kapotgereden
erf, een es, een eksternest, een kapotte kruiwagen omge-
kiept tussen de brandnetels en een greep die tegen de wand
stond, een meisje dat door een raam naar buiten keek terwijl ze een boterham at, een bronwaterhuis, een emmer die
viel met een plons en vervolgens werd opgehaald, het weefsel dat werd gekeerd en nog een raam dat werd opengeslagen om braadlucht naar buiten te laten, alles waarnaar ze
verlangde maar wat ze nooit meer kon krijgen. Ze liep naar
haar paard en sloeg haar arm om de zwarte nek.

De man die onder de boom was blijven staan kwam naar
voren en zette zijn hoed af toen ze kwam. Hij leek iets te
willen zeggen, maar was misschien te verlegen, want het
bleef bij het schrapen van zijn keel. In plaats daarvan strekte hij zijn gesloten vuist uit, alsof hij daar iets verborgen
hield en haar ermee wilde troosten. Ze overwoog hem te

vragen zijn hand te openen en het haar te laten zien, maar precies op dat moment riep de boer tegen hem dat hij moest opschieten, en hij stak het vlug terug in zijn zak en sukkelde weg langs de stal.

Zodra ze op de paardenrug zat vergat ze hem. Toen ze de heuvel af draafde riep de boer weer en de duiven vlogen op van de akker in een blauwe wolk die een paar maal omkeerde en zich deelde in de lucht voordat hij wegvloog.

In de pastorie opende de dominee zijn ogen, en alsof hij
dezelfde roep had gehoord stond hij op uit de crapaud
voor de haard en zei de sluimering vaarwel waaraan hij zich
had overgegeven om het gekrakeel en de plichtplegingen
van het dagelijks bestaan te ontlopen, om terug te keren
naar zijn werkkamer en de brief waar hij voor het avondeten aan begonnen was. Het was een brief aan zijn voor-
ganger, de oude dominee in Tång, die na een kleine beroerte naar een zuster in Dalsland was verhuisd.

Hij doopte zijn pen in de inkt en zuchtte toen hij de inktvlek weer zag die was ontstaan toen hij een uur eerder al te
bruusk aan tafel was geroepen. Een kort maar duizeling-
wekkend moment dwaalde hij af, van de vleselijke alledaagse werkelijkheid die de vlek vertegenwoordigde naar de hoge heldere ruimte waar de ziel vrij is van aangezicht tot
aangezicht met God te spreken, en naar de vrede die wachtte aan gene zijde van de bruisende zee waaruit men zojuist
het lijk had opgevist van Erland Frank, de boer die afgelopen winter door het ijs was gegaan.

Die wist nu alles van stilte en vergetelheid, maar in de
pastorie werden voor de tweede keer die dag de houtkisten
gevuld en een kind rende luid klossend over de vloer van
de bovenverdieping. 'Kunnen jullie niet wat stiller zijn,'
klaagde de dominee terwijl hij door het raam naar de ka-
potgewaaide tuin keek en naar het kerkhof aan de overkant
van de weg met zijn zwarte hellende stenen in een steeds

zwaarder vallende duisternis. Hij zag zichzelf daar dolen, een koude eenzame schaduw tussen de hopen aarde.

Een rilling ging door hem heen. Toen hij nog een poosje had geluisterd, begon hij het kabaal bijna geruststellend te vinden. De geluiden van geren en geschreeuw genoten bij nader inzien oneindig meer de voorkeur dan eeuwige vrede: de bruisende zee had hem heel even beroerd en hij erkende graag dat het hem meer angst aanjoeg dan dat de vrede hem lokte. Hij was bang voor de nacht zonder einde, hoe rustgevend die ook kon zijn, de zwarte nacht waarin de verdronken boer nu sliep, een slaap zonder einde en zonder kwellingen.

Andere alternatieven waren ondenkbaar: de dominee geloofde niet in de verdoemenis, ook al preekte hij er graag over. Hij geloofde evenmin in de opstanding. Die leek al te onwaarschijnlijk, op sommige dagen zelfs ongewenst. Hij wist niet waar hij in geloofde buiten de lucht van kool die nu door de kamer zweefde omdat ze maar niet konden onthouden de keukendeur dicht te doen hoewel hij dat al duizend keer had gevraagd. De lucht van kool, het tere lentelicht boven de appelbomen en een brief die afgeschreven moest worden, dat was wat er was. Dus legde hij zijn hand over de inktvlek en ging verder met de zin waar hij onderbroken was:

...en ik voel grote opluchting dat ze het lichaam van die ongelukzalige man nu hebben geborgen. Dat zal een einde maken aan de geruchten. Drie keer heb ik via via gehoord van mensen die 'geleide' kregen vanuit zee door 'een plonzende man met wier in zijn haar,' en dan begrijp je wel wat ik bedoel als ik zeg dat ik naar de begrafenis verlang. Er is geen andere manier om bijgeloof de baas te worden dan een preek en een steen erover – al moet ik bekennen dat ik in mijn somberste momenten denk dat bijgeloof onuitroei-

baar is en dat deze kust een woestenij is waar mijn eigen
ziel ten onder zal gaan. Heb ik je verteld over de offerberg?
De vrouwen leggen daar bloemen als de mannen naar zee
gaan, maar ik heb ook stukken brood, klonten boter en wilde aardbeien op een strootje aangetroffen! Afijn, dit soort
dingen weet je natuurlijk allemaal allang, maar ik ben nooit
in staat geweest jouw wetenschappelijke interesse, je milde
toegeeflijkheid aan de dag te leggen...

Het meisje, je beschermeling naar wie je vraagt, lijkt zich
goed te redden. Er wordt beweerd dat Frank haar een kist
vol geld heeft nagelaten, maar dat is natuurlijk kletspraat,
zulke goede zaken deed die man niet. Van haar oom daarentegen hoef je niets meer te verwachten; sinds de oude
speelman afgelopen winter is overleden woont hij alleen in
het hutje en is aan lager wal geraakt. Hij is door de vorst
geschroeid, een schaduwkind. Maar misschien houdt God
meer van zijn ziel dan van de jouwe of de mijne, daarin zou
je weleens gelijk kunnen hebben, ook al is dat gedeelte van
je theologie me altijd een beetje overdreven voorgekomen
en vooral zeer onrechtvaardig tegenover degenen die ploe-
teren en hun best doen. Maar iedereen gelooft op zijn eigen wijze, sommigen met goede werken, anderen met wilde aardbeien op een strootje. Als ik hier net zolang blijf als
jij word ik misschien ook net zo ruimdenkend.

In mijn eigen huishouden gaat alles zijn gangetje al zijn we
afgelopen winter buitengewoon bezocht door verkoudhe-
den. Mijn vrouw laat zeggen dat de grote rode kruisbes-
struiken naar een zonniger plek zullen worden verplaatst,
maar dat het moet wachten tot de herfst om de bloei niet
te verstoren. Helaas is er iemand die de bessen voor ons
opeet, mijn vrouw denkt dat er mensen 's nachts onze tuin
binnensluipen, zelf houd ik het op een das: ik heb gehoord
dat dat een zoetekauw is. De aalbessen zijn ook zwaar ge-

teisterd en dit jaar zullen we proberen ze af te dekken met een net, zoals jij hebt voorgesteld. Wat de grote kastanje aangaat weet ik eerlijk gezegd niet wat ik je moet antwoorden. Als er rot in de stam zit, dan zit het niet bepaald diep, want in dat geval zou de boom niet meer overeind staan na de storm van vannacht, die zoals de oudgedienden in de keuken beweren de ergste is die ze zich kunnen heugen. Maar dat beweren ze immers van alles. Hebben jullie de leeuwerik al gehoord, over de vlakte? Hier is hij zo laat dit jaar...

Op een koude lenteavond reed Tora het bos in en ontdekte dat het al was gaan schemeren terwijl ze samen met een van de leden van de raad het armenhuis inspecteerde. Het huis was net gereed, met twee slaapzalen, een keuken in het midden en de school aan de zijkant als een kleine uitbouw met een eigen deur. 'Maar hoe moeten ze het klaslokaal warm krijgen?' had ze gevraagd en hij had zijn hoofd geschud, ze hadden zeker gedacht dat de kinderen dat zelf zouden regelen door dicht tegen elkaar aan te zitten: 'Er was niet genoeg geld voor een kachel.'

'En nu denken jullie zeker dat ik zo weekhartig ben te betalen? Dat doe ik nooit.'

'Maar de kas is leeg,' riep hij klagend toen ze al buiten stond en de teugels losmaakte van de trapleuning.

'Dan moeten jullie die maar aanvullen met collectegeld,' zei ze en ze besteeg het paard, dat nu van haar was en draaide een rondje omdat het leuk was om te doen, ze vonden het allebei leuk, dat briesende vertoon van vliegende aardkluiten terwijl het raadslid stond toe te kijken en wat vuil van zijn wang veegde. 'En nog iets,' zei ze en ze reed naar de trap, 'ik zal het hout leveren dat is afgesproken, maar als ik merk dat er iemand in mijn bos loopt te kappen omdat het zo gunstig gelegen is, dan doe ik aangifte bij de veldwacht.'

'Ik ben hier de toezichthouder niet,' riep hij en hij werd rood.

'En dat met die kachel moeten jullie zien te regelen. Je begrijpt toch zeker wel dat je de kinderen niet in de kou kunt laten zitten. Het zijn andere tijden nu.'

Toen ze een stukje de heuvel af was draaide ze zich om in het zadel en riep: 'Maar ik zal wat geld in de collectezak doen.' Ze tilde haar hand op naar de man die boven aan de trap was blijven staan en reed de duisternis in die was ingevallen zonder dat ze het had gemerkt.

Ze hadden zo over het plankenbeschot en de schoorsteen zitten praten dat ze er niet op had gelet, bovendien dacht ze dat ze al lange lenteavonden hadden, zonder plotselinge duisternis die op de loer lag aan de bosrand. Het was stil, het enige wat je hoorde was een beetje water dat stroomde en een vos die blafte. Ze liet het paard heel langzaam gaan om zichzelf te dwingen niet bang te zijn. De duisternis vormde een wazig kantpatroon op de weg, toen ze erin reed hield het geluid van hoefslagen op, alsof de gewone wereld en alles wat daarin thuishoorde verdween. Ze bewogen zich stil door het bos, het meisje en het paard, terwijl de sterren een voor een oplichtten, fel en wit aan de hemel die nog licht was in het westen maar niet licht genoeg om te schijnen op de smalle weg. Hoewel ze recht vooruit keek zag ze de hele tijd de duisternis aan weerszijden als een in het zwart geklede mensenmenigte. Ze voelde het zweet langs haar rug stromen, een herinnering aan het feit dat ze niet alleen was, niet vrij was, dat het leven niet langer van haar was.

Het was zo'n klein bos, ze had het paard de sporen kunnen geven en dan was ze er binnen een paar minuten uit geweest, maar ze liet de teugels los om het paard zijn eigen gang te laten gaan terwijl zij luisterde naar het geritsel en het geluid van takken die knapten alsof iemand zich daar voortbewoog, parallel aan de weg in hetzelfde tempo als zij.

Niets kon haar ertoe brengen haar hoofd te wenden en die kant op te kijken. Ze keek recht vooruit terwijl het paard wat graasde in de berm, verder drentelde met hangend hoofd en plukjes gras van vorig jaar in zijn mondhoeken. Je kon het licht zien waar het bos zich opende en de weg langs de akkerzomen kronkelde, maar het was ver weg en ze was inmiddels nat over haar hele lichaam en voelde hoe de angst bonsde en eruit wilde. Ze zou niet haar hakken in de flanken van het paard drijven en toegeven. Ik ben niet bang voor mijn eigen bos, dacht ze terwijl de duisternis tegen haar wang streek, het was niet de eerste keer dat ze de warme ademhaling voelde, als een windvlaag.

Zolang ze het negeerde was ze veilig, daarom keek ze rechtuit naar de groeiende driehoek van licht en tilde niet haar hand op naar de wang waartegen werd geademd. Het brandde een beetje rondom haar oor. Ze dwong zichzelf het paard in te houden en roerloos te blijven staan zodat ze allebei konden horen hoe stil het was in het bos, geen poot of klauw of vleugel in het fijnkanten duister, alleen het geruis van water en lucht. Maar toen ze weer in beweging kwamen begon het andere ook te bewegen, dat wat naast hen liep en dat altijd zou blijven doen, ze keek die kant niet op en wist dat het zo zou blijven: het zou er altijd zijn, maar ze zou het negeren.

Toen ze het bos uit kwam was de maan opgekomen. Het kraakte van het ijs onder de hoeven van het paard, want in de schaduw onder aan de berg zat de vorst nog in de grond, en het scherpe geluid van bevroren plassen en harde grond hakte de duisternis kapot die verdween zoals een grote verspreide vlucht vogels aan de hemel ineens een lint kan vormen dat wegtrekt en wordt neergezogen achter de bosrand. Als de angst weg was dacht ze er niet meer aan, niet meer dan aan het lichte onbehagen van de jurk die tegen haar rug plakte en de kou in de natte stof. Over een tijdje zou hij terugkomen. Ze klakte naar het paard en draafde een poosje langs de omheining, die helemaal overwoekerd was geweest met sleedoorn, maar ze had ervoor gezorgd dat die werd gerooid en de muur gemaakt zodat iedere steen nu vast lag ingepast. In de herfst zouden ze daar de stierkalfjes laten grazen.

Toen bewoog ze haar voet naar achteren en voelde hoe het paard meteen antwoordde, het was een vreugde die nergens mee te vergelijken viel: galopperen over de maangevlekte weg op een voorjaarsavond met vorst in de lucht en nooit aankomen, nooit aankomen maar weten dat alles dichtbij is als je wilt, de stal waar ze over een klein poosje zou staan om het paard droog te maken met halm en haar eigen kamer waar ze aan het raam kon zitten voordat ze naar bed ging om te kijken naar de zee met maanvissen springend in de lichtbaan die helemaal tot Orust reikte. Als ze sliep liep ze er vaak op, en het bijzondere was dat hij nooit onder haar brak en dat ze altijd heelhuids aan de overkant kwam. 'Ho!' riep ze toen ze de heuveltop bereikt hadden en ze klopte het paard langdurig op de natte hals terwijl ze ademhaalde en naar het licht keek dat brandde in het hutje aan de andere kant van het meer, een gestaag lichtje in de steeds wittere avond. Nu zat hij daarbinnen met de kop van de hond op zijn schoot en zijn benen uitgestrekt naar het vuur. Alles wat ze had gedaan was tevergeefs geweest, alles wat ze hem had willen teruggeven had hij afgeslagen, en nu was ze er niet langer rouwig om.

Vele avonden was ze gestopt om over het meer naar Arvids venster te kijken. Ze wist wat iedereen vond, dat het erg was voor haar dat ze de zorg had over zo'n stakker, maar dat het toch het ergst was voor hem die zoveel had bezeten en alles was kwijtgeraakt. Zelf was ze op een andere ma-

318

nier gaan denken, dat het was zoals het moest zijn. Het was zoals het moest zijn, maar als iemand vroeg wat ze bedoelde kon ze het niet beter uitleggen dan zo: hij had in ieder geval datgene mogen behouden waar hij in de wereld het meest van hield.

Bij de productie van dit boek is gebruikgemaakt van papier dat het keurmerk Forest Stewardship Council (FSC) draagt. Bij dit papier is het zeker dat de productie niet tot bosvernietiging heeft geleid. Ook is het papier 100% chloor- en zwavelvrij gebleekt.